A GUERRA NÃO TEM ROSTO DE MULHER

SVETLANA ALEKSIÉVITCH

A guerra não tem rosto de mulher

Tradução do russo
Cecília Rosas

21ª reimpressão

Grafia atualizada segundo o Acordo Ortográfico da Língua Portuguesa de 1990, que entrou em vigor no Brasil em 2009.

Título original
У войны не женское лицо

Capa
Daniel Trench

Imagem de capa
Sovfoto

Preparação
Paula Colonelli

Revisão
Clara Diament
Ana Maria Barbosa

Dados Internacionais de Catalogação na Publicação (CIP)
(Câmara Brasileira do Livro, SP, Brasil)

Aleksiévitch, Svetlana
A guerra não tem rosto de mulher / Svetlana Aleksiévitch; tradução do russo Cecília Rosas. — 1ª ed. — São Paulo: Companhia das Letras, 2016.

ISBN 978-85-359-2743-6

1. Guerra Mundial, 1939-1945 — Atrocidades — Rússia — Narrativas pessoais russas 2. Guerra Mundial, 1939-1945 — Campanhas — Rússia — Narrativas pessoais russas 3. Guerra Mundial, 1939-1945 — Participação feminina — Narrativas pessoais russas I. Título.

16-03698 CDD-940.54217082

Índice para catálogo sistemático:
1. Russas: Narrativas pessoais : Guerra Mundial, 1939-1945 940.54217082

EDITORA SCHWARCZ S.A.
Rua Bandeira Paulista, 702, cj. 32
04532-002 — São Paulo — SP
Telefone: (11) 3707-3500
www.companhiadasletras.com.br
www.blogdacompanhia.com.br
facebook.com/companhiadasletras
instagram.com/companhiadasletras
twitter.com/cialetras

Sumário

"Quando as mulheres entraram para o Exército pela primeira vez na história?"

"Já no século IV a.C., em Atenas e em Esparta, havia mulheres lutando nas tropas gregas. Depois, elas participaram das campanhas de Alexandre, o Grande.

"O historiador russo Nikolai Karamzin escreveu sobre nossos antepassados: 'As eslavas às vezes iam para a guerra com seus pais e maridos, sem temer a morte: assim, no cerco a Constantinopla em 626, os gregos encontraram vários cadáveres de mulheres entre os eslavos mortos. Uma mãe, ao educar o filho, preparava-o para ser um guerreiro'."

"E na Idade Moderna?"

"Primeiro, na Inglaterra; nos anos de 1560 a 1650 começaram a se formar hospitais militares em que mulheres-soldados serviam."

"O que aconteceu no século XX?"

"No começo do século... Na Primeira Guerra Mundial, na Inglaterra, já aceitavam mulheres na Força Aérea Real; foram formados um Corpo Auxiliar Real e uma Legião Feminina de Transporte Rodoviário: eram 100 mil pessoas.

"Na Rússia, na Alemanha e na França, muitas mulheres também começaram a servir em hospitais militares e em trens-enfermarias.

"Mas, na Segunda Guerra Mundial, o mundo foi testemunha do fenômeno feminino. Em muitos países, as mulheres serviram em todas as forças armadas: nas tropas inglesas eram 225 mil; nas americanas, 450, 500 mil; nas alemãs, 500 mil...

"No Exército soviético lutaram aproximadamente 1 milhão de mulheres. Elas dominavam todas as especialidades militares, inclusive as mais 'masculinas'. Surgiu até um problema linguístico: as palavras 'tanquista', 'soldado de infantaria', 'atirador de fuzil', até aquela época, não tinham gênero feminino, porque mulheres nunca tinham feito esse trabalho. O feminino dessas palavras nasceu lá, na Guerra..."

De uma conversa com um historiador

O ser humano é maior que a guerra
(*Do diário do livro*)

Milhões de assassinados por nada
Abriram um caminho na escuridão
Óssip Mandelstam

1978-85

Estou escrevendo um livro sobre a guerra...

Eu, que nunca gostei de ler livros de guerra, ainda que, durante minha infância e juventude, essa fosse a leitura preferida de todo mundo. De todo mundo da minha idade. E isso não surpreende — éramos filhos da Vitória. Filhos dos vencedores. Qual é minha primeira lembrança da guerra? Minha tristeza infantil entre palavras assustadoras e incompreensíveis. Estavam sempre relembrando a guerra: na escola e em casa, nos casamentos e batizados, nos feriados e velórios. Até nas conversas das crianças. Um menino da vizinhança uma vez me perguntou: "O que as pessoas fazem embaixo da terra? Como eles vivem lá?". Nós também queríamos decifrar o mistério da guerra.

Foi então que comecei a refletir sobre a morte... E nunca mais parei de pensar nela, tornou-se para mim o principal mistério da vida.

Para nós, tudo começava naquele mundo distante e misterioso. Em nossa família, meu avô ucraniano, pai da minha mãe, morreu no front, foi enterrado em algum lugar em terras húngaras; minha avó bielorrussa, mãe do meu pai, morreu de tifo entre os *partisans*; de seus três filhos, dois serviram no Exército e desapareceram nos primeiros meses da guerra, só um voltou. Meu pai. Onze parentes distantes, junto com os filhos, foram queimados vivos pelos alemães — uns em sua casa, outros na igreja da vila. Em todas as famílias acontecia o mesmo. Em todas.

Os meninos das aldeias ainda por muito tempo brincaram de "alemães" e "russos". Gritavam palavras em alemão: "*Hände hoch!*", "*Zurück*", "*Hitler kaput!*".*

Não sabíamos como era o mundo sem guerra, o mundo da guerra era o único que conhecíamos, e as pessoas da guerra eram as únicas que conhecíamos. Até agora não conheço outro mundo, outras pessoas. Por acaso existiram em algum momento?

A vila de minha infância depois da guerra era feminina. Das mulheres. Não me lembro de vozes masculinas. Tanto que isso ficou comigo: quem conta a guerra são as mulheres. Choram. Cantam enquanto choram.

Na biblioteca da escola, metade dos livros era sobre a guerra. Tanto na biblioteca rural quanto na do distrito, onde meu pai sempre ia pegar livros. Agora, tenho uma resposta, um porquê. Como ia ser por acaso? Estávamos o tempo todo em guerra ou

* "Mãos ao alto", "Para trás", "Hitler já era", em alemão no original. [Esta e as demais notas são do tradutor.]

nos preparando para ela. E rememorando como combatíamos. Nunca tínhamos vivido de outra forma, talvez nem saibamos como fazer isso. Não imaginamos outro modo de viver, teremos que passar um tempo aprendendo.

Na escola, nos ensinavam a amar a morte. Escrevíamos redações dizendo como queríamos morrer em nome de... Sonhávamos com isso...

Mas as vozes na rua gritavam outras coisas, me atraíam mais.

Por muito tempo fui uma pessoa dos livros: a realidade me assustava e atraía. Desse desconhecimento da vida surgiu uma coragem. Agora penso: se eu fosse uma pessoa mais ligada à realidade, teria sido capaz de me lançar nesse abismo? De onde veio tudo isso: do desconhecimento? Ou foi uma intuição do caminho? Pois a intuição do caminho existe...

Passei muito tempo procurando... Com que palavras seria possível transmitir o que escuto? Procurava um gênero que respondesse à forma como vejo o mundo, como se estruturam meus olhos, meus ouvidos.

Uma vez, veio parar em minhas mãos o livro *Ia iz ógnennoi deriévni* [Eu venho de uma vila em chamas], de Aliés Adamóvitch, Iánka Bril e Vladímir Koliésnik. Só tinha sentido essa estupefação uma vez, ao ler Dostoiévski. Tinha uma forma incomum: um romance constituído a partir de vozes da própria vida, do que eu escutara na infância, do que agora se escuta na rua, em casa, no café, no trólebus. É isso! O círculo se fechou. Achei o que estava procurando. O que estava pressentindo.

Aliés Adamóvitch tornou-se meu professor...

Durante dois anos, mais do que fazer entrevistas e tomar notas, eu fiquei pensando. Lendo. Sobre o que será meu livro? Ah, mais um livro sobre a guerra... Para quê? Já aconteceram milhares de guerras — pequenas e grandes, famosas e desconhecidas. E o que se escreveu sobre elas é ainda mais numeroso. Mas... Foi escrito por homens e sobre homens, isso ficou claro na hora. Tudo o que sabemos da guerra conhecemos por uma "voz masculina". Somos todos prisioneiros de representações e sensações "masculinas" da guerra. Das palavras "masculinas". Já as mulheres estão caladas. Ninguém, além de mim, fazia perguntas para minha avó. Para minha mãe. Até as que estiveram no front estão caladas. Se de repente começam a lembrar, contam não a guerra "feminina", mas a "masculina". Seguem o cânone. E só em casa, ou depois de derramar alguma lágrima junto às amigas do front, elas começam a falar da sua guerra, que eu desconhecia. Não só eu, todos nós. Em minhas viagens jornalísticas, mais de uma vez fui testemunha, a única ouvinte de textos absolutamente novos. E experimentava um espanto igual ao de minha infância. Nesses relatos transparecia o esgar monstruoso do mistério... Quando as mulheres falam, não aparece nunca, ou quase nunca, aquilo que estamos acostumados a ler e escutar: como umas pessoas heroicamente mataram outras e venceram. Ou perderam. Qual foi a técnica e quais eram os generais. Os relatos femininos são outros e falam de outras coisas. A guerra "feminina" tem suas próprias cores, cheiros, sua iluminação e seu espaço sentimental. Suas próprias palavras. Nela, não há heróis nem façanhas incríveis, há apenas pessoas ocupadas com uma tarefa desumanamente humana. E ali não sofrem apenas elas (as pessoas!), mas também a terra, os pássaros, as árvores. Todos os que vivem conosco na terra. Sofrem sem palavras, o que é ainda mais terrível.

Mas por quê? — perguntei-me mais de uma vez. — Por que, depois de defender e ocupar seu lugar em um mundo antes absolutamente masculino, as mulheres não defenderam sua história? Suas palavras e seus sentimentos? Não deram crédito a si mesmas. Um mundo inteiro foi escondido de nós. A guerra delas permaneceu desconhecida...

Quero escrever a história dessa guerra. A história das mulheres.

* * *

Depois dos primeiros encontros...

O espanto: mulheres que tiveram profissões militares — enfermeira-instrutora, francoatiradora, atiradora de metralhadora, comandante de canhão antiaéreo, sapadora — agora são contadoras, auxiliares de laboratório, guias turísticas, professoras de escola... Os papéis lá e cá não combinam. Recordam como se não estivessem falando de si mesmas, mas de outras garotas. Hoje, se espantam consigo. E aos meus olhos a história vai "se humanizando", ficando mais parecida com a vida comum. Surge outra interpretação.

Encontram-se narradoras formidáveis, elas têm páginas na vida que rivalizam com as melhores páginas dos clássicos. O ser humano vê a si mesmo com tanta clareza de cima — a partir do céu —, e de baixo — a partir da terra. Diante dele há todo um caminho para cima e para baixo: de anjo a animal. As lembranças não são um relato apaixonado ou desapaixonado de uma realidade que desapareceu, mas um renascimento do passado, quando o tempo se volta para trás. Antes de mais nada, é uma criação. Ao contar, as pessoas criam, "escrevem" sua vida. Acontece inclusive de "acrescentarem" e "reescreverem" passagens. Quanto a isso, é preciso ficar alerta. De guarda. Ao mesmo tempo a dor funde e aniquila qualquer falseamento. A temperatura é alta demais! Os mais sinceros, estou convencida, são as pessoas simples — enfermeiras, cozinheiras, lavadeiras... Elas — como definir com mais precisão? — tiram as palavras de si mesmas, e não dos jornais ou dos livros que leram, não do que é alheio. Apenas dos próprios sofrimentos e emoções. Os sentimentos e a linguagem das pessoas cultas, por mais estranho que pareça, estão mais sujeitos a ser reelaborados pelo tempo. Pela codificação geral. Contaminados pelo conhecimento indireto. Pelos mitos. Às vezes, é preciso percorrer um longo caminho, dar várias voltas, para escutar um relato da guerra "feminina", e não da "masculina"; como foi a retirada, o ataque, em que lugar do front... Exige não só um encontro, mas várias sessões. Como um retratista insistente.

Passo muito tempo sentada em casas ou apartamentos desconhecidos, às vezes o dia inteiro. Bebemos chá, experimentamos blusinhas recém-compradas, discutimos cortes de cabelo e receitas. Olhamos juntas as fotos dos netos. E então... Depois de certo tempo, nunca se sabe quanto nem por quê, de repente chega aquele esperado momento em que a pessoa se afasta do cânone — feito de gesso e concreto armado, como nossos monumentos — e se volta para si. Para dentro de si. Começa a lembrar não da guerra, mas de sua juventude. De um pedaço da sua vida... É preciso capturar esse momento. Não deixar passar! Mas, muitas vezes, depois de um dia longo, cheio de palavras, fatos, lágrimas, só resta uma frase na memória (mas que frase!): "Eu era tão pequena quando fui para o front que, durante a guerra, até cresci um pouco". Eu a deixo no bloquinho de anotações, apesar de voltar com dezenas de metros de fita no gravador. Quatro ou cinco fitas cassete...

O que me ajuda? O que me ajuda é estarmos acostumadas a viver juntas. Em comunidade. Somos gente da comunhão. Tudo entre nós acontece na presença dos outros — tanto as alegrias quanto as lágrimas. Somos capazes de sofrer e contar o sofrimento. O sofrimento justifica nossa vida dura e sem graça. Para nós, a dor é uma arte. É preciso reconhecer que as mulheres se lançam nesse caminho com coragem...

* * *

Como elas me recebem?

Me chamam de "menina", "filhinha", "mocinha"; se eu fosse da mesma geração que elas, talvez se comportassem de outra forma. Com tranquiladade, de igual para igual. Sem a alegria e a surpresa que acompanham o encontro entre juventude e velhice. Este é um elemento muito importante: na época elas eram jovens e agora se lembram disso na velhice. Estão lembrando depois de uma vida — depois de quarenta anos. Me revelam seu mundo com cuidado, preservando-se: "Me casei logo depois da guerra. Me escondi atrás do meu marido. Atrás do dia a dia, das fraldas das crianças. Me escondi com gosto. Minha mãe também me pedia: 'Fique calada! Fique calada! Não confesse'. Cumpri meu dever perante a pátria, mas fico triste de ter estado lá. De conhecer aquilo... E você é tão mocinha. Fico com pena de você...". Muitas vezes reparo em como elas estão escutando a si mesmas. O som de sua alma. Conferindo-o com suas palavras. Depois de longos anos, a pessoa entende que aquilo era a vida, e que agora é preciso fazer as pazes e se preparar para a partida. Contra a vontade e com pena de desaparecer assim sem mais nem menos. Sem cuidado. Na caminhada. E, ao voltar o olhar para trás, nele está presente não só o desejo de contar sua história, mas também de alcançar o mistério da vida. Responder para si mesma à pergunta: para que aconteceu tudo isso? Elas olham para tudo com o olhar triste, de quem se despede um pouco... Quase do lado de lá... Não há por que enganar os outros e enganar a si mesmas. Elas já entenderam que, sem a ideia de morte, não se pode distinguir nada no ser humano. Seu mistério existe acima de tudo.

A guerra é um sofrimento íntimo demais. E tão infinito quanto a vida humana...

Certa vez, uma mulher que havia sido piloto recusou-se a se encontrar comigo. Por telefone, explicou: "Não posso... Não quero lembrar. Passei três anos na guerra... E, nesses três anos, não me senti mulher. Meu organismo perdeu a vida. Eu não menstruava, não tinha quase nenhum desejo feminino. E era bonita... Quando meu futuro marido me pediu em casamento... Isso já em Berlim, ao lado do Reichstag... Ele disse: 'A guerra acabou. Sobrevivemos. Tivemos sorte. Case comigo'. Eu queria chorar. Começar a gritar. Bater nele! Como assim casar? Agora? No meio de tudo isso — casar? No meio da fuligem preta, de tijolos pretos... Olhe para mim... Veja em que estado estou! Primeiro, faça de mim uma mulher: me dê flores, flerte comigo, diga palavras bonitas. Eu quero tanto isso! Esperei tanto! Por pouco não bati nele... Queria bater... Uma de suas bochechas estava queimada, vermelha, e eu vi que ele tinha entendido tudo: desciam lágrimas por essa bochecha. Pelas cicatrizes ainda recentes... E eu mesma não acreditei que estava dizendo: 'Sim, eu me caso com você'.

"Desculpe... Não posso..."

Eu a entendi. Mas isso também é uma página ou meia do futuro livro.

Textos, textos. Textos para todo lado. Nos apartamentos da cidade e nas casas do campo, na rua e no trem... Vou escutando... Cada vez mais vou me transformando em um grande ouvido, sempre voltado para outra pessoa. "Leio" a voz.

O ser humano é maior do que a guerra...

A memória guarda justamente os momentos em que ele foi maior. Ali, ele é guiado por algo mais forte do que a história. Preciso pegar o que é mais amplo — escrever a verdade sobre a vida e a morte em geral, e não só a verdade sobre a guerra. Fazer a pergunta de Dostoiévski: o quanto há de humano no ser humano, e como proteger esse humano em si? Sem dúvida, o mal é tentador. Ele é mais hábil do que o bem. Mais atraente. Mergulho cada vez mais fundo no infinito mundo da guerra, todo o resto perde um pouco das cores, torna-se mais comum do que o comum. Um mundo grandioso e feroz. Entendo agora a solidão da pessoa que volta de lá. É como se viesse de outro planeta ou do além. Ela tem o conhecimento de algo que os outros não têm, e só é possível conquistá-lo ali, perto da morte. Quando tenta transformar isso em palavras, tem a sensação de uma catástrofe. A pessoa se cala. Ela quer contar, o resto queria entender, mas estão todos impotentes.

O espaço delas é sempre diferente do de seus ouvintes. Estão rodeadas por um mundo invisível. Pelo menos três pessoas fazem parte da conversa: a que está contando agora, a pessoa que ela era na época em que aconteceu e eu. Meu objetivo é, antes de mais nada, extrair a verdade daqueles anos. Daqueles dias. Sem falsear os sentimentos. Logo depois da guerra, a pessoa contaria uma guerra; passadas dezenas de anos, claro, algo muda, porque ela deposita nas lembranças toda a sua vida. Tudo de si. Aquilo que viveu nesses anos, o que leu, viu, quem encontrou. Por fim, se é feliz ou infeliz. Se conversamos a sós ou se há mais alguém por perto. Família? Amigos — quais? Se são amigos do front, é uma coisa; se são os demais, é outra. Os documentos são seres vivos, eles mudam e vacilam junto conosco, é possível extrair algo deles eternamente. Algo novo que nos é necessário justamente agora. Neste minuto. O que estamos procurando? Em geral, o que nos parece mais interessante e próximo não são os grandes feitos e o heroísmo, mas aquilo que é pequeno e humano. Por exemplo, o que eu mais gostaria de saber sobre a vida na Grécia antiga... Sobre a história de Esparta... Eu gostaria de ler sobre o que as pessoas conversavam em casa. Como partiam para a guerra. Que palavras diziam no último dia e na última noite antes de se separar daqueles que amavam. Como se despediam os guerreiros. Como eram esperados na volta da guerra… Não os heróis e chefes militares, mas as pessoas comuns.

A história relatada por uma testemunha ou por um participante que ninguém notou. Sim, é isso que me interessa, é isso que eu gostaria de transformar em literatura. Mas as pessoas que contavam não eram apenas testemunhas, menos que tudo testemunhas: eram atores e criadores. É impossível chegar muito perto da realidade, cara a cara. Entre a realidade e nós existem os nossos sentimentos. Entendo que estou lidando com versões, cada um tem a sua, e delas, do volume e do cruzamento delas, nasce a imagem do tempo e das pessoas que vivem nele. Eu não gostaria que, a respeito do meu livro, dissessem: os personagens dela são reais e nada mais. Que dissessem: é a história. Apenas a história.

Não estou escrevendo sobre a guerra, mas sobre o ser humano na guerra. Não estou escrevendo a história de uma guerra, mas a história dos sentimentos. Sou uma historiadora da alma. Por um lado, investigo o ser humano concreto, que viveu em um tempo concreto e que participou de acontecimentos concretos; por outro, preciso distinguir neles o ser humano eterno. A vibração da eternidade. Aquilo que sempre existe no ser humano.

Dizem: ah, mas memórias não são nem história, nem literatura. É só a vida, cheia de lixo e sem a limpeza feita pelas mãos do artista. Nosso cotidiano está repleto da matéria-prima da fala. Esses tijolos estão espalhados por todo lado. Mas os tijolos ainda não são o templo! Para mim é tudo diferente… Justo ali, na calidez da voz humana, no reflexo vivo do passado, está escondida uma alegria primitiva, e se desvela a intransponível tragicidade da vida. Seu caos e paixão. Seu caráter único e insondável. Ali, eles ainda não foram submetidos a nenhuma elaboração. São originais.

Construo templos a partir de nossos sentimentos… De nossos desejos, decepções. Sonhos. Daquilo que aconteceu, mas pode sumir.

* * *

De novo sobre a mesma coisa… Me interessa não apenas a realidade que nos circunda, mas também aquela que está dentro de nós. Não me interessa o próprio acontecimento, mas o acontecimento dos sentimentos. Digamos assim: a alma do acontecimento. Para mim, os sentimentos são a realidade.

E a história? Ela está na rua. Na multidão. Acredito que em cada um de nós há um pedacinho da história. Um tem meia paginazinha, outro tem duas ou três. Juntos, estamos escrevendo o livro do tempo. Cada um grita sua verdade. O pesadelo das nuances. E é preciso ouvir tudo isso separadamente, dissolver-se em tudo isso e transformar-se em tudo isso. E, ao mesmo tempo, não perder a si mesmo. Unir o discurso da rua e da literatura. Outra complexidade está no fato de que estamos falando do passado com a língua de hoje. Como transmitir por meio dela os sentimentos daqueles dias?

De manhã, pelo telefone: "Nós não nos conhecemos… Mas eu cheguei da Crimeia, estou ligando da estação de trem. Fica longe da sua casa? Quero lhe contar minha guerra…".

Assim?!

Eu e minha filha estávamos nos aprontando para ir ao parque. Andar no carrossel. Como explicar para uma menina de seis anos o que eu faço? Pouco tempo atrás, ela me perguntou: "O que é guerra?". Como responder? Quero soltá-la nesse mundo com um coração terno, e ensino que não se pode arrancar uma flor sem motivo. Dá pena de esmagar uma joaninha, de arrancar a asinha de uma libélula. Como explicar a guerra a uma criança? Como explicar a morte? E responder à pergunta: por que lá matam? Matam até os pequenos, como ela. Nós, os adultos, formamos uma espécie de complô. Entendemos do que se trata. Mas e as crianças? Depois da guerra, meus pais me explicaram de alguma forma, mas eu não consigo explicar para minha filha. Encontrar as palavras. Gostamos cada vez menos da guerra, é cada vez mais difícil encontrar uma justificativa para ela. Para nós já é apenas uma matança. Ao menos para mim.

Devia escrever um livro sobre a guerra que provoque náuseas e que faça a própria ideia de guerra parecer repugnante. Louca. Os próprios generais ficariam nauseados...

Essa lógica "feminina" deixou meus amigos baratinados (ao contrário das minhas amigas). De novo escuto o argumento "masculino": "Você não esteve na guerra". Talvez isso seja bom: não conheço a paixão do ódio, tenho uma visão normal. Não militar, não masculina.

Existe na óptica o conceito de "tempo de exposição" — a capacidade da objetiva de fixar melhor ou pior a imagem captada. A memória feminina sobre a guerra, em termos de concentração de sentimentos e de dor, é a que tem mais "tempo de exposição". Eu até diria que a guerra "feminina" é mais terrível que a "masculina". Os homens se escondem atrás da história, dos fatos, a guerra os encanta como ação e oposição de ideias, diferentes interesses, mas as mulheres são envolvidas pelos sentimentos. E mais: desde a infância, os homens são preparados para que, talvez, tenham que atirar. Não se ensina isso às mulheres... elas não se aprontaram para fazer esse trabalho... E elas lembram de outras coisas, ou lembram de outra forma. São capazes de ver o que está escondido para os homens. Vou repetir mais uma vez: a guerra delas tem cheiro, cor, o mundo detalhado da existência; "nos deram sacolas, e com elas costuramos sainhas"; "no centro de alistamento, entrei por uma porta de vestido e saí pela outra de calças e camisa militar: cortaram minha trança, na cabeça só sobrou um topetinho...”; “os alemães fuzilaram a aldeia e foram embora... Chegamos naquele lugar: areia amarela pisada e, em cima, uma botinha de criança...”. Mais de uma vez me avisaram (especialmente homens escritores): “As mulheres vão inventar para você. Vão criar”. Mas eu cheguei à conclusão: é impossível inventar isso. Copiar de alguém? Se é possível copiar isso, é só da vida; só ela tem tamanha fantasia.

Não importa de que falem as mulheres, nelas estava sempre presente a ideia de que a guerra é só uma matança, e depois, trabalho duro. E então só a vida habitual: cantavam, se apaixonavam, usavam bobes de cabelo...

No centro, sempre o fato de não querer e não aguentar morrer. E é ainda mais insuportável e angustiante matar, porque a mulher dá a vida. Presenteia. Carrega-a por muito tempo dentro de si, cria. Entendi que para as mulheres é mais difícil matar.

Os homens... A contragosto eles deixam as mulheres entrar em sua guerra, em seu território.

Fui procurar uma mulher na fábrica de tratores de Minsk; ela tinha sido francoatiradora. E famosa. Apareceu mais de uma vez em manchetes de jornal. As amigas dela me deram o número do telefone de sua casa em Moscou, mas era antigo. Sobrenome também, eu só tinha o de solteira. Fui à fábrica onde, como eu sabia, ela trabalhava, e no departamento pessoal escutei dos homens (do diretor da fábrica e do chefe do departamento): “Por acaso falta homem para isso? Para que você quer essas histórias de mulher? Fantasias de mulher...”. Os homens tinham medo de que elas não contassem direito a guerra.

Estive com uma família... Tinham lutado o marido e a mulher. Se conheceram no front e se casaram lá mesmo: “Organizamos nosso casamento na trincheira. Antes do combate. E para costurar o vestido branco usei um paraquedas alemão". Ele era atirador de metralhadora, ela era mensageira. O homem na hora mandou a mulher para a cozinha: "Vá cozinhar alguma coisa para a gente". A chaleira já tinha fervido, os sanduíches já estavam preparados, ela sentou conosco, mas o marido a fez levantar ali mesmo: "Mas cadê os morangos? O nosso presentinho da *datcha*?". Depois de meus pedidos insistentes, ele cedeu seu lugar a contragosto, dizendo: "Conte como eu te ensinei. Sem chorar e sem essas ninharias de mulher; que queria ser bonita, que chorou quando cortaram a trança". Depois ela confessou para mim, sussurrando: "Ele passou a noite estudando comigo um livro de história da Grande Guerra Patriótica.* Estava com medo por mim. E agora deve estar aflito de que não lembre direito. Não lembre do jeito certo".

Isso aconteceu mais de uma vez, em mais de uma casa.

Sim, elas choram muito. Gritam. Depois que eu saio, tomam remédios para o coração. Chamam a "emergência". Mas mesmo assim me pedem: "Volte. Volte sem falta. Ficamos em silêncio por tanto tempo. Quarenta anos em silêncio...".

Entendo que o choro e o grito não devem ser trabalhados, senão o mais importante não vai ser o choro nem o grito, mas a elaboração. Em lugar de vida, vai sobrar literatura. Esse é o material, a temperatura desse material. Sempre extrapola o limite. Uma pessoa fica mais exposta e se revela mais, acima de tudo, na guerra e, talvez, no amor. Até no que é mais profundo, até as camadas debaixo da pele. Diante da face da morte, todas as ideias empalidecem e se revela a eternidade incompreensível, para a qual ninguém está preparado. Ainda vivemos na história, e não no cosmos.

Mais de uma vez recebi o texto mandado para leitura com anotações: "Não precisa falar dessas ninharias... Escreva sobre

* Nome usado na União Soviética para se referir à Segunda Guerra Mundial.

nossa grande Vitória…". Mas as ninharias eram o principal para mim — o calor e a clareza da vida: o topetinho deixado no lugar das tranças, os caldeirões quentes com mingau e sopa sem ninguém que os coma, pois de cem homens sete voltaram do combate; ou como, depois da guerra, era difícil ir à feira e olhar as barracas de carne vermelha… Até a chita vermelha… "Ah, minha querida, já se passaram quarenta anos, mas na minha casa você não encontra nada vermelho. Desde a guerra, odeio vermelho!"

Escuto a dor com atenção… A dor como prova da vida passada. Não existem outras provas, não confio em outras provas. Mais de uma vez, as palavras nos levam para longe da verdade.

Penso no sofrimento como o grau mais alto de informação, diretamente conectado ao mistério. Ao mistério da vida. Toda a literatura russa fala disso. Nela se escreveu mais sobre o sofrimento do que sobre o amor.

E é a respeito disso que mais me contam…

O que elas são, russas ou soviéticas? Não, elas foram soviéticas — e também russas, bielorrussas, ucranianas, tadjiques…

E, apesar de tudo, ele existiu, o homem soviético. Pessoas assim, acho, não vão existir nunca mais, eles mesmos já entenderam isso. Até nós, seus filhos, somos diferentes. Queríamos ser como todo o resto. Parecidos não com nossos pais, mas com o mundo. E o que falar sobre os netos, então…

Mas eu os amo. Eu os admiro. Eles tiveram Stálin e o gulag, mas também tiveram a Vitória. E eles sabem disso.

Há pouco tempo recebi uma carta:

"Minha filha me ama muito: sou a heroína dela. Se ela ler o seu livro, vai sofrer uma grande decepção. Sujeira, piolhos, uma infinidade de sangue — tudo isso é verdade. Não nego. Mas será que a lembrança disso é capaz de dar origem a sentimentos nobres? Preparar alguém para um grande feito?"

Mais de uma vez me convenci:

... nossa memória não é nem de longe o instrumento ideal. Ela não só é arbitrária e caprichosa como está amarrada ao tempo, como um cachorro.

... olhamos para o passado a partir de hoje, não podemos olhar de lugar nenhum.

... e, além disso, elas são apaixonadas pelo que aconteceu com elas, porque não se trata só da guerra, mas também de sua juventude. Do primeiro amor.

Escuto quando elas falam... Escuto quando estão caladas... Tanto as palavras quanto o silêncio são texto para mim.

"Isso não é para pôr no livro, é para você. Os mais velhos... Eles ficavam sentados no trem, pensativos... Tristes. Lembro que um major começou a falar comigo uma noite, quando todos estavam dormindo, sobre Stálin. Ele bebeu todas, criou coragem e confessou que seu pai já estava havia dez anos num campo de trabalho, sem direito a correspondência. Se estava vivo ou não, ninguém sabia. Esse major soltou umas palavras terríveis: 'Quero defender a pátria, mas não quero defender esse traidor da revolução: Stálin'. Eu nunca tinha escutado essas palavras... Me assustei. Felizmente, de manhã ele desapareceu. Deve ter ido embora..."

"Te digo em segredo... Fiz amizade com Oksána, ela era da Ucrânia. Ouvi dela pela primeira vez a respeito da terrível fome na Ucrânia. *Holodomor*. Já não encontravam nem sapos, nem ratos: tinham comido tudo. Metade das pessoas do povoado dela tinha morrido. Morreram todos: os irmãos mais novos, o pai e a mãe, e ela se salvou porque à noite roubava estrume de cavalo do estábulo do colcoz e comia. Ninguém conseguia comer, mas ela comia: 'Quente não entra na boca, mas quando está frio a gente consegue. Melhor congelado, tem cheiro de feno'. Eu dizia: 'Oksána, o camarada Stálin está batalhando. Ele está acabando com os sabotadores, mas são muitos'. 'Não', ela respondia, 'você é boba. Meu pai era professor de história e me falava: 'Um dia o camarada Stálin vai responder por seus crimes...'

"À noite, deitada, fiquei pensando: será que Oksána é uma inimiga? Uma espiã? O que fazer? Dois dias depois ela morreu em uma batalha. Não sobrou nenhum parente dela, não havia ninguém para mandar a notificação de óbito..."

Tocam nesse tema raramente e com cuidado. Até hoje estão paralisadas não só pela hipnose e pelo medo de Stálin, mas também por sua fé anterior. Ainda não conseguem deixar de amar aquilo que amavam. A coragem na guerra e a coragem de pensamento são duas coragens diferentes. E eu achava que era a mesma coisa.

O manuscrito está na gaveta há muito tempo...

Já faz dois anos que recebo recusas das editoras. Silêncio das revistas. A sentença é sempre a mesma: é uma guerra terrível demais. Muito horror. Naturalismo. Não há menção à liderança e à orientação do Partido Comunista. Em outras palavras, não é a guerra certa... E qual seria? Com generais e o sábio generalíssimo? Sem sangue e sem piolhos? Com heróis e façanhas? Mas me lembro da infância: eu andava com minha avó ao longo de um grande campo, e ela ia contando: "Depois da guerra, por muito tempo não nascia nada nesse campo. Os alemães já tinham se retirado... E aqui houvera um combate, se confrontaram por dois dias... Os mortos jaziam um ao lado do outro, como pilhas. Como dormentes nos trilhos da estação de trem. Os alemães e os nossos. Depois da chuva, todos ficaram com cara de choro. Toda a aldeia passou um mês inteiro enterrando-os..."

Como posso me esquecer desse campo?

Não fico só anotando. Eu coleto, sigo as pistas do espírito humano, ali onde o sofrimento faz de alguém pequeno uma pessoa grandiosa. Onde a pessoa cresce. E então, para mim, ela já deixa de ser um proletariado mudo e insignificante da história. Sua alma transparece. Mas em que consiste meu conflito com o poder? Entendi que uma grande ideia precisa de pessoas pequenas, e não de alguém grande. Para ela, o grande é supérfluo e incômodo. Dá trabalho para moldar. E é por ele que procuro. Procuro pelo pequeno grande ser humano. Humilhado, pisoteado, ofendido — ele passou pelos campos de trabalho stalinistas e pela traição, e mesmo assim venceu. Realizou um milagre.

Mas a história da guerra foi substituída pela história da Vitória.

Ele mesmo contará isso...

DEZESSETE ANOS DEPOIS — 2002-4

Estou lendo meu velho diário...

Tento me lembrar da pessoa que eu era quando escrevi o livro. Aquela pessoa já não existe, assim como não existe o país em que vivíamos naquela época. O país que defendíamos e em nome do qual morríamos entre 1941 e 1945. Do outro lado da janela tudo está diferente: um novo milênio, novas guerras, novas ideias, novas armas e um russo (mais precisamente, russo-soviético) que se transformou de maneira absolutamente inesperada.

Começou a perestroika de Gorbatchóv... Meu livro foi publicado e teve uma tiragem impressionante — 2 milhões de exemplares. Era uma época em que havia muitos acontecimentos extraordinários, de novo nos lançamos furiosamente rumo a alguma coisa. Mais uma vez rumo ao futuro. Ainda não sabíamos (ou havíamos esquecido) que a revolução é sempre uma ilusão, especialmente na nossa história. Mas isso será depois; na ocasião estávamos todos embriagados pelo ar da liberdade. Comecei a receber dezenas de cartas todos os dias, minhas pastas iam engordando. As pessoas queriam falar... Dizer tudo... Ficaram mais livres e mais sinceras. Não me restava dúvida de que eu estava condenada a completar eternamente meu livro. Não reescrever, mas completar. Você põe o ponto final, e ali mesmo ele se transforma em reticências...

Acho que hoje eu faria perguntas diferentes e escutaria histórias diferentes. Eu teria escrito outro livro, não completamente diferente, mas mesmo assim outro. Os documentos (com que lido) são testemunhas vivas, eles não se solidificam como argila quando esfria. Não se calam. Eles se movimentam junto conosco. Sobre que assuntos eu perguntaria mais agora? O que gostaria de acrescentar? Eu acharia muito interessante... estou procurando a palavra... o ser humano biológico, e não apenas aquele que é filho de uma época e de uma ideia. Eu tentaria olhar mais profundamente para a natureza humana, para a escuridão, para o subconsciente. Para o mistério da guerra.

Escreveria sobre como fui encontrar uma antiga *partisan*... Uma mulher corpulenta, mas ainda bonita — e ela me contou que seu grupo (ela, que era a mais velha, e dois adolescentes) saiu para o reconhecimento de terreno e, por acaso, acabou fazendo quatro prisioneiros alemães. Passaram muito tempo rodando com eles pela floresta. Encontraram uma emboscada. Ficou claro que com os prisioneiros eles não iam passar, não escapariam, e ela tomou uma decisão: se desfazer deles. Os adolescentes não conseguiriam matar: havia já alguns dias que eles estavam andando pela floresta juntos, e, se você passa tanto tempo com uma pessoa, mesmo que seja um estranho, acaba se acostumando com ela, se aproximando — já sabe como come, como dorme, como são seus olhos, suas mãos. Não, os adolescentes não iam conseguir. Isso ela entendeu na hora. Ou seja, ela teria que matar. E então ela começou a se lembrar de como os matara. Teve que enganar uns e outros. Com um dos alemães ela saiu com o pretexto de pegar água e deu-lhe um tiro nas costas. Na nuca. O outro, ela mandou buscar galhos secos... Fiquei estupefata com a tranquilidade com que ela contava isso.

Quem esteve na guerra sempre recorda que um civil se transforma em militar depois de três dias. Por que três dias são suficientes? Ou é só um mito? É o mais provável. Ali, o ser humano é muito mais desconhecido e incompreensível.

Li isso em todas as cartas: "Eu não contei tudo para você porque eram outros tempos. Nos acostumamos a calar sobre muitas coisas...". "Não lhe confiei tudo. Ainda há pouco tempo era proibido falar sobre isso. Ou vergonhoso." "Recebi a sentença dos médicos: meu diagnóstico é terrível. Quero contar toda a verdade."

E há pouco tempo chegou uma carta assim: "Para nós, velhos, é difícil de viver... Mas não estamos sofrendo por culpa da nossa aposentadoria baixa e humilhante. O que mais nos fere é que fomos expulsos de um passado grandioso para um presente insuportavelmente mesquinho. Ninguém nos chama mais para ir às escolas, aos museus, já não precisam de nós. Se você lê os jornais, os fascistas são cada vez mais nobres, e os soldados do Exército Vermelho cada vez mais terríveis".

O tempo também é uma pátria... Mas amo essas mulheres como antes. Não amo sua época, mas as amo.

* * *

Tudo pode se transformar em literatura…

O que mais me despertou interesse em meus arquivos foram os blocos de notas onde registrei os episódios que a censura cortou. E minhas conversas com o censor também. Ali, achei páginas que eu própria excluí. Minha autocensura, minha própria proibição. E minha explicação — por que as arranquei. Muitas dessas coisas já foram restituídas ao livro, mas as páginas a seguir quero mostrar em separado: elas são um documento em si. São o meu caminho.

Do que a censura cortou

"Acordo de noite… Parece que alguém… está chorando por perto. Estou na guerra.

Estávamos em retirada… Depois de Smoliénsk, alguma mulher me deu seu vestido, e eu consegui trocar de roupa. Estava andando sozinha… entre homens. Antes estava de calças, depois estava de vestido de verão… De repente me vieram aquelas coisas… Coisas de mulher… Veio antes do tempo, talvez pela preocupação. Pela ansiedade, pela mágoa. Onde ia encontrar o que precisava ali? Que vergonha! Que vergonha eu sentia! Dormíamos sob as moitas, nas valas, na floresta de pinheiros. Éramos tantos que não havia lugar para todos na floresta. Íamos andando perdidos, desenganados, já não acreditávamos em ninguém… Onde estava nossa força aérea, onde estavam nossos tanques? Tudo o que voa, o que anda, que faz barulho é alemão.

Assim eu fui capturada. No último dia antes de me prenderem ainda quebrei minhas duas pernas… Ficava deitada e me urinava. Não sei com que forças me arrastei para a floresta de noite. Os *partisans* me encontraram por acaso…

Tenho pena de quem vai ler esse livro, e também de quem não vai ler…"

"Eu estava no turno da noite… Entrei na enfermaria de feridos em estado grave. Um capitão estava deitado… Os médicos tinham me avisado antes do turno que ele morreria à noite. Não chegaria até a manhã… Perguntei para ele: 'E então? Em que posso ajudar?'. Nunca vou me esquecer… Ele de repente sorriu, um sorriso tão luminoso em um rosto esgotado: 'Abra o seu avental… Me mostre seu seio… Há muito tempo não vejo minha mulher…'. Fiquei desnorteada, eu nunca tinha nem dado um beijo. Respondi algo para ele. Saí correndo e voltei uma hora depois.

Ele estava morto. E ainda tinha aquele sorriso no rosto…"

"Perto de Kertch… À noite, estávamos em uma barcaça sob fogo inimigo. Uma parte da proa começou a queimar. O fogo subiu pelo convés. As munições explodiram… Foi uma explosão potente! Foi tão forte que a barcaça tombou para o lado direito e começou a afundar. A margem já estava perto, sabíamos que estava em algum lugar próximo, e os soldados se jogaram na água. Da margem ressoaram metralhadoras. Gritos, gemidos, palavrões… Eu nadava bem, queria salvar ao menos um. Ao menos um ferido… Aquilo era água, e não terra — um ferido morreria na hora. Iria para o fundo… Escutei que alguém ao meu lado ora vinha à tona, ora sumia debaixo d'água. Para cima e para baixo. Encontrei o momento e o peguei… Estava frio, escorregadio… Pensei que fosse um ferido e que sua roupa tivesse sido arrancada na explosão. Eu mesma estava sem roupa… Tinha ficado só com a roupa íntima… Escuridão. Não se via um palmo. Em volta eu só ouvia: 'Eeeê! Ai ai ai'. E palavrões… De alguma forma consegui chegar à margem... Justo naquele momento irrompeu um míssil no céu, e eu vi que arrastara comigo para a margem um grande peixe ferido. Um peixe grande, do tamanho de uma pessoa. Uma beluga. Estava morrendo... Caí ao lado dela e soltei os piores palavrões. Comecei a chorar de raiva. E porque todos estavam sofrendo..."

"Estávamos saindo do cerco... Não importa para onde fôssemos, havia alemães por todos os lados. Decidimos que de manhã entraríamos em combate. Se íamos morrer de qualquer forma, melhor ter uma morte digna. Em combate. Havia três moças. À noite, elas saíram com todos os que puderam... Nem todos conseguiam, claro. Os nervos, você entende. É assim... Todos estavam se preparando para morrer.

De manhã, só se salvaram alguns... Poucos... Bem, umas sete pessoas, e havia umas cinquenta, se não mais. Os alemães nos fustigavam com as metralhadoras... Me lembro daquelas meninas com gratidão. De manhã, nenhuma saiu viva. Nunca mais as encontrei..."

Da conversa com o censor

"Depois de livros como esse, quem vai lutar na guerra? Você está humilhando a mulher com seu naturalismo primitivo. A mulher heroína. Destronando-a. Está transformando-a em uma mulher comum. Uma fêmea. E elas são nossas santas."

"Nosso heroísmo asséptico não quer contar nem com a fisiologia, nem com a biologia. Não há como acreditar nele. E não apenas a alma foi posta à prova, mas também o corpo. O invólucro material."

"De onde você tirou essas ideias? São ideias estrangeiras. Não soviéticas. Você está rindo dos que foram parar em valas comuns. Leu Remarque* demais. O remarquismo não tem lugar aqui. A mulher soviética não é um animal..."

* * *

"Alguém nos entregou... Os alemães descobriram onde ficava o acampamento dos *partisans*. Cercaram a floresta e fecharam as passagens por todos os lados. Nos escondemos em um matagal fechado, fomos salvos pelos pântanos onde a tropa punitiva não entrava. Um lodaçal. Ele encobria muito bem tanto as pessoas quanto os equipamentos. Passamos alguns dias, semanas, com água na altura do pescoço. Havia conosco uma operadora de rádio que tivera um filho havia pouco tempo. A criança estava com fome... Pedia o peito. Mas a própria mãe estava passando fome, não tinha leite, e a criança chorava. Os soldados da tropa punitiva estavam por perto... Tinham cachorros... Se os cachorros escutassem, todos nós morreríamos. Todo o grupo, umas trinta pessoas. Entende?

O comandante tomou a decisão...

Ninguém se animava a transmitir a ordem para a mãe, mas ela mesma adivinhou. Foi baixando a criança enroladinha para a água e segurou ali por um longo tempo... A criança não gritou mais... Nenhum som... E nós não conseguíamos levantar os olhos. Nem para a mãe, nem uns para os outros..."

"Capturávamos prisioneiros e levávamos para o destacamento. Mas não fuzilávamos, era uma morte leve demais para

* Erich Maria Remarque (1898-1970), escritor alemão. Dedicou parte de sua obra a narrar os horrores da guerra. Autor de *Nada de novo no front*.

eles: nós os esfaqueávamos como porcos, com as baionetas, cortávamos em pedacinhos. Eu ia lá ver... Esperava por isso! Esperava muito tempo pelo momento em que os olhos deles começavam a saltar de dor... As pupilas...

O que você sabe a respeito dessas coisas?! Eles queimaram minha mãe e minhas irmãzinhas em uma fogueira no meio da aldeia..."

"Não me lembro de gatos nem de cachorros na guerra, lembro dos ratos. Grandes... Com olhos azuis-amarelados... Era uma infinidade. Quando melhorei da minha ferida, me mandaram de volta do hospital para minha unidade. A unidade ficava nas trincheiras perto de Stalingrado. O comandante ordenou: 'Levem-na para o abrigo feminino'. Fui para o abrigo, e a primeira coisa que vi era que não havia nada lá. Camas vazias feitas de galhos de pinheiros, e só isso. Não me avisaram... Deixei minha mochila no abrigo e saí; quando voltei meia hora depois, não achei a mochila. Nenhum vestígio das minhas coisas, nem o pente, o lápis. Descobri que os ratos comiam tudo na hora...

De manhã, me mostraram os braços roídos dos feridos em estado grave...

Nem no pior filme eu vi mostrarem como os ratos saíam da cidade antes do fogo da artilharia. Isso não foi em Stalingrado... Foi ainda perto de Viazma... De manhã, bandos de ratos andavam pela cidade em direção ao campo. Eles farejavam a morte. Eram milhares... Pretos, cinzentos... As pessoas olhavam horrorizadas para esse espetáculo sinistro e se apertavam contra as casas. E exatamente na hora em que os ratos sumiram de nossa vista começou o bombardeio. Os aviões atacaram. No lugar das casas e dos porões só restou uma areia de pedregosa..."

* * *

"Nos arredores de Stalingrado havia tantos mortos que os cavalos já nem tinham medo deles. Normalmente, eles se assustam. Um cavalo nunca pisa em um morto. Recolhemos nossos mortos, mas havia alemães jogados por toda parte. Congelados... Cobertos de gelo... Eu era motorista, levava caixas com projéteis de artilharia e escutava os crânios estalando debaixo das rodas... Os ossos... E ficava feliz..."

Da conversa com o censor

"Sim, a Vitória foi dura para nós, mas você deve procurar exemplos heroicos. Há centenas. No entanto, você nos mostra a sujeira da guerra. A roupa íntima. Para você, nossa Vitória foi terrível... O que está tentando alcançar?"

"A verdade."

"E você acha que a verdade é aquilo que está na vida. O que está nas ruas. Sob os pés. Para você, ela é tão baixa. Tão terrena. Não, a verdade é aquilo com que sonhamos. É como queremos ser!"

* * *

"Estávamos avançando... Os primeiros povoados alemães... Éramos jovens. Fortes. Estávamos havia quatro anos sem mulheres. Nas adegas havia vinho. Petiscos. Capturamos umas moças alemãs e... Dez homens estupravam uma. Não havia mulheres o suficiente, a população havia fugido do Exército soviético, pegamos as jovens. Meninas... Uns doze, treze anos... Se choravam, batíamos nelas, enfiávamos algo na sua boca. Elas sentiam dor e achávamos engraçado. Agora não entendo como pude... Um rapaz de família intelectual... Mas fui eu...

A única coisa que temíamos era que nossas meninas soubessem. Nossas enfermeiras. Na frente delas tínhamos vergonha..."

"Fomos cercados... Vagávamos pelas florestas, pelos pântanos. Comíamos folhas, cascas de árvore. Algumas raízes. Éramos cinco; um ainda bem menino, tinha acabado de entrar no Exército. À noite, o que estava ao meu lado cochichou para mim: 'O menino mal está vivo, vai morrer de qualquer jeito. Você entende...'. 'Do que está falando?' 'Um *zek** me contou... Quando fugiam do campo de trabalho, eles levavam um jovem para isso... A carne humana é comestível... Era assim que se salvavam...'

Eu não tive forças para bater nele. No dia seguinte, encontramos os *partisans*..."

"Um dia os *partisans* chegaram a cavalo no povoado. Chamaram o estaroste e seu filho. Açoitaram os dois com varas de ferro na cabeça até eles caírem. E quando estavam no chão terminaram de matar. Eu estava na janela. Vi tudo... Meu irmão mais velho estava entre os *partisans*... Quando ele entrou na nossa casa e quis me abraçar dizendo 'Irmãzinha!', comecei a gritar: 'Não chegue perto! Não chegue perto! Você é um assassino!'. E depois fiquei muda. Não falei com ele por um mês.

Meu irmão morreu... Mas o que teria acontecido se ele tivesse saído vivo? E voltasse para casa..."

* Gíria derivada da abreviação z/k, usada para se referir aos prisioneiros do gulag.

* * *

"De manhã, as tropas punitivas queimaram nossa aldeia... Só quem correu para a floresta se salvou. Saíram correndo sem nada, com as mãos vazias, nem pão levaram. Nem ovos, banha. À noite a tia Nástia, nossa vizinha, batia na filha porque ela ficava chorando o tempo todo. Tia Nástia estava com seus cinco filhos. A Iúlietchka, minha amiguinha, era bem fraquinha. Estava sempre doente... E os quatro meninos, todos pequenos, também pediam para comer. A tia Nástia ficou louca: 'U-u-u... U-u-u...'. À noite, escutei... Iúlietchka estava pedindo: 'Mamãe, não me afogue. Não vou... Não vou mais pedir comidinha para você. Não vou...'.

De manhã, ninguém mais viu a Iúlietchka...

A tia Nástia... Voltamos para o povoado carbonizado. O povoado fora consumido pelo fogo. Logo a tia Nástia se enforcou na macieira negra de seu jardim. Se enforcou bem baixinho. Os filhos estavam ao lado dela, pedindo para comer..."

De uma conversa com o censor

"Isso é mentira! É uma calúnia contra nossos soldados, libertadores de meia Europa. Contra nossos *partisans*. Nosso povo herói. Não precisamos de sua pequena história, precisamos da grande história. A história da Vitória. Você não ama nossos heróis! Não ama nossas grandes ideias. As ideias de Marx e Lênin."

"Isso mesmo, não amo grandes ideias. Amo o ser humano pequeno..."

Do que eu mesma joguei fora

"Era 1941. Estávamos rodeados. Estava conosco o instrutor político Lúnin... Ele leu um decreto que dizia que os soldados soviéticos não se rendiam ao inimigo. Como disse o camarada Stálin, não temos prisioneiros, temos traidores. Os rapazes levaram a mão à pistola... O instrutor político ordenou: 'Não precisa. Fiquem vivos, meninos, vocês são jovens'. E ele mesmo se matou com um tiro...

Isso já foi em 1943... O Exército soviético estava avançando. Marchávamos pela Bielorrússia. Lembro de um menino pequeno. Ele saiu correndo de algum lugar debaixo da terra, de uma adega, na nossa direção, e gritava: 'Matem minha mãe... Matem! Ela amava um alemão'. Os olhos dele estavam arregalados de medo. Atrás dele veio correndo uma velha vestida de preto. Toda de preto. Corria e fazia o sinal da cruz: 'Não deem ouvidos ao menino. O menino perdeu o juízo...'."

"Fui chamada na escola... Quem conversou comigo foi uma professora que voltara da evacuação:

'Quero transferir seu filho para outra turma. Na minha turma só ficam os melhores alunos.'

'Mas meu filho só tira cinco.'*

'Isso não importa. O menino viveu com os alemães.'

'Sim, foi duro para nós.'

'Não estou falando disso. Todos os que viveram na ocupação... Estão sob suspeita...'

'O quê? Não estou entendendo.'

'Ele conta às crianças coisas sobre os alemães. E gagueja.'

'Ele ficou assim por medo. Foi espancado pelo oficial alemão que morou conosco no apartamento. O homem não gostou de como meu filho limpou suas botas.'

'Pois está vendo? Você mesma admite... Viveu ao lado do inimigo...'

* Nota máxima no sistema de ensino russo.

‘E quem deixou esse inimigo avançar até Moscou? Quem nos deixou aqui com nossos filhos?’

Tive uma crise nervosa.

Passei dois dias com medo de que a professora me denunciasse. Mas ela deixou meu filho na turma...”

“De dia temíamos os alemães e os *politsai*,* e de noite os *partisans*. Os *partisans* pegaram minha última vaquinha, ficamos só com um gato. Os *partisans* estavam com fome, eram cruéis. Levaram minha vaquinha e fui atrás deles... Andei uns dez quilômetros. Implorava: devolvam. Deixei três filhos passando fome junto ao fogão. ‘Vá embora, tia!’, me ameaçaram. ‘Senão lhe damos um tiro.’

Tente encontrar uma pessoa boa na guerra...

Irmão briga com irmão. Os filhos dos *kulaks*** tinham voltado do desterro. Seus pais tinham morrido, e eles serviram aos alemães. Estavam se vingando. Um deles deu um tiro no velho professor em sua casa. Era nosso vizinho. Tinha denunciado seu pai, participado da expropriação. Era um comunista fervoroso.

No começo os alemães desfizeram os colcozes, deram as terras para as pessoas. As pessoas tiveram um respiro depois de Stálin. Pagávamos o tributo... Pagávamos certinho... Depois começaram a nos queimar. Nós e nossas casas. Roubavam o gado e queimavam as pessoas.

Ah, minha filha, tenho medo das palavras. As palavras são terríveis... Eu me salvei pelo bem, não queria mal a ninguém. Lamentei por todos...”

* Moradores locais que colaboravam com a polícia nazista.

** *Kulak*: agricultor que empregava lavradores em suas terras. No governo de Stálin o termo passou a significar qualquer proprietário um pouco mais abastado que era contra a coletivização. Foram perseguidos e expropriados.

* * *

"Fui com o Exército até Berlim...

Voltei para meu vilarejo com duas Ordens da Glória e várias medalhas. Passei ali três dias, e no quarto dia minha mãe me tirou da cama cedinho, enquanto estavam todos dormindo: 'Filhinha, eu fiz uma trouxa para você. Vá embora... Vá embora... Suas duas irmãs menores ainda estão crescendo. Quem vai se casar com elas? Todo mundo sabe que você passou quatro anos no front, com homens...'.

Não mexa na minha alma. Escreva sobre minhas condecorações, como os outros..."

"Guerra é guerra. Não é teatro...

Mandaram o destacamento se posicionar em formação em uma clareira, fizemos um círculo. E no meio estavam Micha K. e Kólia M., nossos rapazes. Micha era um batedor ousado, tocava sanfona. Ninguém cantava melhor do que Kólia...

Passaram muito tempo lendo o veredito: em um vilarejo tinham exigido duas garrafas de *samogón*,* e à noite... estupraram duas meninas da casa... E em outro vilarejo pegaram um sobretudo, uma máquina de costura de um camponês, e trocaram por bebida com os vizinhos...

Condenaram ao fuzilamento. A sentença era definitiva e inapelável.

Quem ia fuzilar? O destacamento ficou em silêncio... Quem? Silêncio... O próprio comandante cumpriu a sentença..."

* *Samogón*: aguardente caseira, destilada a partir de diversos ingredientes, entre eles beterraba, batata, rabanete e casca de carvalho.

* * *

"Eu era atiradora de metralhadora. Matei tanta gente...

Depois da guerra passei muito tempo com medo de engravidar. Engravidei quando me acalmei. Sete anos depois...

Mas até hoje não perdoei nada. E não vou perdoar... Ficava feliz quando via os prisioneiros alemães. Feliz com a situação lamentável em que estavam: trapos enrolados nos pés em vez de botas, trapos na cabeça... Atravessavam o vilarejo e pediam: 'Mãe, me dê pão. Um pouco de pão...'. Fiquei surpresa de ver que os camponeses saíam das cabanas e davam — um pedacinho de pão, uma batatinha... Os meninos corriam atrás da coluna e jogavam pedras... E as mulheres choravam...

Acho que vivi duas vidas: uma como homem, outra como mulher..."

"Depois da guerra... A vida humana não valia nada. Vou dar um exemplo... Depois do trabalho estava no ônibus, quando de repente comecei a ouvir gritos: 'Pega ladrão! Pega ladrão! Minha bolsa...'. O ônibus parou... Na mesma hora se juntou um furdunço. Um jovem oficial levou o menino para a rua, colocou o braço dele sobre seu joelho e — pou! — quebrou em dois. Subiu de volta... E demos partida... Ninguém defendeu o menino, não chamaram a polícia... Não chamaram um médico. E o oficial tinha o peito cheio de medalhas... Fui descer no meu ponto, ele se levantou e me deu a mão: 'Passe, moça'. Tão gentil...

Lembrei-me disso agora... Mas na época todo mundo era militar, vivíamos segundo as regras do tempo de guerra. E elas são humanas, por acaso?"

"O Exército Vermelho voltou...

Permitiram-nos desenterrar os túmulos, procurar onde tinham sidos fuzilados nossos parentes. Pelos costumes antigos, para chegar perto da morte era preciso se vestir de branco — lenço branco, camisa branca. Vou me lembrar disso até o último minuto! As pessoas andavam com toalhas brancas bordadas... Vestidas todas de branco. Onde arrumavam aquilo?

Íamos cavando... Quem achava algo reconhecia e levava. Um carregava um braço num carrinho de mão, outro uma cabeça na carroça... Uma pessoa não passa muito tempo inteira na terra, eles todos se misturavam uns com os outros. Com o barro, a areia.

Não achei minha irmã; me mostraram um pedacinho do vestido que era dela, algo conhecido... Meu avô disse: 'Vamos levar, teremos algo para enterrar'. Colocamos aquele pedacinho do vestido em um caixãozinho e sepultamos...

Quanto ao meu pai, recebemos um pedacinho de papel escrito 'desaparecido sem vestígios'. Outros receberam algo por aqueles que morreram, mas assustaram a mim e a minha mãe no soviete rural: 'Vocês não têm direito a nenhuma ajuda. Talvez ele esteja por aí levando uma boa vida com uma *frau** alemã. É um inimigo do povo'.

Comecei a procurar meu pai na época de Khruschóv. Quarenta anos se passaram. Na época de Gorbatchóv, me responderam: 'Não consta das listas...'. Mas o companheiro de regimento dele me respondeu e disse que meu pai morreu de forma heroica. Nos arredores de Moguilióv, ele se jogou debaixo de um tanque com uma granada...

Pena que minha mãe não chegou a ouvir essa notícia. Ela morreu com o estigma de mulher de um inimigo do povo. Um traidor. E havia muitas como ela. Não viveram para ver a verdade. Fui para o túmulo da minha mãe com a carta. Li inteira..."

* "Mulher", em alemão no original.

* * *

"Muitos de nós acreditavam...

Achávamos que depois da guerra tudo mudaria... Que Stálin acreditaria em seu povo. Mas a guerra ainda nem tinha terminado, e os trens já estavam indo para Magadan.* Trens com os vencedores... Prenderam quem havia sido feito prisioneiro pelos alemães, quem vivera nos campos de concentração alemães, a quem os alemães haviam levado para trabalhar: todo mundo que vira a Europa. Que podia dizer como as pessoas vivem lá. Sem comunistas. Como são as casas e como são as estradas. Que não havia colcozes em lugar nenhum...

Depois da Vitória, todos ficaram calados. Calados e com medo, como antes da guerra."

"Sou professora de história... Que eu me lembre, reescreveram os livros de história três vezes. Dei aulas para as crianças com três livros diferentes...

Pergunte-nos enquanto estamos vivas. Não reescrevam depois sem nossa participação. Perguntem...

Sabe, como é difícil matar uma pessoa. Estive na resistência por seis meses. Depois disso, recebi uma tarefa: arrumar um emprego de garçonete no refeitório dos oficiais... Era jovem, bonita... Me aceitaram. Eu devia pôr veneno no caldeirão de sopa e naquele dia mesmo ir ao encontro dos *partisans*. Já estava acostumada com eles, eram inimigos, mas você os vê todo dia, eles falam com você: '*Danke schön... Danke schön...*'.** É difícil. Matar é difícil. Matar é mais difícil do que morrer...

* Cidade no norte da Sibéria que servia de base para vários gulags.

** "Obrigado... Obrigado...", em alemão no original.

Passei a vida inteira ensinando história... E nunca soube como falar disso. Que palavras usar..."

Tive minha guerra... Percorri um longo caminho junto de minhas personagens. Como elas, por muito tempo não acreditei que nossa Vitória tivesse dois rostos — um maravilhoso, outro terrível, cheio de cicatrizes, insuportável de olhar. "No combate corpo a corpo, ao matar uma pessoa, a gente olha nos olhos. Não é a mesma coisa que jogar bombas ou atirar da trincheira", me contavam.

Escutar uma pessoa contando como ela matou e morreu é a mesma coisa — você olha nos olhos...

“Não quero me lembrar...”

Um velho edifício de três andares no subúrbio de Minsk, um dos que foram construídos às pressas logo depois da guerra e — era o que parecia na época — para durar pouco; agora, há muito tempo foi rodeado por acolhedores arbustos de jasmim crescido. Foi nele que começou a busca que duraria sete anos, sete anos surpreendentes e torturantes, em que descobriria o mundo da guerra, um mundo cujo sentido ainda não foi totalmente decifrado por nós. Sentiria dor, ódio, tentação. Ternura e perplexidade... Tentaria entender qual é a diferença entre morte e assassinato, e onde está a fronteira entre o humano e o desumano. Como uma pessoa fica a sós com essa ideia absurda de que pode matar outra? Inclusive, de que é obrigada a matar. E descobriria que na guerra, além da morte, há uma infinidade de outras coisas, há tudo aquilo que existe em nossa vida cotidiana. A guerra é vida também. Me depararia com uma quantidade incontável de verdades humanas. Mistérios. Refletiria a respeito de perguntas de cuja existência eu não teria suspeitado antes. Por exemplo, por que não nos espantamos com o mal; falta em nós o espanto diante do mal?

O caminho e os caminhos... Dezenas de viagens por todo o país, centenas de fitas cassete gravadas, milhares de metros de fita. Quinhentos encontros; depois parei de contar, os rostos desapareciam da memória, só as vozes ficavam. Um coro ressoa em minha memória. Um coro enorme, às vezes quase não se escutam as vozes, apenas o choro. Confesso: nem sempre acreditei que esse caminho estava ao alcance das minhas forças, que conseguiria vencê-lo. Que chegaria ao fim. Houve minutos de dúvida e dor, em que quis parar ou me afastar, mas já não podia. Tornei-me prisioneira do mal, espiei no abismo para entender alguma coisa. Agora, penso que adquiri alguns conhecimentos, mas passei a ter mais perguntas e ainda menos respostas.

Entretanto, na época, bem no começo do meu caminho, eu não suspeitava de nada disso...

O que me levou a esse edifício foi uma pequena nota no jornal da cidade dizendo que havia pouco tempo, na fábrica de máquinas de pavimentação Udárnik, estava se aposentando a contadora sênior Maria Ivánovna Morôzova. Durante a guerra, dizia também a nota, ela fora francoatiradora, recebera onze medalhas, e a sua contagem em combate era de 75 mortos. Em minha consciência era difícil unir a profissão militar dessa mulher com sua ocupação civil. Com a foto corriqueira do jornal. Com todos aqueles sinais de vida comum.

... Uma mulher pequena, com uma longa trança em torno da cabeça, como uma coroa de moça, estava sentada em sua poltrona, cobrindo o rosto com as mãos:

"Não, não vou. Voltar para lá? Não consigo... Até hoje não assisto filmes de guerra. Na época eu era menina de tudo. Sonhava e crescia, crescia e sonhava. E de repente veio a guerra. Tenho até pena de você... Sei do que estou falando... Você quer mesmo saber disso? Pergunto como se fosse para minha filha..."

Claro, se surpreendeu:

"E por que veio falar comigo? Devia ir falar com meu marido, ele adora recordar. Como se chamavam os comandantes, generais, o número das unidades. Ele lembra tudo. Mas eu, não. Eu só lembro o que aconteceu comigo. A minha guerra. Há muita gente ao seu redor mas você está sempre sozinha, porque uma pessoa está sempre só diante da morte. Me lembro de uma solidão tenebrosa."

Pediu que eu guardasse o gravador:

"Preciso dos seus olhos para contar, e ele vai me atrapalhar."

Mas depois de alguns minutos se esqueceu dele...

MARIA IVÁNOVNA MORÔZOVA (IVÁNUCHKINA), CABO, FRANCOATIRADORA

"Vai ser um relato simples... O relato de uma jovem russa comum, como havia muitas na época...

No lugar onde ficava o meu povoado natal, Diákovskoie, há agora o bairro Proletárski em Moscou. Quando a guerra começou eu ainda não tinha completado dezoito anos. Usava umas tranças longas que só vendo, iam até o joelho... Ninguém acreditava que a guerra duraria muito, todos esperavam que logo logo terminaria. Expulsaríamos o inimigo. Fui para o colcoz, depois terminei o curso de contabilidade e comecei a trabalhar. A guerra estava durando... Minhas amigas... As meninas diziam: 'Tem que ir para o front'. Isso já estava pairando no ar. Todas nos alistamos no curso do centro de alistamento. Talvez alguma tenha se alistado para ir com o grupo também, não sei. Lá, nos ensinavam a atirar com metralhadora de guerra e a jogar granadas. A primeira vez... Admito que eu tinha medo de segurar uma metralhadora, era desagradável. Não conseguia imaginar que iria matar alguém, só queria ir para o front e pronto. No nosso grupo treinavam quarenta pessoas. Do nosso povoado eram quatro meninas; todas éramos amigas; do vilarejo vizinho eram cinco — em suma, tinha alguém de cada vilarejo. E só garotas. Os homens já tinham ido todos para a guerra, todos os que podiam. Às vezes o ordenança chegava no meio da noite, dava-lhes duas horas para recolher as coisas e os levava embora. Às vezes iam buscar até no campo. (*Silêncio.*) Agora não me lembro se tínhamos bailes, mas, se tínhamos, dançava menina com menina, não sobrou nenhum rapaz. Nossas vilas ficaram quietas...

Logo veio o recrutamento do Comitê Central do Komsomol* da Juventude, pois os alemães já estavam nos arredores de Moscou, e todos tinham que sair em defesa da pátria. Como é que Hitler ia tomar Moscou? Não vamos deixar! Não era só eu... Todas as meninas manifestaram o desejo de ir para o front. Meu pai já estava combatendo. Pensávamos que seríamos as únicas... Que éramos especiais. Mas, quando chegamos ao centro de alistamento, havia um monte de garotas. Levei um susto! Meu coração pegou fogo, foi forte. E a seleção era muito severa. Primeiro, claro, era preciso ter boa saúde. Eu tinha medo de que não me escolhessem, porque quando era criança sempre ficava doente, e meus ossinhos, como dizia minha mãe, eram fracos. As outras crianças zombavam de mim por isso. Depois, se na casa, além da moça que ia para o front, não houvesse mais nenhum filho, também recusavam, porque não podiam deixar a mãe sozinha. Ah, nossas mãezinhas! As lágrimas delas não secavam... Elas nos xingavam, imploravam... Mas eu ainda tinha duas irmãs e dois irmãos; mesmo que todos fossem bem mais novos do que eu, ainda assim eles eram contados. E havia mais uma coisa: todos tinham ido embora do colcoz, não havia ninguém para trabalhar no campo, e o

* Juventude do Partido Comunista da União Soviética.

presidente não queria nos deixar ir. Conclusão, fomos recusadas. Fomos ao Comitê Local do Komsomol, e lá também recusaram. Então, formamos uma delegação do nosso bairro e fomos ao Comitê Regional do Komsomol. Todas tinham um grande ímpeto, o coração em chamas. Nos mandaram para casa mais uma vez. E então decidimos que, já que estávamos em Moscou, iríamos até o Comitê Central do Komsomol, até o topo, falar com o primeiro secretário. Lutar até o fim... Quem ia fazer o relato, qual de nós era a mais ousada? Tínhamos certeza de que seríamos só nós, mas lá nem tinha como se enfiar no corredor, muito menos chegar ao secretário. Havia jovens de todo o país ali, muitos deles tinham vivido a ocupação, ansiavam por vingar a morte de pessoas próximas. De toda a União Soviética. Sim, sim... Enfim, ficamos até meio desnorteadas por algum tempo...

À noite, apesar de tudo, conseguimos chegar ao secretário. Perguntaram-nos: 'Mas como vocês vão para o front se não sabem atirar?'. Então todas respondemos ao mesmo tempo que já tínhamos aprendido... 'Onde? Como? E fazer curativos, sabem?' E, sabe, um médico tinha ensinado a fazer curativos naquele mesmo curso do centro de alistamento. Então eles ficaram calados, e já olharam para nós com mais seriedade. E nós ainda tínhamos um trunfo na manga, de que não estávamos sós, éramos umas quarenta pessoas, e todas sabiam atirar e prestar primeiros socorros. Disseram: 'Voltem e esperem. O caso de vocês receberá uma resposta positiva'. Como voltamos felizes! Não me esqueço... É, pois é...

E literalmente um par de dias depois estávamos com a notificação em mãos...

Fomos ao centro de alistamento, ali mesmo já nos levaram por uma porta, saímos por outra — eu tinha feito uma trança tão bonita, já saí de lá sem ela... Sem a trança. Cortaram meu cabelo como o dos soldados... E tomaram meu vestido. Não tive tempo de entregar nem o vestido nem a trança para minha mãe. Ela pediu muito para que algo de mim, alguma coisa minha, ficasse com ela. Ali mesmo nos vestiram com uma *guimnastiorka*,* boina, deram uma sacola e nos colocaram em um trem de mercadoria — no feno. Mas era feno fresco, ainda tinha o cheiro do campo.

Subimos no trem com alegria. Com audácia. Com brincadeiras. Lembro que rimos muito.

Para onde estávamos indo? Não sabíamos. No fim das contas, isso não era tão importante quanto o que nos tornaríamos. Qualquer coisa, desde que chegássemos ao front. Todos estavam lutando, e nós também. Chegamos na estação Schólkovo, perto dali havia uma escola feminina de francoatiradoras. Descobrimos que estavam nos levando para lá. Para as francoatiradoras. Todas ficamos felizes. Agora era de verdade. Iríamos atirar.

Começamos a estudar. Aprendemos os regulamentos — do serviço de guarnição, o disciplinar, o da camuflagem no local e o de defesa química. Todas as meninas se esforçaram muito. Aprendemos a montar e desmontar o fuzil com precisão, a definir a velocidade do vento, o movimento do alvo, a distância até o alvo, a cavar uma caixinha, a rastejar — já sabíamos tudo isso. Só queríamos chegar o mais rápido possível no front. Ir para o fogo. É, pois é. No fim do curso tirei cinco em preparação de tiro e preparação de formação. O mais difícil, eu me lembro, era me levantar com o alarme e me aprontar em cinco minutos. Pegávamos as botas um ou dois números maiores, para não perder tempo, para nos aprontarmos rápido. Em cinco minutos era preciso se vestir, se calçar e entrar em formação. Havia casos em que corríamos para a formação com as botas sobre os pés nus. Uma moça quase teve o pé congelado. O superior percebeu, deu uma advertência,

* *Guimnastiorka*: túnica militar russa.

depois nos ensinou a enrolar as *portianki.** Ficou em cima de nós, trovejando: 'Mocinha, como vou transformar vocês em soldados, e não em alvo para os *fritz*?'. Mocinhas, mocinhas... Todos nos amavam e o tempo todo tinham pena de nós. E nós ficávamos ofendidas que tivessem pena. Por acaso não éramos soldados como todos os outros?

Bem, então chegamos ao front. Nos arredores de Orcha... Na 62ª Divisão de Caçadores... O comandante, me lembro como se fosse agora, era o coronel Boródkin, ele nos viu e ficou irritado: me impuseram umas mocinhas. Que ciranda feminina é essa? É um corpo de baile! Isso aqui é guerra, não é um bailezinho. Uma guerra terrível... Mas depois nos convidou para sua casa, serviu o almoço. E o escutamos perguntar para seu ajudante: 'Será que não temos algo doce para o chá?'. Claro que nos ofendemos: quem ele achava que éramos? Tínhamos vindo para combater. E ele não nos via como soldados, e sim como mocinhas. Pela idade, podíamos ser filhas dele. 'O que vou fazer com vocês, minhas queridas? Onde foi que arrumaram vocês?' Era assim que nos tratava, assim que nos recebeu. E nós já nos imaginávamos como guerreiras. É, pois é... Na guerra.

No dia seguinte nos mandou mostrar se sabíamos atirar e camuflar-nos. Na parte dos tiros fomos bem, inclusive melhor que os francoatiradores homens que foram chamados da linha de frente para um curso de dois dias e que se surpreenderam muito por fazermos o trabalho deles. Deviam estar vendo mulheres francoatiradoras pela primeira vez na vida. Depois da sessão de tiro, camuflagem... O coronel veio, inspecionou a clareira, depois parou sobre um montinho: não se via nada. E aí, o 'montinho' embaixo dele começou a implorar: 'Ai, camarada coronel, não aguen-

* *Portianka*: pedaço de tecido com o qual se enrolava os pés. Usada com botas pelos soldados, depois foi substituída pela meia.

to mais, está pesado'. Ah, morremos de rir! Ele não conseguia acreditar que dava para se camuflar tão bem. 'Agora, quanto a vocês serem mocinhas', falou, 'retiro o que disse.' Mas mesmo assim não se conformava... Não conseguia se acostumar conosco...

Pela primeira vez, saímos para a 'caça' (é assim que se chama entre os francoatiradores); minha companheira era Macha Kozlova. Nos camuflamos, deitamos: eu fazia a cobertura, e Macha estava com a metralhadora. De repente ela me disse:

'Atire, atire! Está vendo? Um alemão.'

Eu respondi:

'Estou fazendo a cobertura. Atire você!'

'Enquanto a gente ficar discutindo isso, ele vai embora', ela falou.

Mas eu continuava:

'Primeiro preciso estabelecer o mapa de tiro, assinalar o ponto de referência: onde há um galpão, uma bétula...'

'Você vai fazer toda uma papelada, como na escola? Eu não vim para ficar preenchendo papel, vim para atirar!'

Vi que Macha já estava brava comigo.

'Ora, então atire, qual é o problema?'

Ficamos brigando assim. E nesse tempo, realmente, o oficial alemão dava as ordens aos soldados. Uma carroça se aproximou, e uns soldados em fila começaram a passar a carga. Esse oficial ficou ali, deu alguma ordem e depois sumiu. E nós brigando. Vi que ele já tinha aparecido duas vezes, e se bobeássemos de novo, acabou. Perderíamos o alemão. E quando ele apareceu pela terceira vez — era realmente só por um instante: uma hora aparecia, na outra sumia —, resolvi atirar. Decidi, e de repente cruzou pela minha cabeça um pensamento: mas é uma pessoa; mesmo sendo inimigo, é uma pessoa, e minhas mãos começaram a tremer um pouco, um arrepio passou por todo o corpo, um calafrio. Um medo... Até hoje às vezes essa sensação volta no sono... Depois dos alvos de compensado, era difícil atirar em uma pessoa viva. Ainda estava olhando pelo visor ótico, via bem. Ele parecia próximo... E, dentro de mim, algo resistia... Algo não deixava, eu não conseguia me decidir. Mas retomei o controle e apertei o gatilho... Ele acenou com as mãos e caiu. Se estava morto ou não, não sei. Mas depois disso comecei a tremer ainda mais, surgiu um medo: eu matei uma pessoa?! Era preciso me acostumar a essa ideia. Sim... Numa palavra, um horror! Não dá para esquecer...

Quando chegamos, começamos a contar no pelotão o que tinha acontecido comigo, fizemos uma reunião. Nossa chefe do Komsomol era Klava Ivánova, ela me convencia: 'Não é para ter pena deles, é para ter ódio'. Os fascistas tinham matado o pai dela. Às vezes cantávamos, e ela pedia: 'Meninas, parem; quando vencermos esses desgraçados, cantamos'.

E não foi de uma vez... Não foi de uma vez que conseguimos. Isso não era coisa de mulher: odiar e matar. Não era nosso... Era preciso se convencer. Se persuadir..."

Alguns dias depois, Maria Ivánovna me ligou e me convidou para falar com sua amiga do front, Klávdia Grigórievna Krókhina. E de novo escutei...

KLÁVDIA GRIGÓRIEVNA KRÓKHINA,
PRIMEIRO-SARGENTO, FRANCOATIRADORA

"Na primeira vez dá medo... Muito medo...

Nos deitamos e fiquei observando. E então reparei: um alemão se levantou das trincheiras. Eu engatilhei, apertei o gatilho, e ele caiu. E aí, sabe, eu tremia inteira, escutava meus ossos batendo. Comecei a chorar. Quando atirava no alvo, não tinha problema, mas aí: eu matei! Eu! Matei uma pessoa que não conheço. Não sei nada sobre ele, mas o matei.

Depois isso passou. E foi assim que... Que aconteceu... Já estávamos avançando, estávamos passando na frente de um pequeno povoado. Acho que na Ucrânia. E ali, perto da estrada, vimos um barracão ou uma casa, já era impossível distinguir, tudo estava queimando, já tinha queimado, só sobraram pedras pretas. As fundações... Muitas meninas não se aproximaram, mas parecia que algo me puxava... Nesse carvão encontramos ossos humanos, entre eles estrelinhas queimadas; tinham queimado nossos feridos ou prisioneiros. Depois disso, não importa o quanto eu matasse, já não ficava com pena. Depois de ter visto as estrelinhas pretas...

Voltei da guerra com cabelos brancos. Vinte e um anos, e minha cabeça toda branquinha. Tive um ferimento grave, uma lesão, escutava mal de um ouvido. Minha mãe me recebeu com as palavras: 'Eu acreditei que você voltaria. Rezei por você dia e noite'. Meu irmão morreu no front.

Minha mãe chorava:

'Agora dá no mesmo ter meninos ou meninas. Mas ele, apesar de tudo, era homem, era obrigado a defender a pátria; você é uma garota. Só pedia uma coisa a Deus: se você fosse mutilada, era melhor que a matassem. Ia sempre na estação. Esperar os trens. Uma vez, vi uma moça militar com o rosto queimado... Estremeci: seria você?! Depois, passei a rezar por ela também.'

Perto da nossa casa — eu sou do distrito de Tcheliábinsk — havia exploração de minério. Assim que as explosões começavam, e por algum motivo elas aconteciam sempre à noite, na mesma hora eu saltava da cama, e a primeira coisa que fazia era agarrar o capote militar e correr — precisava correr rápido para algum lugar. Minha mãe me agarrava, me apertava contra si e me convencia: 'Acorde, acorde. A guerra acabou. Você está em casa'. Eu voltava à consciência com as palavras dela: 'É a mamãe. A mamãe...'. Ela falava baixinho. Baixinho... Voz alta me assustava."

No quarto está quente, mas Klávdia Grigórievna se enrola com uma pesada manta de lã: está com frio. Ela continua:

"Em pouco tempo nos tornamos soldados... Sabe, não havia tempo para pensar muito. Para remoer os sentimentos...

Nossos batedores capturaram um oficial alemão, e ele estava muito surpreso porque em sua tropa tinham sido abatidos muitos soldados, sempre atingidos na cabeça. Praticamente no mesmo lugar. Um atirador comum não seria capaz de acertar tantas vezes na cabeça, repetia. Com tamanha precisão. 'Mostrem-me esse atirador que matou tantos dos meus soldados', pediu ele. 'Eu recebia bons reforços, e todo dia tinha até dez baixas.' O comandante do regimento respondeu: 'Infelizmente não posso apresentá-la. Era uma moça francoatiradora, mas ela morreu'. Era Sacha Chliákhova. Morreu em um duelo de francoatiradores. E foi seu cachecol vermelho que causou sua desgraça. Ela adorava esse cachecol. Mas um cachecol vermelho na neve salta à vista, atrapalha a camuflagem. Quando o oficial alemão escutou que era uma jovem, ficou pasmo, não sabia como reagir. Passou muito tempo calado. No último interrogatório antes de mandá-lo para Moscou (acabamos descobrindo que era um peixe grande!), reconheceu: 'Nunca tinha combatido contra mulheres. Vocês todas são tão bonitas... E nossa propaganda diz que não são mulheres que lutam no Exército Vermelho, mas hermafroditas...'. Esse não tinha entendido nada. É... Não dá para esquecer...

Íamos em dupla, para uma só é difícil aguentar do amanhecer até a noite, a vista cansa, os olhos lacrimejam, você não sente mais as mãos, todo o corpo fica dormente pela tensão. É mais difícil ainda na primavera. A neve derrete sob o seu corpo, e você passa o dia inteiro na água. Quando já estava quase boiando, às vezes acontecia de ficar congelada na terra. Saíamos assim que raiava o dia, e voltávamos da linha de frente quando ia caindo a noite. Passávamos doze horas, às vezes até mais, deitadas na neve, ou nos empoleirávamos no alto de uma árvore, no teto de um galpão, em uma casa destruída, e ali nos camuflávamos para que ninguém notasse onde estávamos, de onde fazíamos a cobertura. Tentávamos encontrar a posição mais próxima possível: setecentos, oitocentos, às vezes quinhentos metros era a distância até a trincheira dos alemães. De manhã cedo até os escutávamos falando. Suas risadas.

Não sei por que não tínhamos medo... Agora não entendo...

Estávamos avançando, e muito rápido... Nos sentíamos esgotadas, o carregamento de provisões tinha ficado para trás: acabaram as munições e os víveres; até a cozinha fora destruída por um projétil. No terceiro dia à base de pão seco, nossa língua estava tão esfolada que não conseguíamos mexê-la. Tinham matado minha companheira, e eu estava indo para a linha de frente com uma 'novata'. De repente vimos um potrinho na 'faixa neutra'. Tão bonito, tinha um rabo bem peludo. Estava passeando tranquilamente, como se não houvesse guerra nenhuma, nada. Escutamos o barulho dos alemães, já tinham visto ele. Nossos soldados também estavam trocando umas palavras:

'Ele vai embora. Daria uma sopinha daquelas...'

'Com um fuzil automático você não alcança a essa distância.'

Nos viram:

'As francoatiradoras estão chegando. Elas acabam com ele num instante. Vamos, meninas!'

Nem tive tempo de pensar, por hábito mirei e atirei. As pernas do potrinho arriaram, ele tombou de lado. Me pareceu, talvez isso já fosse alucinação, mas me pareceu que ele relinchou bem de leve.

Depois eu me toquei: para que tinha feito aquilo? Era tão bonito, e eu o matei, e eu o coloquei na sopa! Atrás de mim escutei que alguém soluçava. Olhei para trás, era a novata.

'O que você tem?', perguntei.

'Estou com pena do potrinho', ela estava com os olhos cheios de lágrimas.

'Ah, que natureza delicada! Estamos todos passando fome há três dias. Você tem pena porque ainda não enterrou ninguém. Experimente andar trinta quilômetros em um dia, com equipamento completo e ainda com fome. Primeiro, precisamos expulsar os *fritz*, depois nos preocupamos. Aí vamos ter pena. Depois... Entendeu? Depois...'

Olhei para os soldados: eles tinham acabado de me parabenizar, de gritar. Tinham me pedido. Tinham acabado de fazer isso... Poucos minutos antes... Agora ninguém olhava para mim, como se não reparassem em mim, cada um concentrado em seus afazeres. Estavam fumando, cavando... Um estava afiando algo. Me deixaram ao deus-dará. Queria sentar e chorar. Aos prantos! Como se eu fosse alguma abatedora, como se não me custasse nada matar alguém. E eu, desde criança, amava tudo o que é vivo. Em casa — eu até já ia à escola nessa época — a vaca ficou doente e a abateram. Chorei por dois dias. Sem parar. E ali — pou! —, eu atirei em um potrinho indefeso. E olha que... Era a primeira vez que via um potrinho em dois anos...

À noite, trouxeram o jantar. Os cozinheiros disseram: 'Ah, muito bem, francoatiradora! Hoje tem carne no caldeirão'. Serviram os caldeirõezinhos e foram embora. Minhas meninas estavam sentadas e não tocavam no jantar. Entendi do que se tratava — saí correndo do abrigo, chorando... As meninas vieram atrás de mim, ficaram me consolando todas ao mesmo tempo. Logo, agarraram seus pratos e tomaram a sopa...

Pois é, foi assim... Pois é... Não dá para esquecer...

À noite, claro, conversávamos. Sobre que falávamos? Claro, sobre nossas casas, cada uma falava de sua mãe, do pai ou dos irmãos que combatiam. E sobre o que seríamos depois da guerra. Como casaríamos e se nosso marido nos amaria. O comandante ria:

'Ê, meninas! Vocês são todas bonitas, mas depois da guerra os homens vão ter medo de casar com vocês. Com essa pontaria, vocês atiram um prato na testa do marido e acabam matando.'

Conheci meu marido na guerra, servíamos no mesmo regimento. Tinha dois ferimentos, uma lesão. Pegou a guerra do início ao fim, e depois foi militar a vida toda. Para ele eu não precisava explicar o que era a guerra. De onde eu viera. Como era. Se levanto a voz para ele, ou não repara, ou não diz nada. Mas eu o perdoo. Também aprendi. Criamos dois filhos, terminaram a faculdade. Um filho e uma filha.

Vou contar mais uma coisa... Bem, me deram baixa, fui para Moscou. De lá até minha casa era preciso percorrer alguns quilômetros a pé. Agora tem metrô lá, mas na época havia velhos jardins de cerejeiras e barrancos profundos. Havia um barranco muito grande, e eu precisava atravessá-lo. Já havia escurecido quando cheguei lá. Claro, eu tinha medo de atravessá-lo. Fiquei parada sem saber como fazer: se eu voltava e esperava amanhecer, ou se juntava coragem e me arriscava. É tão engraçado lembrar disso agora: estava vindo do front, tinha visto de tudo, cadáveres e outras coisas, mas estava com medo de atravessar um barranco. Até hoje me lembro do cheiro dos cadáveres misturado ao cheiro do tabaco. Mas continuei uma menina. No vagão, quando estávamos indo... Já estávamos voltando da Alemanha para casa... Um rato pulou de dentro da mochila de alguém, e todas nós, meninas, demos um salto, as que estavam nas camas mais altas desceram aos trancos, dando gritinhos. Um capitão que estava conosco se surpreendeu: 'Todas com medalhas, e vocês têm medo de um rato'.

Felizmente, apareceu um caminhão. Pensei: vou pedir carona.

Ele parou.

'Vou para Diákovskoie', gritei.

‘Também vou para Diákovskoie’, um rapaz jovem abriu a porta.

Entrei na cabine, ele pôs minha mala na caçamba, e saímos. Viu que eu estava de farda, com medalhas. Perguntou:

‘Quantos alemães você matou?’

Respondi:

‘Setenta e cinco.’

Ele riu um pouco:

‘Mentira, acho que você não viu nenhum.’

Então eu o reconheci:

‘Kolka Tchijóv? É você mesmo? Lembra que eu dava o nó no seu lenço vermelho?’

Durante um tempo, antes da guerra, trabalhei na minha escola como monitora dos pioneiros.*

‘Maruska, é você?’

‘Sou eu…’

‘Verdade?’, ele freou o caminhão.

‘Me leve para casa, por que está freando no meio da estrada?’ Meus olhos estavam cheios de lágrimas. Vi que os dele também. Que encontro!

Chegamos em casa, ele foi correndo com a mala encontrar minha mãe: ficou dançando na entrada com a mala.

‘Rápido, eu lhe trouxe sua filha!’

Não dá para esquecer. Pois é… Como ia me esquecer disso?

Tinha voltado, e precisava começar tudo de novo. Reaprendi a andar de sapatos: no front, passei três anos usando botas. Estava acostumada aos cintos sempre apertados, e agora achava que todas as roupas pareciam um saco, me sentia incomodada. Olhava

* A Organização dos Pioneiros da União Soviética agrupava crianças entre dez e quinze anos e, além de promover atividades semelhantes às dos escoteiros, difundia os princípios ideológicos do comunismo.

com horror para uma saia... Para um vestido... No front, estávamos o tempo todo de calça; à noite a lavávamos, depois a estendíamos sob o corpo, deitávamos, e parecia que estava passada. Na verdade, não secava por completo no frio, e ficava coberta por uma crosta. Como aprender a usar saia? Parecia que as pernas se confundiam. A gente estava de vestido, sapatos, e, quando encontrava um oficial, sem querer estendia o braço para bater continência. Estávamos acostumadas às rações, a receber do governo; depois, quando você ia à padaria, pegava o pão, o que precisava, e esquecia de pagar. A vendedora já a conhecia, entendia o que estava acontecendo e tinha vergonha de lembrar, e você ia embora sem pagar. Depois percebia, pedia desculpas no dia seguinte, pegava algo mais e pagava tudo na hora. Era preciso aprender de novo tudo o que era habitual. Lembrar a vida cotidiana. O normal! Com quem dividir? Você corria para falar com a vizinha... Com sua mãe...

Eu ainda penso em uma coisa... Escute só. Quanto tempo durou a guerra? Quatro anos. É muito tempo... Não me lembro nem dos pássaros, nem das cores. Claro, isso tudo existia, mas não me lembro. É, pois é. Estranho, não? Será que havia filmes em cores na guerra? Nela, é tudo negro. Só o sangue tem outra cor, só o sangue é vermelho...

Há bem pouco tempo, uns oito anos, encontramos nossa Máchenka Alkhímova. O comandante da divisão de artilharia foi ferido, e ela rastejou para salvá-lo. Um projétil explodiu na frente... Bem na frente dela... O comandante morreu, ela não conseguiu se arrastar até ele, e suas duas pernas foram destruídas, tanto que as enfaixamos com dificuldade. Passamos por maus bocados. Tentamos de um jeito, de outro. Levamos na maca para o batalhão médico, e ela pedia: 'Meninas, me deem um tiro... Não quero viver assim...'. Era assim que pedia, implorava. Assim! Foi mandada para o hospital, e seguimos adiante com a ofensiva.

Quando fomos procurar... O rastro dela já havia se perdido. Não sabíamos onde estava, o que tinha acontecido com ela. Por muitos anos... Escrevíamos para todo canto, ninguém dava uma resposta positiva. Quem nos ajudou foram os seguidores de pistas da escola 73 de Moscou. Aqueles meninos, aquelas meninas... Eles a encontraram trinta anos depois da guerra, em uma casa de inválidos em algum lugar de Altai. Muito longe. Ela passou todos esses anos vagando por internatos para inválidos, hospitais, foi operada dezenas de vezes. Nem para a mãe confessou que estava viva... Escondeu-se de todos... Nós a trouxemos para o nosso encontro.

Todas nos acabamos de chorar... Em seguida, trouxemos sua mãe. Depois de trinta anos, elas se encontraram... A mãe quase ficou fora de si: 'Que felicidade que meu coração não tenha se partido de amargura antes. Que felicidade!'. E Máchenka repetia: 'Agora não tenho medo de encontrar. Já estou velha'. Sim... Enfim... Guerra é isso...

Lembro que estava deitada à noite no abrigo de terra. Não conseguia dormir. Em algum lugar, a artilharia estava em operação. O nosso lado atirava às vezes... E eu não tinha vontade de morrer... Fiz um juramento, um juramento de guerra: se fosse preciso, daria minha vida, mas não queria morrer. Mesmo que voltasse viva de lá, a alma iria sentir dor. Agora, acho que seria melhor ter sido ferida nas pernas ou nos braços, que doesse o corpo. Porque a alma... Dói muito. Fomos para o front muito jovenzinhas. Umas meninas. Eu até cresci durante a guerra. Minha mãe mediu... Cresci dez centímetros..."

Ao se despedir, ela desajeitadamente estendeu as mãos quentes e me deu um abraço: "Perdão...".

“Cresçam meninas... Vocês ainda estão verdes...”

Vozes... Dezenas de vozes... Elas desabaram sobre mim, revelando uma verdade insólita, e ela, essa verdade, já não cabia naquela estreita fórmula que eu conhecia desde a infância: nós vencemos. Uma reação química instantânea aconteceu: a retórica se diluiu no tecido vivo dos destinos humanos; ela se revelou a substância com menor tempo de vida. Destino é quando há algo mais por trás das palavras.

O que quero ouvir dezenas de anos depois? Como foi nos arredores de Moscou ou em Stalingrado, uma descrição das operações de guerra, o nome esquecido dos morros e dos altos prédios tomados do inimigo? Preciso de relatos sobre o movimento das seções e das linhas de frente, da retirada e ofensiva, da quantidade de trens explodidos e incursões de *partisans* — todos esses temas já abordados em milhares de volumes? Não, busco outra coisa. Estou reunindo algo que chamaria de conhecimento do espírito. Sigo as pistas da vida interior, faço anotações da alma. O caminho da alma é mais importante para mim que o próprio acontecimento, não tão importante ou não igualmente importante: “como aconteceu” não fica em primeiro lugar, o que preocupa e assusta é outra coisa — o que aconteceu com o ser humano ali? O que ele viu e entendeu? A respeito da vida e da morte como um todo. E, por fim, a respeito de si mesmo. Estou escrevendo uma história dos sentimentos... Uma história da alma... Não é a história da guerra ou do Estado, e não é a hagiografia dos heróis, mas a história do pequeno ser humano arrancado da vida comum e jogado na profundeza épica de um acontecimento enorme. Na grande História.

As meninas de 1941... A primeira coisa que quero perguntar: por que são assim? Por que são tantas? Como ousaram pegar em armas em igualdade com os homens? Atirar, colocar minas, explodir, bombardear — matar?

Púchkin se fez essa mesma pergunta ainda no século XIX, ao publicar na revista *O Contemporâneo* um fragmento das memórias da cavaleira Nadiéjda Dúrova, que participou da guerra contra Napoleão: “Que razões obrigaram uma jovem de uma boa família nobre a deixar a casa do pai, renegar seu sexo, assumir tarefas e obrigações que assustam até os homens e se apresentar no campo de batalha — e que batalhas! As da guerra napoleônica. O que a impeliu? Desgostos secretos do coração? Uma imaginação inflamada? Uma propensão inata e indomável? Amor?”.

Então, o que será? Mais de cem anos depois, a pergunta continua a mesma...

SOBRE JURAMENTOS E PRECES

“Quero falar... Falar! Desabafar! Finalmente querem nos escutar também. Passamos tanto tempo caladas, até em casa. Por dezenas de anos. No primeiro ano depois que voltei da guerra eu falava sem parar. Ninguém escutava. Então me calei... Que bom que você veio. Passei o tempo todo esperando, sabia que alguém viria. Tinha que vir. Eu era jovem na época. Absolutamente jovem. Que pena. Sabe por quê? Não fui capaz de guardar na memória...

Alguns dias antes da guerra, eu e uma amiga conversamos sobre o assunto; tínhamos certeza de que não haveria guerra nenhuma. Fui com ela ao cinema, antes do filme passaram as notícias: Ribbentrop e Mólotov estavam apertando as mãos. Ficaram gravadas na minha consciência as palavras do locutor, de que a Alemanha era amiga fiel da União Soviética.

Não passou nem um mês, e as tropas alemãs já estavam nos arredores de Moscou...

Éramos oito filhos na família, as primeiras quatro todas meninas; e eu era a mais velha. Um dia, papai chegou do trabalho chorando: 'Antes, eu ficava feliz que minhas mais velhas eram meninas. Seriam noivas. Mas agora todos têm alguém para mandar ao front, e nós não temos ninguém. Eu estou velho, não vão me aceitar, vocês são garotas, e os meninos são pequenos'. Na nossa família, isso acabou sendo uma preocupação.

Organizaram o curso de enfermeiras, e meu pai levou eu e minha irmã para lá. Eu tinha quinze anos, minha irmã catorze. Ele dizia: 'É tudo o que posso dar para a Vitória. Minhas meninas...'. Na época não se pensava em outra coisa.

Um ano depois, fui parar no front..."

Natália Ivánovna Serguêieva, soldado,
auxiliar de enfermagem

"Nos primeiros dias... A cidade estava uma confusão. Um caos. Pavor e gelo. Todos capturavam um espião. Exortavam uns aos outros: 'Não devemos ceder às provocações'. Nem em pensamento aceitávamos que nosso Exército enfrentaria uma catástrofe, que o derrotariam em poucas semanas. Haviam nos ensinado que combateríamos em território estrangeiro. 'Não entregaremos nem um palmo de nossa terra...' E aí começou a retirada...

Antes da guerra circulavam boatos de que Hitler estava se preparando para atacar a União Soviética, mas essas conversas eram reprimidas severamente. Pelos órgãos competentes... Você entende que órgãos eram esses? A NKVD... Os *tchekistas*...* Se as pessoas sussurravam, era em casa, na cozinha; e nas *komunalkas*,** apenas no seu próprio quarto, a portas fechadas, ou no banheiro, com a torneira aberta. Mas quando Stálin falou... Ele se dirigiu a nós: 'Irmãos e irmãs...'. Aí, todos esqueceram as mágoas... Nosso tio estava preso no campo de trabalho, o irmão da minha mãe: era ferroviário, um velho comunista. Foi preso no trabalho... Você entende por quem? Pela NKVD... Nosso tio querido, e nós sabíamos que ele não tinha culpa de nada. Acreditávamos nisso. Ele tinha medalhas ainda da guerra civil... Mas, depois do discurso de Stálin, minha mãe falou: 'Vamos defender a pátria, depois veremos'. Todos amavam a pátria.

Corri na hora para o centro de alistamento. Corri com a garganta inflamada, ainda não tinha me curado de vez de uma febre. Mas não podia esperar..."

Elena Antónovna Kúdina, soldado, motorista

"Nossa mãe não tinha filhos homens... Teve cinco meninas. Anunciaram: 'Guerra!'. Eu tinha um ótimo ouvido para música.

* NKVD: Naródni Komissariat Vnútrennikh Diel, Comissariado do Povo para Assuntos Internos, espécie de Ministério do Interior da União Soviética, responsável pelas questões policiais e de segurança. Era associado ao serviço secreto. Tcheka: polícia secreta da União Soviética.

** *Komunalka*: apartamento comunitário, no qual viviam duas ou mais famílias. Foi uma das principais formas de moradia na União Soviética.

Sonhava em entrar para o conservatório. Decidi que meu ouvido me serviria para algo no front, eu entraria para a comunicação.

Nos evacuaram para Stalingrado. Quando Stalingrado foi sitiada, fomos voluntariamente para o front. Todos juntos. Toda a família: minha mãe e as cinco filhas. Meu pai já estava combatendo nessa época..."

Antonina Maksímovna Kniázeva,
terceiro-sargento, comunicações

"Todas tínhamos o mesmo desejo: ir para o front... Medo? Claro, dava medo... Mas não importava... Fomos para o centro de alistamento e nos disseram: 'Cresçam, meninas... Vocês ainda estão verdes...'. Tínhamos uns dezesseis, dezessete anos. Mas eu dei um jeito, me aceitaram. Eu e uma amiga queríamos ir para a escola de francoatiradores, porém nos disseram: 'Vocês vão ser controladoras de tráfego. Não temos tempo de treiná-las'.

Iam nos levar, e minha mãe passou vários dias montando guarda na estação de trem. Quando viu a gente, já estávamos para entrar no trem: ela me deu uma torta, uma dezena de ovos e desmaiou..."

Tatiana Iefímovna Semiónova,
sargento, controladora de tráfego

"O mundo mudou de uma hora para outra... Eu me lembro dos primeiros dias... Minha mãe ficava ao lado da janela à noite, rezando... Eu não sabia que minha mãe acreditava em Deus. Ela não parava de olhar para o céu...

Fui convocada, eu era médica. Fui por sentimento de dever. E meu pai estava feliz por ter uma filha no front. Por eu estar defendendo a pátria. Ele foi para o centro de alistamento de manhã cedo. Ia receber meu certificado e foi de manhã cedo de propósito, para que todos na vila vissem que tinha uma filha no front..."

Efrossínia Grigórievna Breus, capitã, médica

"Era verão... Último dia de paz... À noite fomos dançar. Tínhamos dezesseis anos. Íamos juntos, primeiro levávamos um para casa, depois outro. Não acontecia de nos separarmos em pares. Íamos, vamos supor, seis meninos e seis meninas.

E então, já duas semanas depois, esses jovens, alunos de uma escola preparatória de tanquistas, que nos acompanhavam para casa depois do baile, eram trazidos de volta mutilados, enfaixados. Era um horror! Um horror! Se eu ouvia a risada de alguém, não conseguia perdoar. Como era possível ficar feliz quando havia uma guerra como essa acontecendo?

Logo meu pai entrou para a tropa civil. Só eu e meus irmãos pequenos ficamos em casa. Meus irmãos tinham nascido em 1934 e em 1938. E eu disse à minha mãe que ia para o front. Ela chorou, eu mesma também chorei a noite inteira. Mas fugi de casa... Escrevi para minha mãe quando estava na unidade. De lá, ela já não conseguiria me fazer voltar de jeito nenhum..."

Lília Mikháilovna Butkó, enfermeira cirúrgica

"Ordem: em formação... Nos alinhamos por tamanho, e eu era a menor. O comandante veio passando e olhando. Se aproximou de mim:

'Que Pequeno Polegar é essa? O que você vai fazer aqui? Talvez seja melhor voltar para a mamãe e crescer um pouco mais.'

Mas eu já não tinha mãe... Mamãe tinha morrido em um bombardeio...

O que mais me marcou... Para toda a vida... Isso foi no primeiro ano, estávamos em retirada... Eu vi — nos escondemos atrás de uns arbustos — como um de nossos soldados correu com uma espingarda para cima de um tanque alemão e começou a bater com a coronha na lataria. Ficou batendo, gritando e chorando até cair. Até os fuzileiros alemães atirarem nele. No primeiro ano, lutávamos com espingardas contra tanques e 'messers'..."*

Polina Semiónovna Nozdratchiova, enfermeira-instrutora

"Eu pedia para a minha mãe... Implorava para ela: por favor, não chore... Não foi de noite, mas estava escuro, e se ouvia um uivo incessante. Elas, as nossas mães, ao acompanhar as filhas, não choravam, elas uivavam. Mamãe ficava ali parada feito pedra. Ela estava se segurando, tinha medo de que eu caísse no choro. Eu era a filhinha da mamãe, me mimavam em casa. E depois cortaram meu cabelo como de menino, só deixaram um topetinho. Ela e meu pai não me deixavam ir, mas eu só pensava em uma coisa: ir para o front, para o front! Para o front! Esses cartazes que agora estão no museu: 'A pátria mãe chama!', 'O que você fez pelo front?', sobre mim, por exemplo, tiveram muita influência. Estavam o tempo todo diante dos meus olhos. E as músicas? 'Levante, país enorme... Levante para o combate mortal...'

Quando estávamos viajando, ficamos espantados com os mortos logo nas estações de trem. Já era a guerra... Mas nossa juventude prevalecia, e cantávamos. Até mesmo algo alegre. Umas cantigas.

No fim da guerra, toda a nossa família estava lutando. Meu pai, minha mãe, minha irmã — todos trabalhavam nas estradas

* Caça alemão.

de ferro. Eles avançavam logo atrás do front e consertavam a estrada. Todos recebemos a Medalha da Vitória: meu pai, minha mãe, minha irmã e eu..."

Ievguênia Serguêievna Saprónova,
sargento da guarda, mecânica de aviação

"Antes da guerra eu trabalhava no Exército como telefonista... Nossa unidade ficava na cidade de Boríssov, e a guerra chegou naqueles lados já nas primeiras semanas. O chefe de comunicações mandou todas nós entrarmos em fila. Não servíamos como soldados, éramos contratadas.

Ele nos disse:

'A guerra começou encarniçada. Vai ser muito difícil para vocês, meninas. E enquanto não é tarde, se alguém quiser, ainda pode voltar para casa. Quem quiser ficar no front, um passo à frente...

Todas as meninas, de uma só vez, deram um passo à frente. Éramos umas vinte. Todas estavam prontas para defender a pátria. E antes da guerra eu não gostava nem de livros de guerra, gostava de ler sobre amor. Mas ali?!

Ficávamos nos aparelhos por dias, dias inteiros. Os soldados nos traziam os caldeirõezinhos, comíamos, cochilávamos ali mesmo ao lado dos aparelhos e colocávamos o fone de ouvido de novo. Não tinha tempo de lavar o cabelo, então pedi: 'Meninas, cortem minhas tranças...'."

Galina Dmítrievna Zapólskaia, telefonista

"Íamos sempre ao centro de alistamento...

E quando estávamos indo de novo, pela enésima vez, o comandante quase nos põe para fora: 'Se vocês tivessem alguma profissão... Se fossem enfermeiras ou motoristas... Mas o que sabem fazer? O que vão fazer na guerra?'. E nós não entendíamos. Essa pergunta não tinha se colocado para nós: o que vamos fazer? Queríamos lutar e pronto. Não tínhamos entendido que lutar é saber fazer alguma coisa. Algo concreto. Ele nos deixou aturdidas com essa pergunta.

Eu e mais algumas meninas fomos para o curso de enfermaria. Lá, nos disseram que era preciso estudar por seis meses. Decidimos que não, era muito tempo, não servia para nós. Havia outros cursos que duravam três meses. Mas, na verdade, também considerávamos que três meses era muito. Só que esses cursos estavam terminando. Pedimos que nos deixassem fazer as provas. Ainda tinha um mês de aula. À noite íamos para a prática no hospital militar e de dia estudávamos. Acabou que estudamos por um mês e pouco...

Não nos mandaram para o front, e sim para um hospital. Foi no fim de agosto de 1941... As escolas, os hospitais e os clubes estavam lotados de feridos. Mas em fevereiro eu saí do hospital, posso dizer que fugi, desertei, não tem outro nome para isso. Fugi no trem médico sem documentos, sem nada. Escrevi um bilhetinho: 'Não vou para o meu turno. Estou indo para o front'. E pronto..."

Elena Pávlovna Iákovleva, subtenente, enfermeira

"Naquele dia eu tinha um encontro... Fui para lá flutuando... Achava que ele ia se declarar: 'Eu te amo', mas ele chegou triste: 'Vera, começou a guerra! Vão nos mandar das aulas direto para o front'. Ele estudava no colégio militar. Bom, eu também, claro, comecei logo a me imaginar no papel de Joana d'Arc. Na linha de frente, com um fuzil nas mãos. Precisávamos ficar juntos. Só ficar juntos! Corri para o centro de alistamento, mas lá me cortaram severamente: 'Por enquanto só precisamos de equipe médica. E é preciso estudar seis meses'. Seis meses, era de enlouquecer! Eu tinha um amor...

Me convenceram de que eu tinha que estudar. Certo, vou estudar, mas não para enfermeira... Queria atirar! Atirar como ele. De alguma forma eu já estava preparada para isso. Em nossa escola sempre havia apresentações de heróis da guerra civil e de gente que lutara na Espanha. As meninas se sentiam em igualdade com os meninos, não nos separavam. Pelo contrário, desde a infância escutávamos na escola: 'Meninas, para o volante do trator!', 'Meninas, para o manche do avião!'. E ainda tinha o amor! Eu até imaginava como íamos morrer juntos. Na mesma batalha...

Estudava no instituto de teatro. Sonhava em ser atriz. Meu ídolo era Larissa Reisner.* Uma comissária mulher com jaqueta de couro. Gostava do fato de ela ser bonita..."

Vera Danilovtseva, sargento, francoatiradora

"Os meus amigos, todos mais velhos, foram mandados para o front... Chorei horrores por ter ficado sozinha, não me aceitaram. Me disseram: 'Tem que estudar, menina'.

Mas acabamos estudando pouco. O nosso decano logo veio falar:

'Quando a guerra acabar, meninas, vocês completam os estudos. Precisamos defender a pátria.'

Os chefes da fábrica foram se despedir de nós na estação. Era verão. Lembro que todos os vagões estavam cheios de verde, de

* Larissa Mikháilovna Reisner (1895-1926): escritora russa comprometida com a causa bolchevique. Lutou na Guerra Civil e foi comissária política no Exército Vermelho.

flores. Davam-nos presentes. Fiquei com uns biscoitos caseiros muito gostosos e um casaquinho bonito. Com que animação dancei o *gopak* ucraniano na plataforma!

Andamos de trem por muitos dias... Eu e as meninas descemos numa estação com baldes para pegar água. Olhamos em volta e nos surpreendemos: vinha um vagão atrás do outro, e só garotas. Estavam cantando. Acenavam para nós: umas com o lenço, outras com a boina. Então ficou claro: faltavam homens, eles tinham caído em combate... Ou foram feitos prisioneiros. Agora, éramos nós no lugar deles.

Minha mãe me escreveu uma prece. Eu a coloquei no medalhão, talvez tenha ajudado: voltei para casa. Antes do combate, eu sempre beijava o medalhão..."

Anna Nikoláievna Khrolóvitch, enfermeira

"Eu era piloto...

Quando ainda estava no sétimo ano, um avião chegou à nossa cidade. Isso naqueles anos, imagine, em 1936. Na época era uma coisa rara. E então veio um chamado: 'Meninas e meninos, entrem no avião!'. Eu, como era *komsomolka*, estava nas primeiras filas, claro. Na mesma hora me inscrevi no aeroclube. Só que meu pai era categoricamente contra. Até então, todos em nossa família eram metalúrgicos, várias gerações de metalúrgicos e operadores de altos-fornos. E meu pai achava que metalurgia era um trabalho de mulher, mas piloto não. O chefe do aeroclube ficou sabendo disso e me autorizou a dar uma volta de avião com meu pai. Fiz isso. Eu e meu pai decolamos, e desde aquele dia ele parou de falar nisso. Gostou. Terminei o aeroclube com as melhores notas, saltava bem de paraquedas. Antes da guerra ainda tive tempo de me casar e ter uma filha.

Desde os primeiros dias da guerra, começaram a reestruturar nosso aeroclube: os homens foram enviados para combater;

no lugar deles ficamos nós, as mulheres. Ensinávamos os alunos. Havia muito trabalho, da manhã à noite. Meu marido foi um dos primeiros a ir para o front. Só me restou uma fotografia: eu e ele de pé ao lado de um avião, com capacete de aviador... Agora vivia junto com minha filha, passamos quase o tempo todo em acampamentos. E como vivíamos? Eu a trancava, deixava mingau para ela, e às quatro da manhã já estávamos voando. Voltava de tarde, e se ela comia eu não sei, mas estava sempre coberta daquele mingau. Já nem chorava, só olhava para mim. Os olhos dela são grandes como os do meu marido...

No fim de 1941 me mandaram uma notificação de óbito: meu marido tinha morrido perto de Moscou. Era comandante de voo. Eu amava minha filha, mas a mandei para ficar com os parentes dele. E comecei a pedir para ir para o front...

Na última noite... Passei a noite inteira de joelhos ao lado do berço..."

Antonina Grigórievna Bondareva, tenente da guarda, piloto

"Completei dezoito anos... Estava tão feliz, um dia de festa. Mas todos ao meu redor estavam gritando: 'Guerra!'. Lembro como as pessoas choravam. Alguns até rezavam. Era insólito... As pessoas rezavam e faziam o sinal da cruz na rua. Tinham nos ensinado na escola que Deus não existe. Onde estavam nossos tanques e nossos belos aviões? Sempre os víamos nas paradas militares. Ficávamos orgulhosos! Onde estavam nossos chefes militares? Budiônni... Claro, foi um momento de confusão. Mas depois começamos a pensar em outra coisa: como vencer?

Estava no segundo ano de enfermagem e obstetrícia na cidade de Sverdlóvsk. Logo pensei: 'Se é guerra, quer dizer que preciso ir para o front'. Meu pai era um comunista com muito tempo de serviço, havia sido preso político na época do tsar. Desde a infância nos ensinara que a pátria é tudo e que é preciso defendê-la. Então, não hesitei: se eu não for, quem vai? Devo ir..."

Serafima Ivánovna Panássenko, segundo-tenente, enfermeira do batalhão de infantaria motorizada

"Minha mãe correu até o trem... Ela era rígida. Nunca nos beijava, não elogiava. Se a gente fizesse algo bom, ela só nos lançava um olhar carinhoso e pronto. Mas naquela hora ela veio correndo, segurou minha cabeça e me beijou, beijou. E então me olhou nos olhos... Ficou olhando... Por muito tempo... Entendi que nunca mais veria minha mãe. Senti isso... Deu vontade de largar tudo, entregar minha sacola e voltar para casa. Fiquei com pena de todos... Da minha avó... Dos meus irmãozinhos...

E então começou a tocar a música... Veio a ordem: 'Dis-persar! Em-barcar! Aaaaos vagões!'.

Passei muito tempo acenando com as mãos..."

Tamara Uliánova Ladínina, soldado de infantaria

"Incluíram-me em um batalhão de comunicação... Eu nunca iria para a comunicação, não aceitaria, porque eu não entendia que isso também era combater. O comandante da divisão veio até nós, todas formaram fila. Estava conosco Máchenka Sungúrova. E então essa Máchenka saiu da fila:

'Camarada general, peço permissão para falar.'

Ele disse:

'Certo, fale, fale, soldado Sungúrova!'

'Soldado Sungúrova pede permissão para ser liberada do serviço de comunicação e enviada para o lugar onde se atira.'

Você entende, estávamos todas com essa disposição. Tínhamos a impressão de que o que estávamos fazendo — comunicação — era muito pouco, era quase uma humilhação; era preciso ir para a linha de frente.

O sorriso do general sumiu na hora:

'Minhas meninas!' — E se você visse como estávamos: sem comer, sem dormir; em suma, ele falou conosco como um pai, não como um comandante. — 'Acho que vocês não entendem seu papel no front. Vocês são nossos olhos e nossos ouvidos: um exército sem comunicação é como uma pessoa sem sangue.'

Máchenka Sungúrova foi a primeira que não se conteve:

'Camarada general! Soldado Sungúrova, como uma baioneta, está pronta para cumprir qualquer uma de suas tarefas!'

Passamos a chamá-la de 'Baioneta' até o fim da guerra.

... Em junho de 1943, na batalha de Kursk, confiaram a nós o estandarte do regimento, e o nosso, o 129º Regimento Especial de Comunicações do 65º Exército, era composto em 80% por mulheres. E é isso o que eu quero falar, para que você imagine... Para que entenda... O que se criou em nossa alma, o tipo de pessoa que éramos na época, nunca mais vai existir. Nunca! Tão inocentes de tão sinceras. Com tamanha fé! Quando nosso comandante recebeu o estandarte e deu a ordem: 'Regimento, sob o estandarte! De joelhos!', todos nos sentimos felizes. Pareceu-nos uma prova de confiança, agora éramos um regimento como todos os outros: de tanques, de artilharia. Ficamos ali chorando, todos tínhamos lágrimas nos olhos. Você não vai acreditar agora, mas todo meu organismo fica tenso de emoção; minha doença — eu estava com cegueira noturna por subnutrição, por esgotamento nervoso —, pois então, minha cegueira noturna desapareceu. Entende? No dia seguinte eu estava curada, eu me curei, tanta foi a comoção da minha alma..."

Maria Semiónovna Kaliberdá,
primeiro-sargento, comunicações

* * *

"Tinha acabado de virar adulta... Em 9 de junho de 1941 completei dezoito anos e virei maior de idade. Duas semanas depois começou aquela maldita guerra, acho que uns doze dias depois. Fomos enviados para a construção da ferrovia Gagra-Sukhumi. Só reuniram jovens. Eu me lembro de como era o pão que comíamos. Quase não havia farinha, tinha um pouco de tudo, mas principalmente água. Você colocava o pão na mesa, e em volta dele se formava uma poça, que lambíamos.

Em 1942... Me alistei como voluntária no hospital de evacuação e triagem nº 3201. Era um grande hospital da linha de frente, que integrava os fronts da Transcaucásia e do Cáucaso do Norte, e o Exército costeiro especial. As batalhas eram cruéis, havia muitos feridos. Fui posta na ala de alimentação, num cargo 24 horas: de manhã já precisávamos entregar o café da manhã, e ainda estávamos distribuindo o jantar. Depois de alguns meses, feri a perna esquerda — ia saltando na direita, mas continuava trabalhando. Depois ainda me incumbiram do posto de administradora, e também era um cargo 24 horas. Eu vivia no trabalho.

No dia 30 de maio de 1943... À uma em ponto houve um ataque aéreo massivo em Krasnodar. Saí correndo do edifício para ver como íamos tirar os feridos da estação de trem. Caíram duas bombas no galpão onde armazenavam munição. Diante dos meus olhos, as caixas voavam mais alto que um edifício de seis andares e explodiam. Um turbilhão me jogou contra uma parede de tijolos. Perdi a consciência... Quando acordei, já era noite. Levantei a cabeça e tentei fechar os dedos: se mexiam um pouco, mal e mal abri o olho esquerdo e fui para o hospital, sangrando inteira. No corredor encontrei a chefe da enfermaria, ela não me reconheceu e perguntou: 'Quem é você? De onde vem?'. Chegou mais perto, soltou uma exclamação e disse: 'Onde estava por tanto tempo, Ksênia? Os feridos estão com fome, e nada de você aqui'. Rapidamente enfaixaram minha cabeça, o braço esquerdo acima do cotovelo, e fui dar o jantar. Minha vista escurecia, eu suava em bicas. Comecei a distribuir o jantar e caí. Recuperei a consciência, e só escutava: 'Mais depressa! Mais rápido!'. E de novo: 'Mais depressa! Mais rápido!'.

Alguns dias depois ainda me tiraram sangue para doar aos feridos graves. As pessoas estavam morrendo...

... Mudei tanto na guerra que, quando fui para casa, minha mãe não me reconheceu. Me apontaram onde ela morava, eu me aproximei da porta e bati. Responderam:

'Pois não?'

Entrei, cumprimentei e disse:

'Deixe-me passar a noite aqui.'

Minha mãe estava acendendo o fogão, e meus dois irmãos mais novos estavam sentados no chão sobre um monte de palha, nus; não havia nada para vestir. Minha mãe não me reconheceu e respondeu:

'Cidadã, não está vendo como vivemos? Siga em frente enquanto ainda não escureceu.'

Cheguei mais perto, ela disse de novo:

'Cidadã, siga em frente enquanto ainda não escureceu.'

Inclinei-me na direção dela, dei um abraço e proferi:

'Mamãe, mãezinha!'

Depois todos pularam em cima de mim... Caíram no choro...

Agora moro na Crimeia... Estamos cobertos de flores, mas todo dia olho para o mar pela janela e morro de dor, até hoje não tenho um rosto de mulher. Choro com frequência, passo os dias entre gemidos. Entre minhas lembranças..."

Ksênia Serguêievna Ossadtcheva, soldado, administradora

"Estava partindo para o front... Fazia um dia lindo. O ar límpido e uma chuvinha bem fina. Tão bonito! Saí de manhã, parei: será que eu não volto mais para cá? Não ia ver nosso jardim... Nossa rua... Minha mãe chorava, me segurava e não me deixava ir. Eu já estava indo, ela me alcançava, me abraçava e não soltava..."

Olga Mitrofánovna Rujnítskaia, enfermeira

"Morrer... Eu não tinha medo de morrer. Por minha juventude, talvez, ou algo assim... Estávamos rodeados pela morte, a morte estava sempre por perto, porém eu não pensava nela. Não falávamos a respeito. Ela nos rodeava e cercava bem de perto, mas eu sempre passava batido. Uma noite, uma companhia inteira veio fazer reconhecimento de combate na área do nosso regimento. Quando estava amanhecendo ela se retirou, e começamos a escutar gemidos vindos da faixa neutra. Um ferido tinha ficado ali. 'Não vá, vão matar você', os soldados não me deixavam ir, 'não vê que já está clareando?'

Não dei ouvidos e rastejei para lá. Achei o ferido e arrastei-o por oito horas, usando um cinto que amarrei na mão. Trouxe-o com vida. O comandante ficou sabendo e, de cabeça quente, me deu cinco dias de prisão pela ausência sem autorização. Mas o comandante substituto do regimento reagiu de outra forma: 'Merece uma medalha'.

Aos dezenove anos recebi a Medalha por Bravura. Aos dezenove anos meus cabelos ficaram brancos. Aos dezenove anos, na última batalha, um tiro pegou meus dois pulmões, a segunda bala passou no meio de duas vértebras. Minhas pernas ficaram paralisadas... E fui dada como morta...

Aos dezenove anos… Minha neta tem essa idade agora. Olho para ela e não acredito. É uma criança!

Cheguei do front em casa, minha irmã me mostrou a notificação de óbito… Tinham me enterrado…”

Nadiéjda Vassílievna Aníssimova, enfermeira-instrutora do batalhão de metralhadoras

“Não me lembro da minha mãe… Na minha memória só ficaram umas sombras vagas… Os contornos… Às vezes o rosto dela, às vezes a silhueta quando ela se inclinava sobre mim. Ficava próxima de mim. Foi a impressão que tive depois. Quando mamãe se foi, eu tinha três anos. Meu pai estava servindo no Extremo Oriente, era militar de carreira. Ele me ensinou a andar a cavalo. É minha impressão mais forte da infância. Meu pai não queria que eu crescesse como uma donzela melindrosa. Em Leningrado — me lembro de estar lá desde os cinco anos — eu morava com minha tia. E ela tinha sido irmã de caridade na Guerra Russo-Japonesa. Eu a amava como a uma mãe…

Como eu era na infância? Por uma aposta, pulei do segundo andar da escola. Adorava futebol, sempre era a goleira dos meninos. Começou a guerra da Finlândia, sempre tentava ir correndo para a guerra. Em 1941 terminei o sétimo ano e me matriculei no técnico. Minha tia dizia, chorando: ‘Guerra’, mas eu fiquei feliz porque iria para o front, iria lutar. Como ia saber o que era sangue?

A Primeira Divisão de Guarda da tropa civil foi formada, e nós, algumas meninas, fomos aceitas no batalhão médico.

Liguei para minha tia:

‘Estou indo para o front.’

Do outro lado da linha me responderam:

‘Já para casa! O almoço está esfriando.’

Desliguei o telefone. Depois fiquei com pena dela, uma pena terrível. Começou o cerco da cidade, o terrível cerco de Leningrado, quando metade da cidade morreu, e ela estava só. Era velhinha.

Lembro que uma vez me deram dispensa. Antes de ir ver minha tia, passei em uma loja. Antes da guerra eu adorava bombons. Falei:

'Me dê uns bombons.'

A vendedora olhava para mim como se eu estivesse louca. Eu não estava entendendo o que eram os cupons de comida, o que era o cerco. Todas as pessoas na fila se viraram para me olhar, e eu estava com um fuzil maior do que eu. Quando me entregaram a arma, olhei e pensei: 'Quando vou crescer o bastante para ficar do tamanho desse fuzil?'. E de repente todos começaram a pedir, toda a fila:

'Dê os bombons para ela, pegue nossos cupons.'

E me deram.

Na rua, estavam recebendo ajuda para o front. Sobre mesas, na praça, havia grandes bandejas, as pessoas passavam e deixavam: um tirava um anel de ouro, outro um brinco. Colocavam relógios, dinheiro… Ninguém anotava nada, ninguém assinava. As mulheres tiravam a aliança…

Essas cenas ficaram na minha memória…

E houve a famosa ordem número 227 de Stálin: 'Nem um passo para trás!'. Se você recuasse, era fuzilado. Fuzilado ali mesmo. Ou ia a julgamento, e depois para os batalhões punitivos criados especialmente para isso. Os que iam parar nesses batalhões eram chamados de 'condenados à morte'. E quem escapava do cerco e fugia do encarceramento ia para os campos de filtragem… Atrás de nós iam os destacamentos de bloqueio… Os nossos atiravam nos nossos…

Essas cenas ficaram na minha memória…

Uma clareira comum... Molhada e suja depois da chuva. Nela, um jovem soldado de joelhos. Por algum motivo seus óculos ficavam caindo, e o soldado os punha de volta. Depois da chuva... Era um menino de Leningrado, culto. Já tinham tirado o fuzil dele. Dispuseram-nos todos em fila. Havia poças por todo lado. Nós... Escutávamos como ele suplicava... Jurava... Implorava que não o fuzilassem, tinha a mãe sozinha em casa. Começou a chorar. E aí levou, bem na testa. De revólver. Era um fuzilamento exemplar: aconteceria o mesmo com quem hesitasse. Ainda que por um minuto! Um minuto...

Essa ordem imediatamente fez de mim uma pessoa adulta. Sobre isso, era proibido... Por muito tempo não nos lembramos... Sim, ganhamos, mas a que preço? A que preço terrível!?

Passávamos dias sem dormir, tantos eram os feridos. Uma vez, todos nós ficamos três dias sem dormir. Fui mandada para o hospital em um veículo cheio de feridos. Deixei os feridos, e na volta o veículo estava vazio, pude dormir. Voltei fresca como um pepininho, e os outros não se aguentavam em pé.

Encontrei o comissário:

'Camarada comissário, estou envergonhada.'

'O que foi?'

'Eu dormi.'

'Onde?'

Contei a ele que tinha levado os feridos, na volta o carro estava vazio e eu caí no sono.

'E daí? Muito bem! Ao menos temos uma pessoa bem, senão seriam todos dormindo em pé.'

Mas eu estava envergonhada. Era com essa consciência que vivíamos por toda a guerra.

Gostavam de mim no batalhão médico, mas eu queria ser batedora. Disse que ia fugir para a linha de frente se não me deixassem ir. Iam me expulsar do Komsomol por não me subordinar ao regimento de guerra. Mas eu me mandei mesmo assim.

A primeira Medalha por Bravura...

O combate começou. Fogo aberto. Os soldados se agacharam. Deram a ordem: 'Em frente! Pela pátria!', e eles abaixados. Deram a ordem de novo, e eles abaixados. Tirei o gorro, para que vissem que uma menina tinha se levantado... Então todos se levantaram e fomos para o combate...

Concederam-me a medalha e no mesmo dia fomos cumprir uma tarefa. Pela primeira vez na vida me aconteceu... A nossa... Essa coisa das mulheres... Vi meu sangue e soltei um grito:

'Fui ferida!'

Junto conosco, os batedores, havia um enfermeiro, um homem já mais velho. Ele me disse:

'Onde te feriram?'

'Onde não sei... Mas estou sangrando...'

E ele me explicou, como um pai...

Depois da guerra, continuei sendo batedora por mais uns quinze anos. Toda noite. Meus sonhos eram assim: que meu fuzil falhava, que nos cercavam. Eu acordava rangendo os dentes. Lembrava: 'Onde você está? Aqui ou lá?'. Quando a guerra acabou, eu tinha três desejos: primeiro, finalmente parar de me rastejar, e andar de trólebus; segundo, comprar uma bisnaga de pão branco e comer inteira; terceiro, dormir até me fartar em uma cama e ouvir os lençóis brancos farfalhando. Lençóis brancos..."

Albina Aleksándrovna Gantimúrova,
primeiro-sargento, batedora

"Estava esperando meu segundo filho... Tinha um menino de dois anos e estava grávida. E aí, veio a guerra. E meu marido no front. Fui para a casa dos meus pais e fiz... É, entende? Um aborto. Apesar de na época estar proibido... Como ia dar à luz? Num mar de lágrimas... Na guerra! Como dar à luz em meio à morte?

Me formei num curso de criptografia e fui mandada para o front. Queria me vingar por minha filhinha, me vingar por não ter tido. Minha menina. Ia ser uma menina...

Pedi para ir para a linha de frente. Me deixaram no estado-maior..."

Liubov Arkádievna Tchárnaia, segundo-tenente, criptógrafa

"Fomos embora da cidade... Todos foram embora... Ao meio-dia de 28 de junho de 1941, nós, alunos do Instituto de Pedagogia de Smoliénsk, também nos juntamos no pátio da tipografia. A reunião foi curta. Saímos da cidade pela velha estrada de Smoliénsk na direção da cidade de Krásnoe. Com cuidado, avançávamos em grupos separados. No fim do dia, o calor baixou, ficou mais fácil de andar, começamos a caminhar mais rápido, sem olhar para trás. Dava medo de olhar para trás... Fizemos uma parada e só então olhamos para o leste. Um clarão rubro se estendia por todo o horizonte, a uns quarenta quilômetros de distância, e parecia tomar o céu inteiro. Ficou claro que não eram dez nem cem casas que estavam queimando. Era Smoliénsk inteira que estava em chamas...

Eu tinha um vestido novo, um vestido vaporoso com babadinhos. Vera, minha amiga, gostava dele. Já tinha provado várias vezes. Prometi dá-lo a ela para seu casamento. Ela estava se preparando para casar. O namorado era um bom rapaz.

E de repente veio a guerra. Fomos para as trincheiras. Entregamos nossas coisas ao administrador do alojamento estudantil. E o vestido? 'Tome, Vera', falei quando saímos da cidade.

Ela não pegou. Disse que eu tinha prometido dar de presente de casamento. O vestido queimou naquele clarão.

Andávamos olhando para trás o tempo todo. Parecia que nossas costas estavam cozinhando. Não paramos a noite inteira, e ao amanhecer nos pusemos a trabalhar: cavar fossos contra os tanques. Uma parede vertical de sete metros, com 3,5 metros de profundidade. Ia cavando, e a pá queimava como fogo, a areia parecia vermelha. Diante dos meus olhos tinha nossa casa com flores e lilases… Lilases brancos…

Vivemos em cabanas em um campo inundado entre dois rios. Calor e umidade. Uma infinidade de mosquitos. Antes de dormir os expulsávamos da cabana com fumaça, mas mesmo assim de manhã eles se infiltravam, não dava para dormir tranquilamente.

Levaram-me de lá para o serviço médico. Ali, ficávamos amontoados no chão, muitos de nós adoeceram. Tive febre alta. Calafrios. Deitada, ficava chorando. Abriu-se a porta da enfermaria, uma médica falou da soleira (a partir dali já não dava para andar, os colchões estavam todos encostados uns nos outros): 'Ivánova, plasmódio no sangue'. Estava falando de mim. Ela não sabia que, para mim, não havia nada mais assustador do que esse plasmódio, desde que eu lera a respeito dele no sexto ano. E nessa hora o alto-falante começou a tocar: 'Levante, país enorme…'. Foi a primeira vez que ouvi essa canção. 'Pois vou me curar', pensei, 'e depois vou para o front.'

Levaram-me para Kozlóvka — perto de Róslavl, me puseram em um banco, sentei, me segurei com toda a força para não cair e escutei, como se estivesse sonhando:

'Essa?'

'Sim', disse o enfermeiro.

'Leve para o refeitório. Dê de comer a ela primeiro.'

E lá estava eu na cama. Você pode entender o que é isso, estar não no chão junto de uma fogueira, não em uma tenda de lona, mas em um hospital, aquecida? Sob lençóis. Passei sete dias sem acordar. Disseram-me que as irmãs me despertavam e me davam comida, mas não me lembro. Quando acordei sozinha depois de sete dias, veio o médico, me examinou e disse:

'Seu organismo é forte, você vai se recuperar.'

E eu caí no sono mais uma vez.

... No front, eu e minha unidade fomos cercadas imediatamente. A cota de alimentação era duas torradas por dia. O tempo não era suficiente para enterrar os mortos, só os cobríamos com areia. Cobriam o rosto com o gorro... 'Se sobrevivermos', disse o comandante, 'mando você para a retaguarda. Antes eu achava que as mulheres não aguentariam dois dias aqui. Só de imaginar minha esposa...' Chorei de tão ofendida; aquilo, passar tanto tempo na retaguarda, era para mim pior do que a morte. Eu aguentava com a mente e com o coração, mas não fisicamente. As tarefas físicas... Lembro como arrastávamos os projéteis, arrastávamos os canhões pela sujeira, especialmente na Ucrânia, que tem aquela terra pesada depois da chuva ou na primavera, parece uma massa. Até cavar uma vala comum e enterrar os camaradas, quando estávamos havia três dias sem dormir... até isso era difícil. Já não chorávamos, para chorar também era preciso ter força; dava era vontade de dormir. Dormir e dormir.

Quando estava de guarda, eu ia para a frente e para trás sem parar e recitava versos em voz alta. Outras jovens cantavam para não cair e dormir..."

Valentina Pávlovna Maksimtchuk,
operadora de artilharia antiaérea

"Estávamos levando os feridos para fora de Minsk... Eu usava salto alto, tinha vergonha de ser baixinha. Um salto quebrou, e então gritaram: 'Desembarque!'. E eu corri descalça, de sapatos na mão; fiquei com pena, eram sapatos muito bonitos.

Quando nos cercaram e vimos que não íamos conseguir, então eu e a auxiliar de enfermagem Dacha nos levantamos da vala, já sem nos escondermos, e ficamos em pé: melhor levar uma bala na cabeça que ser feita prisioneira, nos humilharem. Os feridos, quem conseguia levantar, levantou também...

Quando vi o primeiro soldado fascista, não consegui soltar uma palavra, fiquei sem fala. Eles eram jovens, alegres, sorridentes. Onde quer que parassem, onde quer que avistassem uma bica ou um poço, começavam a se lavar. Estavam sempre de mangas arregaçadas. Se lavando, se lavando... Em volta deles sangue, gritos, e eles se lavando, se lavando... Ficava com tanto ódio... Quando cheguei em casa, troquei de blusa duas vezes. Todos protestavam contra a presença deles. Eu não conseguia dormir de noite. Coooomo? E nossa vizinha, a tia Klava, ficou paralisada quando viu que eles estavam em nossas terras. Na casa dela... Logo morreu porque não conseguia aguentar isso."

Maria Vassílievna Jloba, membro de uma organização clandestina

"Os alemães entraram na nossa aldeia... Em grandes motocicletas pretas... Fiquei olhando para eles com olhos arregalados: eram jovens, alegres. Riam o tempo todo. Eles gargalhavam! Meu coração parava quando via que estavam ali, na nossa terra, e ainda por cima rindo.

Eu só sonhava em me vingar. Imaginava que ia morrer e escreveriam um livro sobre mim. Meu nome ficaria. Eram esses os meus sonhos.

Em 1943, dei à luz minha filha... Eu e meu marido já havíamos ido para a floresta com os *partisans*. Dei à luz em um pântano, sobre um monte de feno. Secava as fraldas no meu corpo, colocava por baixo da roupa, esquentava e botava no bebê de novo. Ao meu redor estava tudo em chamas, queimavam as pessoas junto com as aldeias. Botavam as pessoas nas escolas, nas igrejas... Jogavam querosene em cima... Minha sobrinha de cinco anos — ela escutava nossas conversas — perguntou: 'Tia Mánia, o que vai sobrar de mim quando eu queimar? Só as botinhas...'. Era esse tipo de coisa que nossas crianças perguntavam...

Eu mesma recolhia os restos queimados... Recolhi a família da minha amiga... Cinzas de ossos, e se restava um pedacinho de roupa, mesmo que fosse uma pontinha, reconhecíamos de quem era. Cada um procurava os seus. Levantei um pedacinho, minha amiga disse: 'A blusa da minha mãe...'. E desabou. Uns recolhiam os ossinhos num lençol, outros numa fronha. No que tinham trazido. Eu e minha amiga colocamos numa bolsa, e não enchemos nem a metade. Depositamos tudo na vala comum. Tudo preto, só os ossinhos eram brancos. E as cinzas dos ossos... Eu já as reconhecia... Eram bem branquinhas...

Depois disso, eu já não tinha medo, podiam me mandar para qualquer lugar. Minha filhinha era pequena, com três meses eu já a levava nas missões. O comissário me mandava ir, e ele mesmo chorava...Eu trazia remédios da cidade, curativos, soro... Botava entre os bracinhos e as perninhas da minha filha, punha a fralda e levava. Os feridos estavam morrendo na floresta. Precisava ir. Precisava! Ninguém mais conseguia passar, se infiltrar, havia postos e policiais alemães por todos os lados, eu era a única que passava. Com meu bebezinho. De fraldas...

Agora é terrível admitir... Ah, é difícil! Eu esfregava sal no bebê para dar febre, para que ela chorasse. Então ela ficava toda vermelha, cheia de bolhas, gritava, se esgoelava. Me paravam no posto: 'Tifo, *pan*... Tifo...'. Me mandavam ir embora o quanto antes: '*Weg! Weg!*'.* Esfregava sal, botava alho... Minha filha era pequena, ainda mamava no peito.

Quando passávamos o posto, eu entrava na floresta e chorava, chorava. Gritava! Tinha tanta pena da minha filha. Mas uns dois dias depois ia de novo..."

Maria Timoféievna Savítskaia-Radiukevitch,
mensageira partisan

* "Ande! Ande!", em alemão no original.

* * *

"Conheci o ódio... Pela primeira vez conheci esse sentimento... Como eles podiam andar por nossa terra? Quem eram eles? Tive febre quando vi essa cena. Por que estavam aqui?

A coluna de prisioneiros passava e deixava centenas de cadáveres na estrada... Centenas... Os que caíam sem forças levavam um tiro ali mesmo. Eram conduzidos como gado. Já não chorávamos os mortos. Não dava tempo de enterrar, de tantos que eram. Passavam muito tempo largados no chão... Os vivos junto com os mortos.

Encontrei minha meia-irmã. A aldeia dela tinha sido queimada.

Ela tinha três filhos, todos já tinham partido. Queimaram a casa, queimaram as crianças. Ela estava sentada no chão e se balançava de um lado para o outro, embalava sua desgraça. Se levantava e não sabia para onde ir. Para quem?

Fomos todos embora para a floresta: meu pai, meu irmão e eu. Ninguém fez propaganda para nós nem nos obrigou — fomos por conta própria. Só ficou minha mãe com a vaca..."

Elena Fiódorovna Kovaliévskaia, partisan

"Nem fiquei muito tempo pensando no assunto... Minha profissão era necessária no front. Não vacilei, não refleti nem por um segundo. No geral, conheci poucas pessoas que queriam esperar sentadas até que passasse. Ficar esperando. Lembro de uma... Uma jovem, nossa vizinha... Ela admitiu para mim, sinceramente: 'Eu amo a vida. Quero passar pó de arroz, me pintar, não quero morrer'. Não conheci mais ninguém. Talvez essas pessoas ficassem caladas, guardassem segredo. Não sei como lhe responder...

Lembro que peguei as flores do meu quarto, pus para fora e pedi para a vizinha:

'Por favor, você pode regar? Eu volto logo.'

Voltei quatro anos depois...

As meninas que ficaram em casa nos invejavam, as mulheres choravam. Uma das meninas que viajou comigo não chorava, todos choravam mas ela não. Depois, ela foi lá e molhou os olhos com água. Uma vez, outra vez. Com o lencinho de nariz. Senão não fica bem, dizia; estão todos chorando. Por acaso nós entendíamos o que é a guerra? Éramos jovens... Agora eu acordo de noite com medo quando sonho que estou na guerra... Um avião está voando, meu avião, ganha altura e... cai... Então entendo que estou caindo. Nos últimos minutos... Dá tanto medo enquanto não acordo, enquanto o sonho não se evapora. Os velhos têm medo da morte, já os jovens riem dela. São imortais! Eu não acreditava que podia morrer..."

Anna Semiónovna Dubróvna-Tchekunova,
primeiro-tenente da guarda, piloto

"Me formei na Escola Preparatória de Medicina... Fui para casa, e meu pai ficou doente. E então veio a guerra. Eu me lembro que era de manhã... Fiquei sabendo dessa notícia terrível de manhã... O orvalho nas folhas das árvores ainda não tinha secado, e já estavam falando em guerra! E esse orvalho que vi de repente na grama e nas folhas, que vi tão claramente, eu lembrava dele mesmo no front. A natureza contrastava com o que estava acontecendo com as pessoas. O sol brilhava intensamente... A camomila, minha preferida, estava florescendo, e havia uma infinidade delas nos campos...

Lembro que estávamos nos escondendo em algum campo de trigo, era um dia ensolarado. As metralhadoras alemãs faziam tá-tá-tá-tá, depois silêncio. Só se escutava o farfalhar do trigo. E de novo as metralhadoras alemãs tá-tá-tá-tá... E você ficava pensando: será que vai voltar a ouvir o farfalhar do trigo algum dia? Aquele ruído..."

Maria Afanássievna Garatchuk, enfermeira militar

"Na evacuação, mandaram eu e minha mãe para a retaguarda... Para Sarátov... Lá, em três meses aprendi a ser torneira. Ficávamos dezenove horas por dia no torno. Passávamos fome. Só pensava em uma coisa: ir para o front. Apesar de tudo, lá havia comida. Haveria torradas e chá com açúcar. Nos dariam manteiga. Onde tínhamos escutado isso, não me lembro. Talvez dos feridos na estação? Fugíamos da fome e, claro, éramos do Komsomol. Eu e uma amiga fomos ao centro de alistamento, mas lá não contamos que trabalhávamos na fábrica. Senão não nos aceitariam. E então fomos inscritas.

Mandaram-nos para a escola de infantaria de Riazan. Saímos de lá como comandantes da seção de metralhadoras. Uma metralhadora é pesada, carregávamos nós mesmas. Como um cavalo. De madrugada. Montávamos guarda e captávamos cada ruído. Como linces. Estávamos atentas a cada sussurro... É como se diz: na guerra você é metade humano, metade animal... É assim. De outra forma não se sobrevive. Se você for só humano, não sai vivo. Queima a cachola! Na guerra é preciso lembrar de algo a respeito de si. Algo... Lembrar de algo dos tempos em que o ser humano ainda não era completamente humano... Não sou uma grande erudita, sou uma simples contadora, mas disso eu sei.

Fui até Varsóvia... E tudo a pé; é o que dizem, a infantaria é o proletariado da guerra. Íamos nos arrastando... Não me pergunte mais... Não gosto de livros sobre a guerra... Sobre os heróis... Andávamos doentes, tossindo, sem dormir, sujos, malvestidos. Várias vezes passávamos fome... Mas vencemos!"

Liubov Ivánovna Liúbtchik, comandante do pelotão de fuzileiros

"Tinham matado meu pai, eu sabia... Meu irmão faleceu. E então, morrer ou não morrer já não tinha sentido para mim. Eu só sentia pena de nossa mãe. Ela era linda, mas em um instante se transformou em uma velha muito ressentida com o destino; não conseguia viver sem meu pai.

'Para que você vai para a guerra?', ela perguntou.

'Para vingar o papai.'

'Seu pai não aguentaria ver você com uma metralhadora.'

Meu pai fazia trancinhas em mim quando eu era pequena. Fazia laços. Ele mesmo gostava mais de roupas bonitas do que minha mãe.

Fui telefonista na unidade. Do que eu mais me lembro é de como o comandante gritava no fone: 'Reforços! Peço reforços! Exijo reforços!'. Todo dia era isso..."

Uliana Óssipovna Némzer, sargento, telefonista

"Não sou heroína... Eu era uma menina bonita, me mimavam quando era criança...

Veio a guerra... Eu não tinha vontade de morrer. Tinha medo de atirar, nunca achei que fosse tentar. Veja só que coisa! Eu tinha medo do escuro, de estar numa floresta fechada. Claro, tinha medo de animais... Ah... Não imaginava o que faria se encontrasse um lobo ou um javali selvagem. Até de cachorro eu tinha medo desde a infância; quando era pequena, um pastor grande me mordeu, e eu fiquei com medo deles... Veja só que coisa! Eu sou assim... E aprendi tudo com os *partisans*... Aprendi a atirar — de espingarda, pistola e metralhadora. Até agora, se precisar, posso mostrar. Eu me lembraria. Até nos ensinaram como agir se não tivéssemos nenhuma outra arma além de uma faca ou uma pá. Perdi o medo do escuro. E dos animais… Mas evito cobras, não me acostumei com elas. Na floresta, à noite, era comum as lobas uivarem. Mas ficávamos em nossos abrigos de terra, e tudo bem. Os lobos eram ferozes, estavam famintos. Tínhamos uns abrigos de terra tão pequenos, pareciam uns buracos. A floresta era nossa casa. A casa dos *partisans*. Veja só que coisa! Voltei a ter medo da floresta depois da guerra… Agora, nunca vou à floresta.

Mas pensava que podia ter passado toda a guerra em casa, junto da minha mãe. Minha linda mãe, mamãe era muito bonita. Veja só que coisa! Eu não teria tomado essa decisão. Eu mesma não. Não teria decidido… Mas… Nos disseram… Que os alemães tomaram a cidade, e eu descobri que sou judia. Antes da guerra, todos vivíamos de forma amigável: russos, tártaros, alemães, judeus… Éramos iguais. Veja só que coisa! Nunca tinha sequer escutado a palavra *jid** porque vivia com meu pai, minha mãe e meus livros. Viramos uns leprosos, nos expulsavam de todos os lugares. Tinham medo de nós. Alguns de nossos conhecidos até pararam de nos cumprimentar. Os filhos deles não nos cumprimentavam. E os vizinhos nos diziam: 'Larguem suas coisas aí, vocês não vão precisar mais delas mesmo'. Antes da guerra éramos amigos deles. Tio Volódia, tia Ánia… Que coisa!

Mataram minha mãe com um tiro… Aconteceu um pouco antes do dia em que devíamos ser mandados para o gueto. Havia cartazes com ordens por toda a cidade: judeus estavam proibidos de andar na calçada, de ir ao cabeleireiro, de comprar qualquer coisa na loja… Não podia rir, não podia cantar… Veja só que coisa! Minha mãe ainda não tinha se acostumado com isso, ela sempre foi distraída. Talvez não acreditasse. Será que entrou nu-

* Forma pejorativa de se referir aos judeus.

ma loja? Ou lhe disseram algo grosseiro e ela começou a rir? Como uma mulher bonita... Antes da guerra ela cantava na filarmônica, todos a adoravam. Veja só que coisa! Eu fico pensando.... Se ela não fosse tão bonita... Nossa mãe... Se estivesse comigo ou com meu pai... Sempre penso nisso... Uns desconhecidos a trouxeram à noite, estava morta. Já sem o sobretudo e as botas. Foi um pesadelo. Que noite horrível! Horrível! Alguém tirou o sobretudo e as botas. Tiraram a aliança de ouro. Presente do meu pai...

No gueto não tínhamos casa, nos arrumaram um sótão na casa de outras pessoas. Meu pai tinha levado o violino, nosso objeto mais caro antes da guerra, e queria vendê-lo. Tive uma angina forte. Estava deitada... Estava deitada com febre alta e não conseguia falar. Meu pai queria comprar alguns alimentos, tinha medo de que eu morresse. De que, sem minha mãe, eu morresse... Sem as palavras de minha mãe, sem as mãos de minha mãe. Eu era tão mimada... Tão amada... Esperei três dias por ele, até que conhecidos vieram me dizer que tinham matado meu pai... Disseram que foi pelo violino... Não sei se ele era caro, mas meu pai, ao sair, disse: 'Se me derem um vidro de mel e um pouco de manteiga já está bom'. Veja só que coisa! Fiquei sem mãe... Sem pai...

Fui procurar meu pai... Queria encontrá-lo, nem que fosse morto, para que estivéssemos juntos. Eu era clara, não morena, e tinha os cabelos e as sobrancelhas claras, então ninguém mexeu comigo na cidade. Fui para uma feira... Lá encontrei um amigo de meu pai, ele já havia se mudado para uma aldeia, para a casa dos pais. Também era músico, como meu pai. Tio Volódia. Contei-lhe tudo... Ele me pôs na telega e me cobriu com uma peliça. Na telega havia porquinhos chorando, galinhas cacarejando, e andamos por muito tempo. Veja só que coisa! Viajamos até de noite. Eu dormia, acordava...

E assim entrei para os *partisans*..."

Anna Ióssifovna Strumílina, partisan

* * *

"Era uma parada militar... Nossos destacamentos de *partisans* se juntaram às unidades do Exército Vermelho, e, depois da parada, nos disseram para entregar as armas e ir ajudar a recuperar a cidade. Mas isso não entrava na nossa cabeça: como assim? Ainda há uma guerra em curso, só a Bielorrússia fora libertada, e precisávamos entregar as armas. Todas nós queríamos ir em frente e continuar combatendo. Fomos ao centro de alistamento, todas as meninas... Eu disse que era enfermeira e queria que me mandassem para o front. Me prometeram: 'Certo, vamos registrá-la e, se precisarmos, chamamos você. Agora vá trabalhar'.

Fiquei esperando. Não me chamavam. Fui de novo ao centro de alistamento... Várias vezes... Enfim me disseram abertamente que não havia necessidade, que já tinham enfermeiras suficientes. Agora, era preciso arrumar os tijolos de Minsk... A cidade estava em ruínas... Você pergunta como éramos nós, as meninas? Tinha a Tchernova que, já grávida, transportou uma mina junto ao quadril, sendo que ali pertinho batia o coração de seu futuro bebê. Daí você vai entendendo que pessoas eram essas. Nós não precisamos entender, éramos assim. Nos ensinaram que nós e a pátria somos a mesma coisa. Ou como outra amiga minha. Essa andava pela cidade com a filha e, debaixo do vestidinho, o corpo da menina estava todo coberto de panfletos; ela levantava os bracinhos e reclamava: 'Mamãe, estou com calor. Mamãe, estou com calor'. E a rua estava cheia de alemães. Os *politsai*. Os alemães ainda dava para enganar, mas um *politsai* era difícil. Era um dos nossos, conhecia sua vida, suas entranhas. Seu pensamento.

E até as crianças... Nós as levamos ao destacamento, mas eram crianças. Como salvá-las? Decidimos mandá-las para fora da linha de frente, mas elas fugiam dos orfanatos e corriam para o front. Eram apanhadas nos trens, nas estradas. Escapavam de novo, e de novo iam para o front.

A história ainda vai passar centenas de anos tentando entender: o que foi aquilo? Que gente era aquela? De onde veio? Imagine: uma grávida que andava com uma mina... Ela estava esperando um filho... Amava, queria viver. E, claro, tinha medo. Mas ia... Não ia por Stálin, ia por seus filhos. Pela vida futura deles. Ela não queria viver de joelhos. Submeter-se ao inimigo... Talvez fôssemos cegos, nem vou negar isso, nós na época não sabíamos e não entendíamos muita coisa, mas éramos cegos e puros ao mesmo tempo. Éramos feitos de duas partes, de duas vidas. Você precisa entender isso..."

Vera Serguêievna Romanovskaia, enfermeira partisan

"Começou o verão... Me formei na escola de medicina. Recebi meu diploma. Começou a guerra! Na hora fui chamada para o centro de alistamento, e veio a ordem: 'Você tem duas horas. Arrume suas coisas. Vamos mandá-la para o front'. Pus tudo em uma malinha pequena.

'O que você levou para a guerra?'

'Bombons.'

'Como?'

'Uma mala inteira de bombons. Na aldeia para a qual fui designada depois da escola me deram um abono de transferência. Tinha um dinheiro, e usei tudo para comprar uma mala inteira de bombons de chocolate. Eu sabia que na guerra não ia precisar de dinheiro. E em cima dos bombons pus uma fotografia do curso, que tinha todas as minhas amigas. Fui para o centro de alistamento. O chefe me perguntou: 'Para onde mando você?'. E eu disse: 'Minha amiga está indo para onde?'. Eu e ela tínhamos ido juntas para a região de Leningrado, e ela trabalhava na aldeia vizinha, a quinze quilômetros. Ele riu: 'Ela perguntou exatamente a mesma coisa'. Pegou minha maleta para pôr no caminhão que nos levaria à estação: 'O que você pôs aqui de tão pesado?'. 'Bombons. A mala inteira.' Ele ficou calado. Parou de rir. Eu via que não estava à vontade, estava até um pouco envergonhado. Era um homem mais velho... Sabia para onde estavam me levando..."

Maria Vassílievna Tikhomírova, enfermeira

"Meu destino foi decidido imediatamente...

Puseram um anúncio no centro de alistamento: 'Precisa-se de motorista'. Tinha terminado o curso de motorista... Seis meses... Nem notaram que eu era professora (antes da guerra eu tinha estudado na escola técnica de pedagogia). Quem precisa de professores na guerra? Precisam de soldados. Havia várias meninas, um batalhão inteiro motorizado.

Uma vez, num exercício... Por algum motivo não consigo me lembrar disso sem chorar... Era primavera. Tínhamos terminado de atirar e estávamos andando de volta. Colhi umas violetas. Um buquezinho pequeno. Colhi e amarrei na baioneta. E estava andando assim.

Voltamos para o campo. O comandante colocou todas em formação e me chamou. Saí... E esqueci que estava com as violetas no fuzil de assalto. Ele começou a me dar uma bronca: 'Um soldado tem que ser um soldado, e não alguém que fica colhendo flores'. Ele não entendia como era possível pensar em flores numa situação como aquela. Para um homem era incompreensível... Mas não joguei fora as violetas. Tirei quietinha e pus no bolso. Por causa dessas violetas me deram mais três serviços extras...

"Outra vez, eu estava montando guarda. Às duas da madrugada vieram assumir meu posto, mas recusei. Mandei a pessoa que ia me substituir ir dormir: 'Você monta guarda de dia, e eu fico agora'. Eu concordava em ficar a noite toda, só para escutar os pássaros. Só à noite havia algo que nos lembrava da vida anterior. A paz.

Quando fomos para o front, as pessoas formaram uma parede: mulheres, velhos e crianças. E todos choravam: 'As meninas estão indo para o front'. Nosso batalhão era todo de garotas...

Eu ficava ao volante... Depois da batalha recolhia os mortos, eles ficavam espalhados pelo chão. Todos jovens. Meninos. E de repente havia uma moça. Uma moça morta... Então, todos se calavam..."

Tamara Illariônovna Davidovitch, sargento, motorista

"Quando eu estava me aprontando para ir para o front... Você não vai acreditar... Eu achava que não duraria muito. Logo derrotaríamos o inimigo! Levei uma saia, aliás, minha preferida, dois pares de meias e um par de sapatos. Estávamos evacuando Vorônej, mas me lembro que passamos correndo em uma loja e comprei para mim mais um par de sapatos de salto. É o que me lembro, estávamos em retirada, tudo escuro, esfumaçado (mas a loja estava aberta — que milagre!), e por algum motivo me deu vontade de comprar os sapatos. Lembrando agora, eram uns sapatos tão elegantes... Também comprei um perfume...

É difícil renunciar imediatamente à vida como era até então. Não é só o coração; todo o organismo opõe resistência. Eu me lembro que saí da loja correndo feliz com aqueles sapatinhos. Entusiasmada. E por todo lado havia fumaça... Estrondos... Eu já estava na guerra, mas ainda não queria pensar na guerra. Não acreditava.

E ao meu redor só ouvia estrondos..."

Vera Ióssifovna Khóreva, cirurgiã militar

"Sonhávamos... Queríamos lutar na guerra...

Nos acomodaram em um vagão e começaram os treinos. Nada era como tínhamos imaginado em casa. Era preciso acordar cedo e passar o dia inteiro correndo. A vida anterior ainda vivia dentro de nós. Ficamos indignadas quando o comandante da seção, o terceiro-sargento Guliáiev, que só tinha até o quarto ano, estava nos ensinando o regulamento e pronunciou errado algumas palavras. Ficamos pensando: o que ele pode nos ensinar? Mas ele nos ensinou como não morrer...

Depois da quarentena, antes do juramento, o subtenente trouxe as fardas: capotes, boinas, *guimnastiorki*, saias — em vez de combinações, duas camisas de manga costuradas no estilo masculino, de morim; em vez de botas de pano, meiões e pesados coturnos americanos com ponteira e taco de metal. Verificou-se que, por minha altura e minha compleição, eu era a menor da companhia, media 1,53 metro, calçava 35, e naturalmente a indústria militar não produzia tamanhos tão minúsculos, muito menos nos Estados Unidos, que nos fornecera as fardas. Arrumaram uns coturnos número 42 para mim; eu os tirava e calçava sem desamarrar o cadarço, e eles eram tão grandes que eu andava arrastando os pés na terra dia e noite. Saíam faíscas da ponte de pedra por causa da minha marcha militar, e meu andar parecia qualquer coisa, menos uma marcha. É horrível lembrar o pesadelo que foi a primeira marcha. Estava preparada para realizar grandes feitos, mas não para usar coturnos tamanho 42 em vez de 35. Eram tão pesados e tão feios! Tão feios!

O comandante viu como eu estava andando e me mandou sair da formação:

'Smirnova, é assim que você marcha em formação? O que foi, não lhe ensinaram? Por que não levanta os pés? Vou te dar três serviços extras...'

Respondi:

'Entendido, camarada primeiro-tenente, três serviços extras', dei a volta para sair e caí. Caí e fiquei sem os coturnos... Meus pés estavam em carne viva, sangrando...

Então ficou claro que eu já não conseguia andar. Ordenaram a Párchin, o sapateiro da companhia, que, usando a lona de uma tenda velha, fizesse para mim botas tamanho 35..."

Nonna Aleksándrovna Smirnova, soldado, operadora de artilharia antiaérea

"Como era engraçado...

Disciplina, regulamentos, sinais de distinção — toda essa sabedoria militar não era assimilada rapidamente. Estávamos postadas, vigiando uns aviões. E no regulamento diziam que, se passava alguém, era preciso deter a pessoa e perguntar: 'Alto, quem é?'. Minha amiga viu o comandante do regimento e gritou: 'Alto, quem é? O senhor me desculpe, mas vou atirar!'. Imagine só. Ela gritou: 'O senhor me desculpe, mas vou atirar!'. 'O senhor me desculpe'... Hahaha..."

Antonina Grigórievna Bondareva, tenente da guarda, piloto

"As meninas vinham para a escola com tranças longas... Com penteados... Eu também usava uma trança em volta da cabeça... Mas como ia lavar? Onde secar? Você tinha acabado de lavar e vinha um alarme, precisava sair correndo. Nossa comandante, Marina Raskova, mandou todas cortarem as tranças. As meninas cortavam e choravam. E Lília Litviak, que depois se tornou uma piloto famosa, não queria se desfazer da trança de jeito nenhum.

Fui falar com Raskova:

'Camarada comandante, sua ordem foi cumprida, só Litviak se recusou.'

Marina Raskova, apesar de sua doçura feminina, podia ser uma comandante muito severa. Ela me enviou mais uma vez:

'Que funcionária do partido é você, se não consegue garantir o cumprimento de uma ordem? Meia-volta volver!'

Vestidos, sapatos de salto... Nos lastimávamos tanto por eles que os escondíamos em um saquinho. De dia usávamos botas, e de noite, nem que fosse um pouquinho, calçávamos os sapatos na frente do espelho. Raskova viu, e uns dias depois veio a ordem: devíamos mandar toda a roupa feminina para casa nas remessas. Pois bem! Porém aprendemos a operar um avião novo em seis meses, e não em dois anos, como se faz em tempos de paz.

Nos primeiros dias de treinamento morreram duas tripulações. Enterraram quatro caixões. Todos os três regimentos, todas nós nos acabamos de chorar.

Veio Raskova:

'Amigas, enxuguem as lágrimas. Essas foram nossas primeiras perdas. Serão muitas. Apertem o coração no punho...'

Depois, na guerra, enterrávamos sem uma lágrima sequer. Paramos de chorar.

Voávamos em caças. A própria altura era um peso terrível para todo o organismo feminino, às vezes o estômago se apertava direto contra a coluna vertebral. E nós, garotas, voávamos e derrubávamos ases da aviação, e que ases! Isso mesmo! Sabe, quando andávamos por aí os homens nos olhavam com assombro: as pilotos estão passando. Se encantavam conosco..."

Klávdia Ivánovna Térekhova, capitã da força aérea

"No outono, me chamaram no centro de alistamento... O diretor do centro de me recebeu e perguntou: 'Você sabe saltar de paraquedas?'. Confessei que tinha medo. Ele passou um bom tempo fazendo propaganda da tropa de desembarque: uma farda bonita, chocolate todo dia. Mas desde criança eu tinha medo de altura. 'Quer ir para a artilharia antiaérea?' E eu lá sei o que é essa artilharia antiaérea? Então ele propôs: 'Que tal mandar você para um destacamento *partisan*?'. 'E como vou escrever de lá para minha mãe em Moscou?' Ele pegou e escreveu com um lápis vermelho no meu encaminhamento: 'Linha de frente da estepe'.

No trem, um jovem capitão se apaixonou por mim. Passou toda a noite em pé no nosso vagão. Ele já estava marcado pela guerra, fora ferido algumas vezes. Olhava, olhava para mim e dizia: 'Vérotchka, só não fique para baixo, não se transforme numa pessoa triste. Você é tão terna... Eu já vi de tudo!'. E depois disse algo no sentido de que é difícil sair puro da guerra. Do inferno.

Eu e minha amiga levamos um mês para chegar ao Quarto Exército de Guarda do Segundo Front Ucraniano. Por fim, chegamos. O cirurgião-chefe saiu depois de alguns minutos, olhou para nós e nos chamou para a sala de operações: 'Aqui está a mesa de operações de vocês...'. Os veículos médicos chegavam um atrás do outro, uns veículos grandes, Studebakers, os feridos ficavam deitados no chão ou em macas. Fizemos apenas uma pergunta: 'Quem pegamos primeiro?'. 'Os que estiverem calados.' Uma hora depois eu já estava na minha mesa, operando. E assim foi... A gente passava 24 horas operando, depois cochilava um pouco, esfregava os olhos rapidinho, se lavava e ia de novo para a mesa. E, de cada três pessoas, uma morria. Não conseguíamos ajudar a todos. Um terço morria...

Na estação de Jmérinka houve um bombardeio terrível. O trem parou, e nós saímos correndo. Nosso comissário político tinha entrado na faca por causa de uma apendicite no dia anterior e já estava correndo. Passamos a noite toda na floresta, e nosso trem ficou despedaçado. De manhã, aviões alemães começaram a passar um pente-fino na floresta com voos rasantes. Onde íamos nos meter? Não dava para entrar na terra como uma toupeira. Me agarrei numa bétula, de pé: 'Ai, mãe, mamãezinha! Será que vou morrer? Se sobreviver, vou ser a pessoa mais feliz do mundo'. Não importa para quem contasse depois como me segurei numa bétula, todos riam. Algo ia cair em mim? Estava ali de pé, a bétula branca... Que piada!

Estava em Viena no Dia da Vitória. Fomos para o zoológico, eu queria muito ir. Podia ter ido ver o campo de concentração. Levavam a todos, mostravam. Não fui... Agora me surpreendo: por que não fui? Porque queria algo alegre. Engraçado. Ver uma outra vida..."

Vera Vladímirovna Chevâldicheva, primeiro-tenente, cirurgiã

"Éramos três... Minha mãe, meu pai e eu... O primeiro a ir para o front foi meu pai. Minha mãe queria ir junto, ela é enfermeira, mas o mandaram para um lado e ela para outro. Eu tinha só dezesseis anos... Não queriam me aceitar. Fui várias vezes ao centro de alistamento, e depois de um ano me aceitaram.

Viajamos de trem por muito tempo. Junto conosco, soldados voltavam do hospital, havia também rapazes jovens. Eles nos contavam como era o front e ficávamos escutando, de boca aberta. Diziam que nos bombardeariam, e nós ficávamos sentadas, esperando: quando começa o bombardeio? Pensávamos que, ao chegar, já poderíamos dizer que tínhamos passado por um bombardeio.

Chegamos. Mas não nos deram metralhadoras, e sim caldeirões e tinas. As meninas todas tinham a minha idade; até então nossos pais nos amavam, nos mimavam. Eu era a única criança da família. E lá estávamos puxando lenha, acendendo o fogão. Depois pegávamos as cinzas e usávamos na tina, no lugar do sabão, porque o sabão tinha acabado e trariam mais depois. A roupa estava suja, tinha piolhos. E sangue... No inverno ficava pesada de tanto sangue..."

Svetlana Vassílievna Katíkhina, soldado do destacamento de banhos e lavanderia

"Até hoje me lembro do meu primeiro ferido... Lembro do rosto... Tinha uma fratura exposta da diáfise femoral. Imagine, o osso à mostra, ferido por estilhaço, tudo revirado. Aquele osso... Eu sabia o que fazer em teoria, mas quando me aproximei dele me arrastando e vi aquilo, fiquei mal, tive náuseas. E de repente escutei: 'Irmãzinha, beba um pouco de água'. Foi o ferido que me disse isso. Ficou com pena. Vejo aquele quadro como se fosse agora. Quando ele disse aquilo, voltei a mim: 'Ah', pensei, 'para o diabo com isso, não sou uma senhorita de Turguêniev! O homem morrendo, e ela, uma criatura delicada, tendo náuseas, mas veja só'. Desembrulhei o kit de primeiros socorros e cobri a ferida dele: assim ficou mais fácil, e havia prestado ajuda como era preciso.

Agora assisto filmes sobre a guerra: uma enfermeira na linha de frente anda arrumadinha, limpinha, não usa calças de algodão e sim uma saia, a boina em cima do topetinho. Ah, não é verdade! Por acaso íamos conseguir arrastar os feridos se andássemos assim? Não fica muito bem se arrastar de sainha quando todos a sua volta são homens. E, para falar a verdade, só nos deram saia no fim da guerra, como farda de gala. E só aí recebemos também calcinhas em vez de roupa de baixo masculina. Não sabíamos onde nos meter de tanta felicidade. Abríamos a *guimnastiorka* para que ficasse à vista..."

Sófia Konstantínovna Dubiniakova, primeiro-sargento, enfermeira-instrutora

* * *

"Bombardeio... Bombardeavam e bombardeavam, bombardeavam e bombardeavam e bombardeavam. Todos correram para se esconder em algum lugar... Eu também corri. Então escutei alguém gemendo: 'Socorro... Socorro...'. Mas continuei correndo. Alguns minutos depois algo ainda chegava até mim, e senti a bolsa de auxiliar de enfermagem pesar no ombro. E me deu vergonha. Onde o medo foi parar? Corri de volta: era um soldado ferido que estava gemendo. Me apressei em fazer os curativos nele. Depois mais um, o terceiro...

O combate terminou à noite. E de manhã caiu uma neve fresca. Sob ela, os mortos... Muitos traziam as mãos erguidas para o alto... Para o céu... Pergunte para mim: o que é a felicidade? Eu responderei... Talvez seja encontrar, entre os mortos, uma pessoa viva..."

Anna Ivánovna Beliai, enfermeira

"Vi o primeiro morto... Fiquei chorando em pé diante dele... Lamentando... Então um ferido me chamou: 'Faça um curativo na minha perna!'. A perna dele estava pendurada na calça, tinha sido arrancada. Cortei a calça: 'Ponha a perna para mim! Ponha aqui ao lado'. Eu pus. Se estivessem conscientes, eles não permitiam deixar para trás nem seus braços, nem suas pernas. Levavam consigo. E, se morriam, pediam para enterrar junto.

Na guerra eu pensava: nunca vou me esquecer de nada disso. Mas a gente esquece...

Era um jovem, um rapaz bonito. E jazia morto. Eu imaginava que enterravam todos os mortos com honras militares, mas só o arrastaram até a aveleira. Cavaram uma sepultura... Enterraram sem caixão, sem nada, só cobriram diretamente com terra. O sol brilhava forte, inclusive sobre ele...

Um dia quente de verão... Mas não havia nem lona, nada, o puseram ali vestindo *guimnastiorka* e culote, como estava, e tudo ainda era novo, pelo visto ele chegara havia pouco tempo. Só o depositaram e enterraram. A cova era rasa, apenas o suficiente para o corpo. A ferida não era grande, mas mortal — na têmpora. Como tinha pouco sangue, ele parecia estar vivo, apesar de muito pálido.

Depois da salva de tiros, começou o bombardeio. Destruíram o lugar. Não sei se ficou algo...

E como enterrávamos os mortos durante o cerco? Ali mesmo, ao lado, perto da trincheira onde estávamos: enterrávamos e pronto. Ficava só um montinho. Claro, se os alemães avançassem ou viessem tanques, passavam por cima. Ficava só terra normal, sem nenhum rastro. Frequentemente enterravam na floresta, sob as árvores... Debaixo daqueles carvalhos, daquelas bétulas...

Até hoje não consigo andar na floresta. Especialmente onde há velhos carvalhos ou bétulas... Não consigo ficar ali..."

Olga Vassílievna Korj, enfermeira-instrutora do esquadrão de cavalaria

"Perdi a voz no front... Uma bela voz...

Minha voz voltou quando eu estava indo para casa. À noite, os parentes se juntaram e brindamos: 'Ah, Verka, cante'. E eu cantei...

Fui para o front uma materialista. Ateia. Fui como uma boa aluna soviética, tinha aprendido bem. Mas lá... Lá comecei a rezar... Sempre rezava antes das batalhas, fazia minhas preces. Eram palavras simples... Minhas palavras... A ideia era a mesma, que eu voltasse para minha mãe e para meu pai. E não sabia as rezas de verdade, não tinha lido a Bíblia. Ninguém me via rezar. Fazia escondido. Rezava furtivamente. Com cuidado. Porque...

Na época éramos diferentes, na época as pessoas eram diferentes. Você entende? Pensávamos de outra forma, entendíamos... Porque... Vou contar algo que aconteceu... Uma vez, entre os recém-chegados veio alguém que era religioso, e os soldados riam quando ele rezava: 'Em que seu Deus lhe ajuda? Se ele existe, por que permite tudo isso?'. Eles não acreditavam; ao ver aquele homem que gritava aos pés do Cristo crucificado diziam: se Ele te ama, por que não te salva? Depois da guerra eu li a Bíblia... Por toda a vida, ainda leio... E aquele soldado já era um homem mais velho, não queria atirar. Se recusava: 'Não posso! Não vou matar!'. Todos concordavam em matar, e ele não. E os tempos? Que tempos... Tempos terríveis... Porque... Entregaram-no para julgamento e dois dias depois o fuzilaram... Pou, pou!

Eram outros tempos... As pessoas eram diferentes... Como explicar? Como...

Felizmente eu... Eu não vi as pessoas que matei... Mas... Mesmo assim... Agora entendo que matei. Penso nisso... Porque... Porque fiquei velha. Rezo por minha alma. Dei uma ordem para minha filha: depois que eu morrer, ela deve mandar todas as minhas condecorações e medalhas não para um museu, mas para uma igreja. Entregar para o paizinho... Eles vêm para mim nos sonhos... Os mortos... Meus mortos... Mesmo que eu não os tenha visto, eles vêm e olham para mim. Eu procuro, procuro com os olhos, talvez tenha algum ferido, mesmo grave, mas que ainda é possível salvar. Não sei como dizer... Mas estão todos mortos..."

Vera Boríssovna Sapguir, sargento, operadora de artilharia antiaérea

"O mais difícil de aguentar, para mim, eram as amputações... Várias vezes faziam umas amputações tão altas que cortavam a perna, e eu mal conseguia segurá-la, mal conseguia levá-la para pôr na bacia. Lembro que eram muito pesadas. Você pega quietinha, para que o ferido não escute, e leva como se fosse uma criança... Uma criança pequena... Especialmente se a amputação é alta, longe do joelho. Eu não conseguia me acostumar. Os feridos sedados gemiam ou diziam palavrões. Palavrões cabeludos. Eu estava sempre coberta de sangue... Cor de cereja... Escuro...

Não escrevia sobre nada disso para a minha mãe. Escrevia que estava tudo bem, que estava bem agasalhada, bem calçada. Ela tinha mandado três para o front, era difícil para ela..."

Maria Seliviôrstovna Bojok, enfermeira

"Eu nasci e cresci na Crimeia... Perto de Odessa. Em 1941 me formei na escola Slobodskaia da região de Kordimski. Quando começou a guerra, escutava rádio nos primeiros dias. Entendi que estávamos recuando... Corri para o centro de alistamento, me mandaram para casa. Fui mais duas vezes lá, nas duas recebi uma negativa. Em 28 de julho, uma unidade em retirada passou por nossa Slobodka, e fui com eles para o front sem nenhuma notificação.

Quando vi um ferido pela primeira vez, desmaiei. Depois passou. Quando me arrastei sob balas pela primeira vez para chegar a um soldado, gritei tanto que parecia que superava o barulho da batalha. Depois me acostumei. Dez dias mais tarde, fui ferida, e eu mesma retirei o estilhaço e fiz meu curativo...

Em 25 de dezembro de 1942... A nossa 333ª Divisão, do 56º Exército, ocupou uma elevação no acesso a Stalingrado. Nossos oponentes decidiram retomá-la, custasse o que custasse. Começou o combate. Os tanques avançaram sobre nós, mas a artilharia os deteve. Os alemães retrocederam, na terra de ninguém ficou um tenente ferido, o soldado de artilharia Kóstia Khúdov. Os auxiliares de enfermagem que tentaram tirá-lo de lá foram mortos. Dois cães tentaram ir, mas também foram mortos. E então eu tirei minha *uchanka*,* fiquei de pé, e cantei, primeiro baixinho, depois mais alto, nossa canção preferida antes da guerra: 'Me despedi de você na partida para um ato heroico'. Tudo ficou quieto dos dois lados: do nosso e dos alemães. Me aproximei de Kóstia, me abaixei, coloquei-o no trenó e o trouxe para o nosso terreno. Eu ia andando e pensando: 'Que não me pegue nas costas; se eu levar um tiro, que seja na cabeça'. É agora... É agora... Os últimos minutos da minha vida... Agora! Interessante: vou ou não vou sentir dor? Que medo, mãe do céu! Mas não se escutou um tiro sequer...

Não tínhamos farda em quantidade suficiente: davam-nos uma novinha, mas uns dois dias depois ela já estava toda ensanguentada. Meu primeiro ferido foi o primeiro-tenente Bielóv — meu último ferido foi Serguei Pietróvitch Trofímov, sargento do pelotão de morteiros. Nos anos 1970 ele veio me visitar, e eu mostrei para minha filha sua cabeça ferida, que ficou com uma grande cicatriz. Salvei 481 feridos que estavam debaixo de fogo cerrado. Algum jornalista contou: um batalhão inteiro... Carregávamos homens que tinham duas, três vezes nosso peso. E os feridos são ainda mais pesados. Tem que carregar o ferido com a arma, e ele ainda está de capote e botas. Você levanta esses oitenta quilos e carrega. Deixa lá... Vai pegar o próximo, e de novo são setenta, oitenta quilos... E a cada ataque eram cinco ou seis. E eu mesma pesava 48 quilos — peso de bailarina. Agora não dá para acreditar... Eu mesma não acredito..."

Maria Pietróvna Smirnova (Kukhárskaia),
enfermeira-instrutora

"Em 1942... Saímos para uma missão. Cruzamos a linha de frente e paramos junto a um cemitério. Sabíamos que os alemães

* *Uchanka*: chapéu típico da Rússia. Feito de pele de animais, possui abas para proteger as orelhas.

se encontravam a cinco quilômetros. Era de noite, eles lançavam foguetes de iluminação o tempo todo. De paraquedas. Esses foguetes passam muito tempo ardendo e iluminam longe, toda a região. O comandante do pelotão me levou até a borda do cemitério, mostrou de onde estavam lançando os foguetes e onde estava o arbusto do qual podiam vir os alemães. Eu não tinha medo dos mortos, desde criança não me assustava com cemitérios, mas, com 22 anos, era a primeira vez que montava guarda... Essas duas horas me deixaram grisalha... Na manhã seguinte, descobri meus primeiros cabelos brancos, uma mecha inteira. Fiquei postada, olhando para o arbusto; ele farfalhava, se movia; eu achava que dali viriam os alemães... E mais alguém... Uns monstros... Eu estava sozinha...

E isso lá é tarefa para mulher: montar guarda em cemitério? Os homens lidam com tudo de forma mais simples, eles já estavam prontos para a ideia de que é preciso montar guarda, de que é preciso atirar... Para nós isso era inesperado. Ou fazer um percurso de trinta quilômetros a pé. Com equipamento militar. No calor. Os cavalos caíam..."

Vera Safrónovna Davídova, soldado de infantaria

"Você me pergunta: o que era mais terrível na guerra? E espera de mim... Eu sei o que você espera... Está pensando que vou responder: o mais terrível na guerra era a morte. Morrer.

É isso mesmo? Conheço vocês, então... Esses truquezinhos de jornalistas... Ha-ha-ha-ha... Por que não está rindo? Hein?

Pois eu vou dizer outra coisa... O mais terrível na guerra, para mim, era usar cueca. Isso sim era um horror. E para mim era um pouco... Como me expressar...? Bem, em primeiro lugar é muito feio... Você está na guerra, se preparando para morrer pela pátria e usando cueca. Quer dizer, com uma aparência ridícula. Absurda. Naquela época se usavam cuecas compridas. Largas. Feitas de cetim. Havia dez garotas na nossa trincheira, todas de cueca. Ah, meu Deus! No inverno e no verão. Durante quatro anos.

Cruzamos a fronteira soviética... Como disse nosso comissário nas aulas de política, estávamos terminando de matar a fera em sua própria toca. Perto da primeira aldeia polonesa nos mandaram trocar de roupa, entregaram nossa nova farda, e... E?! E?! E?! Pela primeira vez mandaram calcinhas e sutiãs. Pela primeira vez em toda a guerra. Ha-ha-ha... Bem, dá para entender... Vimos roupas de baixo femininas normais...

Por que você não está rindo? Está chorando... Mas por quê?

Lola Akhmétova, soldado, fuzileira

"Não me aceitavam no front... Eu tinha só dezesseis anos, ainda faltava muito para os dezessete. Mas chamaram a nossa enfermeira, entregaram-lhe uma notificação. Ela chorava muito, tinha um menino pequeno em casa. Fui até o centro de alistamento: 'Deixem-me ir no lugar dela'. Minha mãe não deixava: 'Nina, quantos anos você tem? Talvez a guerra acabe logo'. Mãe é mãe.

Os soldados me davam uma torrada, um pedacinho de açúcar. Me protegiam. Eu não sabia que tínhamos uma '*katiucha*',* ficava escondida atrás de nós, na cobertura. Ela começou a atirar. Ela atirava, escutávamos um estrondo a nossa volta, tudo ardia. E aquilo me impressionou tanto, me assustei tanto com aquele estrondo, o fogo, o barulho, que caí numa poça e perdi a boina. Os soldados gargalhavam: 'O que foi, Nínotchka? O que foi, querida?'.

* Caminhão militar equipado com um lançador de projéteis. Desenvolvido e utilizado pelo Exército Vermelho na Segunda Guerra.

Os ataques corpo a corpo... Do que me lembro? Lembro de um ruído seco... Estava começando o ataque corpo a corpo: e na mesma hora vinha aquele ruído seco — cartilagens se quebrando, ossos humanos estalando. Gritos animalescos... Quando havia um ataque, eu ia com os soldados, mas um pouquinho atrás, imagine do lado. Acontecia tudo diante dos meus olhos... Homens cravando a baioneta uns nos outros. Terminando de matar, terminando de quebrar... Cravando a baioneta na boca, nos olhos... No coração, na barriga... E isso... Como descrever? Não sou boa para isso... Não sou boa para descrever... Em suma, as mulheres não conhecem os homens assim, não veem os homens desse jeito em casa. Nem mulheres, nem crianças. A coisa toda se torna um horror.

Depois da guerra voltei para casa, em Tula. Sempre gritava de madrugada. Minha mãe e minha irmã ficavam comigo à noite... Eu acordava com meus próprios gritos..."

Nina Vladímirovna Kovelénova, primeiro-sargento superior, enfermeira-instrutora do batalhão de fuzileiros

"Fomos para Stalingrado... Lá as batalhas eram mortais. O lugar mais mortífero... A água e a terra tinham ficado vermelhas... E precisávamos ir de uma margem do Volga para a outra. Ninguém queria nos escutar: 'O quê? Meninas? Para que diabos precisamos de vocês? Precisamos de fuzileiros e operadores de metralhadora, e não de gente da comunicação'. Éramos muitas, umas oitenta. À noite, aceitaram as meninas mais altas, mas a mim e a uma outra menina não levaram. Éramos baixinhas. Não tínhamos crescido. Queriam nos deixar na reserva, mas eu abri um berreiro daqueles...

No primeiro combate os oficiais me empurravam para baixo no parapeito, mas eu botava a cabeça para fora e tentava ver tudo eu mesma. Havia certa curiosidade, uma curiosidade infantil… Ingênua! O comandante gritava: 'Soldado Semiónova! Soldado Semiónova, ficou louca? Minha santa mãe… Vão matar você!'. Isso eu não conseguia entender: como podiam me matar se eu tinha acabado de chegar no front? Eu ainda não sabia quão habitual e pouco seletiva é a morte. Não precisa pedir por ela, convencer…

Traziam tropas civis em caminhões velhos. Gente velha e jovem. Davam umas duas granadas para cada um e mandavam para o combate sem metralhadora; era preciso arrumar uma metralhadora na batalha. Depois, não havia ninguém em quem fazer curativos… Todos mortos…"

Nina Alekséievna Semiónova, soldado, comunicações

"Vi a guerra do começo ao fim…

Quando carreguei o primeiro ferido, minhas pernas fraquejaram. Ia carregando e sussurrando: 'Tomara que não morra… Tomara que não morra…'. Estava fazendo os curativos nele, chorando, dizendo algo carinhoso. O comandante passou. E ficou gritando comigo, dizendo palavrões inclusive…

'Por que ele gritou com você?'

'Não era para ficar com pena e chorando daquele jeito. Ia ficar sem forças, e havia muitos feridos.'

Fazíamos os deslocamentos e víamos os mortos, as cabeças raspadas estavam verdes como batatas ao sol. Estavam espalhadas como batatas… Caíam durante a corrida e assim ficavam ali, no chão arado… Como batatas…"

Ekaterina Mikhálovna Rabtcháieva, soldado,
enfermeira-instrutora

"Não sei dizer onde foi... Em algum lugar... Uma vez havia uns duzentos feridos em um galpão, e eu sozinha. Traziam os feridos direto do campo de batalha, eram muitos. Bem, não me lembro, passaram-se tantos anos... Lembro que durante quatro dias não dormi, não me sentei, todos gritavam: 'Irmã! Irmãzinha! Me ajude, querida!'. Eu corria de um para outro: uma vez tropecei, caí e ali mesmo peguei no sono. Acordei com gritos. Um comandante, um tenente jovenzinho, também ferido, se levantou um pouco e gritou: 'Silêncio! Silêncio, estou mandando!'. Ele entendeu que eu estava sem forças, mas todos me chamavam, sentiam dor: 'Irmã! Irmãzinha!'. Dei um salto, saí correndo de um jeito — não sei para onde nem para quê. E então, pela primeira vez desde que tinha chegado ao front, comecei a chorar.

E então... A gente nunca sabe o que se passa no nosso coração. No inverno, conduziram prisioneiros alemães diante da nossa unidade. Eles andavam congelados, com cobertores rasgados sobre a cabeça, capotes esburacados. Fazia tanto frio que os pássaros caíam no meio do voo. Congelavam. Naquela coluna havia um soldado... Um menino... Tinha lágrimas congeladas no rosto... E eu estava levando pão em um carrinho de mão para o refeitório. Ele não conseguia tirar os olhos do carrinho, não me via, só via o carrinho. O pão... O pão... Eu separei um pedaço de uma bisnaga e dei para ele. Ele pegou... Pegou e não acreditava. Não acreditava... Não acreditava!

Fiquei feliz... Feliz por não poder odiar. Na época, eu mesma fiquei surpresa..."

Natália Ivánovna Serguêieva, soldado, auxiliar de enfermagem

“Fui a única a voltar para minha mãe”

Estou indo para Moscou... Por enquanto, o que sei sobre Nina Iákovlevna Vichniévskaia ocupa, ao todo, algumas folhinhas do meu bloco de notas: foi para o front aos dezessete anos, lutou como enfermeira-instrutora no Primeiro Batalhão da 32ª Brigada de Tanques do Quinto Exército. Participou do famoso embate de tanques de Prókhorovka, no qual se enfrentaram 1200 tanques e canhões de assalto de ambos os lados — soviético e alemão. Uma das maiores batalhas de tanques da história mundial.

Quem me passou o endereço dela foram os seguidores de pistas de uma escola de Boríssov, que reuniram uma grande quantidade de material para seu museu sobre a 32ª Brigada de Tanques, libertadora da cidade. Em geral, nas unidades de tanques os enfermeiros-instrutores eram homens, mas nesse caso tinha sido uma moça. Na mesma hora me aprontei para pegar a estrada...

Já começo pensativa: como escolher entre dezenas de endereços? Num primeiro momento eu gravava todas as que encontrava. Me indicavam outros contatos em corrente, ligavam uma para a outra. Me convidavam para os encontros, ou então simplesmente para ir à casa de alguém para uma torta com chá. Comecei a receber cartas do país inteiro, também trocavam meu endereço nas cartas das veteranas. Escreviam: "Você já é uma das nossas, já é uma garota do front". Logo ficou claro que não seria possível gravar entrevistas com todas, era preciso estabelecer algum critério de seleção e busca. Mas qual? Depois de classificar os endereços que tinha, formulei assim: tentar entrevistar mulheres de diferentes profissões militares. Cada um de nós vê a vida segundo sua atividade, segundo seu lugar na vida ou nos acontecimentos de que participa. Podemos pressupor que a enfermeira viu uma guerra, a padeira viu outra, a paraquedista uma terceira, a piloto viu uma quarta, a comandante de um pelotão de atiradores de fuzil uma quinta... Cada uma delas esteve na guerra que existia em seu raio de visão: a de uma era a mesa de cirurgia: "Vi tantos braços e pernas amputados... Já nem acreditava que em algum lugar havia um homem inteiro. Parecia que todos estavam feridos ou mortos..." (A. Diémtchenko, primeiro-sargento, enfermeira); de outra, os caldeirões da cozinha de campanha: "Depois de um combate às vezes não sobrava ninguém... Você cozinhava caldeirões de mingau, caldeirões de sopa, e não havia para quem dar..." (I. Zínina, soldado, cozinheira); a da terceira era a cabine de piloto: "Nosso acampamento ficava na floresta. Cheguei do voo e decidi entrar na floresta; já estávamos no meio do verão, os morangos estavam no ponto. Passava por uma trilha quando vi um alemão no chão... Ele já estava escuro... Me deu medo. Até aquele momento ainda não tinha visto mortos, e já combatia na guerra havia um ano. Lá no alto era diferente... Quando você está voando, só pensa em uma coisa: encontrar o alvo, bombardear e voltar. Não chegávamos a ver os mortos. Não tínhamos esse medo..." (A. Bóndarieva, tenente da guarda, piloto). E a guerra das *partisans* até hoje está associada ao cheiro da fogueira acesa: "Fazíamos tudo na fogueira — assávamos o pão, cozinhávamos a comida; no carvão que sobrava colocávamos as camisas e as botas de feltro para secar. À noite, nos aquecíamos..." (E. Vissótskaia).

Mas não consigo ficar muito tempo a sós com meus pensamentos. A zeladora do vagão traz chá. Logo todos da cabine se apresentam de forma alegre e barulhenta. Aparecem na mesa a tradicional garrafa de Moskóvskaia,* petiscos caseiros, e, como é de praxe em nossa terra, tem início uma conversa cordial. Sobre segredos de família e política, amor e ódio, líderes e vizinhos.

Há muito tempo entendi que somos gente de estrada e de conversa...

Também conto para onde estou viajando e por quê. Dois dos meus companheiros de viagem tinham lutado — um foi até Berlim como comandante de um batalhão de sapadores, o segundo foi *partisan* nas florestas da Bielorrússia por três anos. Logo começamos a falar sobre a guerra.

Depois anotei nossa conversa da maneira como me ficou na memória:

"Somos uma tribo em extinção. Mamutes! Somos de uma geração que acreditava que há coisas maiores do que a vida humana. A pátria e a Grande Ideia. Bom, e Stálin também. Para que mentir? É como dizem por aí, não dá para separar a letra da música."

"Isso mesmo, claro... No nosso batalhão havia uma menina corajosa... Andava na estrada de ferro. Com explosivos. Antes da guerra, toda a família foi presa pela repressão: pai, mãe e dois irmãos mais velhos. Ela morava com uma tia, irmã da mãe. Procurou os *partisans* nos primeiros dias da guerra. No destacamento a gente via que ela estava procurando sarna para se coçar... Queria provar. Condecoraram todos, mas ela, não. Não recebeu nenhu-

* Tradicional marca de vodca.

ma medalha porque os pais eram inimigos do povo. Logo antes da chegada do nosso exército, ela perdeu uma perna. Fui visitá-la no hospital... Ela chorava... 'Mas agora todos vão acreditar em mim', dizia. Era uma moça bonita..."

"Uma vez duas meninas, comandantes de um pelotão de sapadores, se apresentaram; algum idiota do departamento pessoal as enviou, e eu as mandei de volta na hora. Ficaram muito chateadas. Queriam ir para a linha de frente e fazer as passagens de mina."

"Por que o senhor as mandou de volta?"

"Por uma série de motivos. Primeiro, eu já tinha um número suficiente de bons sargentos que podiam cumprir a função para a qual elas tinham sido enviadas; segundo, eu achava inútil ter mulheres na linha de frente. No inferno. Bastávamos nós, homens. Além disso, eu sabia que seria preciso construir um abrigo separado para elas, organizar um monte de coisas de meninas para as atividades da equipe delas. Muita atrapalhação."

"Quer dizer que, na sua opinião, lugar de mulher não é na guerra?"

"Se formos lembrar a história, em todos os tempos as mulheres russas não se limitaram a se despedir dos maridos, irmãos e filhos, sofrer e esperar por eles. Até a princesa Iaroslávna subia nos muros da fortaleza e jogava alcatrão quente sobre a cabeça dos inimigos. Mas nós, os homens, tínhamos um sentimento de culpa quando as mulheres combatiam, e fiquei com isso. Lembro uma vez, estávamos recuando. Era outono, havia tempos chovia sem parar, dia e noite. Tinha uma moça morta ao lado da estrada... Com uma trança longa, e estava ali na lama..."

"Isso mesmo, claro. Quando escutei que nossas enfermeiras, encurraladas, se defendiam a tiros para proteger os soldados feridos, porque os feridos são indefesos feito criança, isso eu entendia. Agora esta cena: duas mulheres se arrastando pela faixa neutra para matar alguém com um fuzil de precisão. Pois é... Não consigo me livrar da sensação de que isso, sem dúvida, é uma 'caça', apesar de tudo. Eu mesmo atirava... Mas eu sou homem..."

"Mas elas estavam defendendo sua terra natal, não? Estavam salvando a pátria..."

"Isso mesmo, claro... Eu iria com uma mulher dessas numa missão de batedor, mas não me casaria com ela. Pois é... Estamos acostumados a pensar nas mulheres como mãe e noiva. A bela dama, enfim. Meu irmão mais novo me contou que, quando estavam conduzindo prisioneiros de guerra alemães pela nossa cidade, eles, os meninos, ficaram atirando nos prisioneiros com estilingue. Minha mãe viu e deu-lhe um tabefe. E eram uns pirralhos, daqueles que Hitler convocou por último. Meu irmão tinha sete anos, mas se lembra de como nossa mãe olhava para esses alemães e chorava: 'Suas mães devem ter ficado cegas para deixar meninos como vocês irem para a guerra!'. Guerra é coisa de homem. O que foi, por acaso tem pouco homem sobre quem escrever no seu livro?"

"N-não... Sou testemunha. Não! Vamos lembrar da catástrofe que foram os primeiros meses da guerra: toda a aviação foi abatida, nossos tanques queimados feito caixinhas de fósforo. Os fuzis eram velhos. Milhões de soldados e oficiais feitos prisioneiros. Alguns milhões! Um mês e meio depois, Hitler já estava nos arredores de Moscou... Professores universitários se incorporando às milícias populares. Professores idosos! E as meninas partiram para o front voluntariamente; enquanto isso um covarde, por si próprio, não ia lutar na guerra. Eram mulheres corajosas, extraordinárias. Há uma estatística: as baixas entre a equipe médica da linha de frente ocupavam o segundo lugar depois das baixas nos batalhões de fuzileiros. Na infantaria. Por exemplo, você sabe o que é arrastar um ferido para fora do campo de batalha? Vou lhe explicar...

"Partimos para o ataque e estávamos sendo dizimados pelas metralhadoras. O batalhão já não existia. Todos no chão. Nem todos foram mortos, havia muitos feridos. Os alemães continuavam atirando, não paravam. Para a absoluta surpresa de todos, salta da trincheira uma menina, depois outra, a terceira... Elas começam a fazer curativos e a arrastar os feridos; até os alemães ficaram sem palavras por um tempo, de tão surpresos. Por volta das dez da noite todas as meninas estavam gravemente feridas, mas cada uma tinha salvado duas ou três pessoas. E foram econômicos na hora de condecorá-las, no começo da guerra não se distribuíam muitas medalhas. Para carregar um ferido tinham que levar a arma dele também. A primeira pergunta no batalhão médico era: cadê a arma? No começo da guerra as armas não eram suficientes. Fuzis, fuzis automáticos, metralhadoras — também precisavam carregar tudo isso. Em 1941 foi emitida a ordem nº 281 que recomendava a condecoração pelo salvamento da vida dos soldados: por tirar quinze feridos em estado grave do campo de batalha, junto com suas armas pessoais — a Medalha de Mérito Militar; por salvar 25 pessoas — a Ordem da Estrela Vermelha; pelo salvamento de quarenta — a Ordem do Estandarte Vermelho; pelo salvamento de oitenta — a Ordem de Lênin. E eu descrevi o que significava salvar pelo menos uma pessoa na batalha... Debaixo de balas..."

"É isso mesmo, claro... Eu também me lembro... É, foi... Mandei nossos batedores para a aldeia onde estava uma guarnição alemã. Foram dois... Em seguida mais um... Ninguém voltou. O comandante chamou uma de nossas meninas: 'Liússia, vá você'. Vestimos a moça de pastora e a levamos para a estrada... O que fazer? Que saída? Matariam um homem, mas uma mulher podia passar. Isso, sim... Mas ver uma mulher com um fuzil nas mãos..."

"A moça voltou?"

"Esqueci o sobrenome dela... Me lembro do nome: Liússia. Ela morreu... os camponeses nos contaram depois."

Todos ficam calados por um longo tempo. Depois, fazem um brinde à memória dos mortos. O tema da conversa muda para outra direção: fala-se de Stálin, de como antes da guerra ele exterminou os melhores quadros de comando, a elite militar. Sobre a cruel coletivização e sobre 1937. Os campos de trabalho e os degredos. E que, sem 1937, talvez não tivesse acontecido o que aconteceu em 1941. Não teríamos recuado até Moscou. Mas depois da guerra isso foi esquecido. A Vitória ofuscou tudo.

"E amor na guerra, existia?", pergunto.

"Encontrei muitas moças bonitas no front, mas não as via como mulheres. Na minha opinião, porém, eram moças maravilhosas. Porém eram nossas amigas, que nos arrastavam para fora do campo de batalha. Nos salvavam, cuidavam de nós. Duas vezes me arrastaram, ferido, para fora do campo. Como posso ter uma visão negativa delas? Mas você se casaria com um irmão? Nós as chamávamos de irmãzinhas."

"E depois da guerra?"

"Quando a guerra acabou, elas ficaram terrivelmente indefesas. Minha esposa, por exemplo, é uma mulher inteligente, mas tem uma visão negativa de mulheres militares. Acha que elas iam para a guerra procurar noivo, que todas tinham casos por lá. E apesar disso, na verdade, se a gente pode falar francamente, elas eram, em sua maioria, mulheres direitas. Puras. Mas depois da guerra... Depois da sujeira, depois dos piolhos, depois das mortes... A gente queria algo bonito. Claro. Mulheres bonitas... Eu tinha um amigo; no front, uma moça maravilhosa, pelo que me lembro, se apaixonou por ele. Uma enfermeira. Mas ele não casou com ela: deu baixa e encontrou para si uma outra, mais bonitinha. E é infeliz com a esposa. Agora fica lembrando da outra, do seu amor de guerra, essa sim, seria uma amiga. Depois do front ele a deixou porque tinha passado quatro anos vendo a moça com botas gastas e casaco acolchoado masculino. Tentávamos esquecer a guerra. E também esquecíamos nossas meninas..."

"Isso mesmo, claro... Todos eram jovens. Queriam viver a vida..."

Ninguém dormiu naquela noite. Ficamos falando até amanhecer.

... Saindo do metrô, imediatamente vou parar em um patiozinho sossegado de Moscou. Com parquinho de areia e balanço para as crianças. Vou andando e lembrando da voz surpresa ao telefone: "Chegou? E já vem direto falar comigo? Não vai esclarecer alguma dúvida no Conselho de Veteranos antes? Eles têm todos os dados a meu respeito, podem corrigir". Até fiquei desconcertada. Antes, achava que sobreviver ao sofrimento deixava uma pessoa mais livre, que ela pertencia então apenas a si mesma. Que sua própria memória a defendia. Naquele momento, estava descobrindo que não, nem sempre. Muitas vezes esse conhecimento, e até um conhecimento superior (que não acontece na vida costumeira), existe separadamente, como uma reserva intangível ou como poeira de ouro em uma mina de várias camadas. É preciso passar muito tempo limpando uma rocha vazia, revirar juntos o vazio do cotidiano, para enfim alguma coisa brilhar! Oferecer-nos um presente!

Então, o que somos de fato: de que somos moldados, de qual material? Quero entender qual é sua resistência. Foi para isso que vim até aqui...

Uma mulher baixinha e rechonchuda abre a porta. Um braço se estende para mim num cumprimento masculino, o outro segura um neto pequeno. Pela impassibilidade e curiosidade familiar que aparenta a criança, entendo que essa casa recebe muitas visitas. Aqui, se espera por elas.

O cômodo grande é espaçoso, quase não tem móveis. Na prateleira feita em casa há alguns livros, a maior parte memórias de guerra; muitas ampliações de fotografias do front; um capacete de tanquista pendurado em um chifre de alce; sobre uma mesinha envernizada, uma fileira de pequenos tanques com dedicatórias: "Dos soldados da unidade de N...", "Dos alunos da Escola de Tanques"... Ao meu lado, no sofá, estão "sentadas" três bonecas de farda militar. Até as cortinas e o papel de parede da sala têm cores militares.

Entendo que aqui a guerra não acabou e nunca vai acabar.

NINA IÁKOVLEVNA VICHNIÉVSKAIA, SUBTENENTE, ENFERMEIRA-INSTRUTORA DE UM BATALHÃO DE TANQUES

"Por onde começar? Eu até preparei um texto para você... Bom, certo, vou falar do fundo da alma. Foi assim... Vou contar como para uma amiga...

Vou começar com o fato de que a contragosto aceitavam mulheres nas tropas de tanques. Posso até dizer que não nos aceitavam. Como entrei? Morávamos na cidade de Konakovo, no distrito de Kalínin. Eu tinha acabado de passar nas provas do oitavo ano e estava indo para o nono. Naquela época, nenhum de nós tinha entendido o que era uma guerra, achávamos que era algum tipo de jogo, algo livresco. Tínhamos sido educados com fé no romantismo da revolução, nos ideais. Acreditávamos nos jornais: a guerra em breve terminaria com a nossa vitória. Mas logo, logo...

Nossa família vivia em um grande apartamento comunitário; havia muitas famílias ali, e todo dia alguém ia embora para lutar na guerra: tio Piétia, tio Vássia... Íamos com eles até a estação, e mais do que qualquer coisa era curiosidade o que isso despertava em nós, crianças. Íamos atrás deles até o trem... Uma música ressoava, as mulheres choravam, mas nada disso nos assustava, muito pelo contrário: nos divertia. A fanfarra sempre tocava a marcha 'O adeus de Slaviánka'. Dava vontade de subir no trem e ir também. Ao som daquela música. A guerra, da forma como se apresentava para nós, estava distante. Eu, por exemplo, gostava dos botões das fardas, de como brilhavam. Já tinha feito um curso de enfermeira paramilitar, mas encarava tudo isso de uma forma infantil. Como um jogo. Depois, fecharam a escola, fomos convocados para a construção de edifícios de defesa. Acomodaram-nos em galpões, num campo aberto. Até nos orgulhávamos de estar em alguma atividade relacionada à guerra. Formávamos o batalhão dos fracos. Trabalhávamos das oito da manhã às oito da noite, doze horas por dia. Cavávamos fossos para conter os tanques. E éramos todos meninas e meninos de quinze, dezesseis anos… Uma vez, na hora do trabalho, escutamos algumas vozes: uma gritava 'Avião!', a outra gritava 'Alemães!'. Os adultos correram para se esconder, mas estávamos interessados em saber o que era um avião alemão, o que eram os alemães? Eles passaram por nós voando, não conseguimos ver nada. Ficamos desapontados, inclusive. Algum tempo depois, voltaram voando mais baixo. Todos viram as cruzes negras. Não tínhamos medo nenhum, mais uma vez somente curiosidade. E, de repente, eles abriram fogo, começaram a nos metralhar, e ali, bem diante dos nossos olhos, começaram a cair alguns dos nossos, gente que tinha estudado e trabalhado conosco. Entramos em uma espécie de letargia, não conseguíamos de forma alguma entender o que era aquilo. Ficamos parados, olhando… Ali plantados… E os adultos vinham correndo e nos jogavam no chão, mas mesmo assim não sentíamos medo…

Logo, os alemães chegaram bem perto da cidade: estavam a uns dez quilômetros, dava para ouvir a descarga dos canhões. Eu e as meninas corremos para o centro de alistamento: também precisávamos ir defender, juntas. Sem nenhuma dúvida. Mas não estavam aceitando todas, só as meninas resistentes, fortes, e, principalmente, as que já tinham completado dezoito anos. As boas integrantes do Komsomol. Algum capitão estava selecionando umas meninas para a unidade de tanques. A mim não quis nem escutar, claro, porque tinha dezessete anos e media 1,60 metro.

'Se um soldado de infantaria é ferido', me explicou, 'ele cai no chão. Dá para se arrastar até ele e fazer os curativos no local, ou arrastá-lo para o abrigo. Mas com um tanquista não é assim… Se ele for ferido dentro do tanque, você tem que arrastá-lo para fora pela escotilha. Você consegue puxar um rapaz desses? Sabe como são fortes os tanquistas? Quando você tem que entrar no tanque, está sob fogo inimigo, voam balas, estilhaços. Você sabe como é um tanque quando pega fogo?'

'Por acaso não sou uma *komsomolka* como todas as outras?', comecei a chorar.

'Claro, você também é uma *komsomolka*. Mas é muito pequena.'

E minhas amigas, com quem eu tinha estudado no curso de enfermeira paramilitar e na escola — meninas altas, fortes —, foram aceitas. Eu ficava magoada em saber que elas partiriam e eu teria que ficar.

Não falei nada para os meus pais, claro. Fui me despedir delas, e elas ficaram com pena de mim: me esconderam debaixo da lona, na carroceria do caminhão. Viajamos na carroceria aberta, todas com lenços diferentes: o de uma era preto, de outra azul, vermelho… Eu estava usando uma blusinha da minha mãe em vez do lenço. Como se não estivéssemos indo para a guerra, mas para um concerto amador. Para um espetáculo! Ou um filme… Agora não me lembro disso sem sorrir… Chura Kisseliova até levou o violão. Estávamos a caminho, as trincheiras já começavam a aparecer, os soldados nos viram e gritaram: 'Chegaram as artistas! Chegaram as artistas!'.

Chegamos perto do estado-maior, e o capitão deu o comando para entrar em formação. Saíram todas, e fiquei por último. As meninas todas com suas coisas, e eu ali. Foi tudo tão inesperado que eu não tinha levado nada comigo. Chura me deu o violão: 'Ah, para você não ficar sem nada'.

Saiu o chefe do estado-maior, o capitão comunicou:

'Camarada coronel! Doze moças estão às ordens para ingressar no serviço.'

Ele olhou:

'Mas aqui não tem doze, tem treze.'

O capitão por sua vez:

'Não, são doze, camarada coronel', tão convencido ele estava de que eram doze. Quando se voltou para nós, olhou e imediatamente falou para mim: 'E você, de onde saiu?'.

Respondi:

'Vim lutar, camarada capitão.'

'Então venha cá!'

'Vim com minha amiga...'

'Com a amiga é bom ir dançar. Isso aqui é uma guerra. Venha cá, mais perto.'

Do jeito que estava, com a blusa da minha mãe na cabeça, fui para perto dele. Mostrei o certificado do curso de enfermeira paramilitar. Comecei a implorar:

'Senhores, não tenham dúvida, sou forte. Trabalhei como enfermeira... Doei sangue... Por favor...'

Olharam todos os meus documentos, e o coronel ordenou:

'Mandem-na para casa! No primeiro veículo possível!'

Enquanto o veículo não chegava, me nomearam temporariamente para o batalhão médico. Sentei e fiquei fazendo tampões de gaze. Assim que vi um veículo se aproximando do estado-maior, corri para a floresta. Fiquei lá uma ou duas horas, o veículo foi embora e eu voltei. Foi assim por três dias, enquanto o batalhão não entrou em combate. O Primeiro Batalhão da 32ª Brigada de Tanques. Todos foram para o combate, e eu fiquei preparando abrigos para os feridos. Não tinha passado nem meia hora e começaram a trazer os feridos… E mortos… Naquele combate também morreu uma das nossas meninas. Bem, todos se esqueceram que deviam me mandar para casa. Se acostumaram. A chefia já nem lembrava…

E agora? Agora precisava de uma farda. Recebemos umas sacolas para guardar nossas coisas. Sacolas novinhas. Cortei a alça, descosturei o fundo e vesti. Consegui uma saia militar. Encontrei em algum lugar uma *guimnastiorka* não muito rasgada, amarrei com um cinto e fui me gabar para as meninas. Mas logo que dei umas voltas diante delas, o subtenente passou por nosso abrigo de terra, e atrás dele o comandante da unidade.

O subtenente disse:

'Se-entido!'

O tenente-coronel apareceu, e o subtenente disse para ele:

'Camarada coronel, permita-me informar! Uma ocorrência extraordinária com as moças. Dei a elas sacolas para as coisas, mas elas se meteram dentro.'

E então o comandante da unidade me reconheceu:

'Ah, então é você, "lebre"! Então, como é, subtenente? Tem que fardar as meninas.'

O que recebemos? As calças de lona dos tanquistas, e ainda por cima com remendos no joelho; também nos deram uns macacões finos, pareciam feitos de chita. A terra estava misturada com estilhaços metálicos, toda revirada com pedras — de novo estávamos andando em farrapos, porque não ficávamos sentadas nos veículos, nós nos arrastávamos nessa terra. Era muito comum os tanques pegarem fogo. O tanquista, se estivesse vivo, ficava todo queimado. Nós também ficávamos chamuscadas, porque para tirar uma pessoa em chamas é preciso entrar no fogo. É verdade… É muito difícil arrastar uma pessoa para fora da escotilha, principalmente um atirador de torre. E uma pessoa morta pesa mais que uma viva. Muito mais. Eu logo descobri isso.

Não tínhamos preparo para chamar as pessoas pela patente — não entendíamos —, e o subtenente nos ensinava o tempo todo que agora éramos soldados de verdade, devíamos saudar todos os nossos superiores com a patente, andar aprumadas, de capote afivelado.

E os soldados, vendo que éramos moças tão jovens, adoravam brincar conosco. Uma vez me mandaram buscar chá no batalhão médico. Fui falar com o cozinheiro. Ele olhou para mim:

'Para que você veio?'

Falei:

'Para pegar chá...'

'Ainda não está pronto.'

' Por quê?'

'Os cozinheiros estão tomando banho nos caldeirões. Primeiro vamos nos lavar, depois fazemos o chá.'

Eu acreditei. Levei absolutamente a sério. Peguei meu balde e voltei. Encontrei o médico.

'Por que veio de mãos vazias? Cadê o chá?'

Respondi:

'Os cozinheiros estão tomando banho nos caldeirões. O chá ainda não está pronto.'

Ele pôs as mãos na cabeça:

'Como assim, os cozinheiros estão tomando banho nos caldeirões?'

Me mandou de volta, deu uma bela bronca naquele cozinheiro e me deram dois baldes de chá. Estava levando o chá, e o chefe da seção política e o comandante da brigada vieram ao meu encontro. Na mesma hora me lembrei o que tinham nos ensinado: era para saudar a todos, porque éramos soldados rasos. E ali vinham os dois. Como eu ia saudar aqueles dois? Fui andando e refletindo. Alcancei-os, deixei os baldes no chão, levei as duas mãos à testa e me curvei para um e para outro. Eles nem tinham reparado em mim, mas estacaram pela surpresa.

'Quem te ensinou a bater continência?'

'Foi o subtenente; ele disse que preciso saudar a todos. E vocês estavam passando, os dois juntos...'

Para nós, meninas, tudo no Exército era complicado. Achávamos muito difícil entender os sinais de distinção. Quando chegamos ainda existiam losanguinhos, cubinhos, tracinhos, e tinha que deduzir qual era a patente. Diziam: 'Leve esse pacote para o capitão'. Como eu ia diferenciar? Enquanto você estava andando, até a palavra 'capitão' lhe fugia da cabeça. Eu chegava e dizia:

'Moço, ô moço, o outro moço me mandou dar isso para você...'

'Que moço?'

'Aquele que sempre usa *guimnastiorka*. Sem a túnica.'

Não gravávamos quem era tenente, quem era capitão, gravávamos outras coisas: se era bonito ou feio, ruivo ou alto. 'Ah, aquele, o alto!' — e nos lembrávamos.

Claro, quando vi os macacões queimados, os braços queimados, o rosto queimado... Eu... Foi surpreendente... Perdi as lágrimas... O dom das lágrimas, um dom feminino... Os tanquistas saltavam dos veículos pegando fogo, eles mesmos cobertos de chamas. Soltando fumaça. Várias vezes com os braços ou as pernas destroçados. Feridos em estado gravíssimo. Deitados, pediam: 'Se eu morrer, escreva para minha mãe, escreva para minha mulher'... Eu não conseguia. Não sabia como comunicar uma morte a alguém...

Quando os tanquistas me encontraram com as pernas mutiladas e me levaram para uma aldeia ucraniana, em Kirovográdtchin, a dona da casa onde ficava o batalhão médico se lamentou:

'Ah, que menino jovenzinho!'

Os tanquistas riram:

'Não é um rapazinho, minha senhora, é uma mocinha!'

Ela se sentou ao meu lado e ficou olhando:

'Ah, é, uma mocinha? É uma mocinha? Não, é um rapaz jovenzinho...'

Estava com o cabelo curtinho, de macacão, com o capacete de tanquista — era um rapazinho. Ela abriu espaço para mim nos leitos de tábua e até matou um leitãozinho para que eu me recuperasse mais rápido. E sempre se lamentando:

'O que foi? Estava faltando homem para pegarem umas crianças dessas? Menininhas...'

Pelas palavras dela, pelas lágrimas... Por algum tempo toda a coragem me abandonou, fiquei com tanta pena de mim, tanta pena da minha mãe. O que eu estava fazendo no meio dos homens? Eu era uma moça. E se voltava sem uma perna? Pensei muita coisa... Sim, pensei... Não vou esconder...

Aos dezoito anos, na batalha de Kursk, me concederam uma Medalha de Mérito Militar e a Ordem da Estrela Vermelha; aos dezenove recebi a Ordem da Guerra Patriótica de segundo grau. Quando chegava um novo reforço, os rapazes eram todos jovens e, claro, ficavam surpresos. Eles também tinham dezoito, dezenove anos, e me perguntavam em zombaria: 'Você recebeu essa medalha por quê?' ou 'Mas você já esteve em algum combate?'. Faziam piadinhas: 'As balas atravessam lataria do tanque?'.

Depois fiz os curativos de um desses no campo de batalha, sob fogo aberto, até lembro o sobrenome dele: Schegolievátikh. Teve uma perna mutilada. Enquanto eu punha uma tala nele, ele ficava me pedindo perdão:

'Irmãzinha, perdão pelas ofensas daquele dia. Eu gostei de você, para ser sincero.'

O que sabíamos sobre o amor naquela época? Se tivesse acontecido algo, era um amor de escola, e amor de escola ainda é infantil. Eu me lembro de uma vez em que estávamos sitiados... Cavamos a terra com as mãos, não tínhamos mais nada. Nem pás. Já tínhamos decidido: essa noite, ou rompemos o cerco, ou morremos. Eu achava que certamente morreríamos... Não sei, conto isso ou não conto? Não sei...

Nos camuflamos. Estávamos sentados esperando a noite cair para de qualquer forma fazer uma tentativa de romper o cerco. E o tenente Micha T. — o comandante de batalhão estava ferido, e ele estava ocupando o posto, tinha uns vinte anos — começou a se lembrar de como adorava dançar e tocar violão. Depois perguntou:

'Você já provou?'

'O quê? Provei o quê?', estava morrendo de fome.

'Não o quê, mas quem... Moça!'

Antes da guerra havia uns doces com esse nome.

'Na-a-ão...'

'Eu também ainda não provei. Veja, você vai morrer sem saber o que é o amor... Vão nos matar esta noite...'

'Vá se danar, idiota!', nessa hora entendi do que ele estava falando.

Íamos morrer pela vida, e eu ainda não sabia o que era a vida. Só tínhamos lido em livros a respeito de tudo. Eu adorava filmes de amor...

As enfermeiras-instrutoras das unidades de tanques morriam rápido. Não havia lugar previsto para nós nos tanques, a gente tinha que se segurar na lataria, e só pensávamos em uma coisa: que o pé não prendesse na esteira. Era preciso ficar de olho se algum tanque começava a queimar... Saltar e correr para lá, se arrastar... Éramos cinco meninas no front: Liuba Iassínskaia, Chura Kisseliova, Tónia Bobkova, Zina Latich e eu. Os tanquistas nos chamavam de 'as meninas de Konakovo'. E todas elas morreram.

Antes da batalha em que Liuba Iassínskaia morreu, eu e ela nos abraçamos de noite. Ficamos conversando. Foi em 1943... Nossa divisão tinha chegado ao Dniepr. De repente, ela me falou: 'Sabe, vou morrer nessa batalha. Estou com um pressentimento.

Fui falar com o subtenente, pedi para me dar uma roupa de baixo nova, e ele lamentou, disse 'Você recebeu uma há pouco tempo'. "Venha comigo de manhã, vamos pedir juntas.' Eu a tranquilizei: 'Eu e você já estamos lutando na guerra há dois anos, agora são as balas que têm medo de nós'. Mas mesmo assim de manhã ela me convenceu a ir falar com o subtenente, e imploramos para ele por um novo par de roupas de baixo. Ela estava com uma camisa de baixo nova. Branca como a neve, com uns cordõezinhos... Encharcada de sangue... E essa combinação de branco e vermelho, com o sangue escarlate, ficou até hoje na minha memória. Ela tinha imaginado assim mesmo...

Nós quatro a levamos em uma lona, ela ficou tão pesada. Naquele combate morreram muitos dos nossos. Cavaram uma grande vala comum. Puseram todos ali, puseram todos sem caixão, como sempre, e Liuba em cima. Eu não conseguia entender que ela tinha partido, que eu não a veria mais. Eu pensava: vou pegar algum objeto dela como lembrança. Ela usava um anelzinho, se era de ouro ou se era simples, não sei. Eu peguei. Apesar de o pessoal ter tentado me impedir: 'Nem ouse', diziam, 'dá azar'. E quando já era hora de se despedir, cada um de nós jogou um punhado de terra; eu também joguei, e o anelzinho voou do meu dedo para lá, para baixo... Para Liuba... Na hora lembrei que ela adorava esse anelzinho... Na família deles, o pai passou a guerra inteira lutando e voltou vivo. O irmão também foi para a guerra. Os homens voltaram... E Liuba morreu...

Chura Kisseliova... Ela era a mais bonita do grupo. Parecia uma atriz. Morreu queimada. Estava escondendo os gravemente feridos em montes de palha quando começou um bombardeio e a palha pegou fogo. Chura podia ter se salvado, mas para isso precisava largar os feridos... Ela queimou junto com eles...

Há pouco tempo fiquei sabendo dos detalhes da morte de Tónia Bobkova. Ela protegeu o homem que amava de estilhaços de mina. Os estilhaços voavam em milésimos de segundos... Como ela conseguiu? Salvou o tenente Piétia Boitchévski, ela o amava. E ele sobreviveu.

Trinta anos depois, Piétia Boitchévski veio de Krasnodar. Me encontrou. E me contou tudo isso. Fui com ele a Boríssov e procuramos o campo em que Tónia tinha morrido. Ele pegou um pouco de terra do túmulo dela... Segurava e beijava...

Éramos cinco, as meninas de Konakovo... Fui a única a voltar para minha mãe..."

Inesperadamente, ela se pôs a recitar um poema:

Uma moça ousada subiu na blindagem
Estava defendendo sua pátria.
Não se importava com balas, ou com estilhaços
Ardia o coração daquela moça.
Lembre-se, amigo, de sua beleza modesta,
Quando ela for carregada sobre um pedaço de lona...

Ela admitiu que compôs esses versos no front. Já sei que muitas delas escreviam versos. Hoje copiam-nos com cuidado, guardam nos arquivos familiares — eles são desajeitados e comoventes. Seus álbuns de fotos do front — e em todas as casas me mostram um desses — sempre me fazem lembrar de álbuns de amor de mocinhas. Só que nesses se fala de amor, e naqueles de morte.

"Minha família é muito unida. Uma boa família. Filhos, netos... Mas vivo na guerra, estou lá o tempo todo... Dez anos atrás, procurei meu amigo Vânia Pozdniakov. Pensávamos que ele tinha morrido, e descobrimos que não, que ele estava vivo. O tanque dele — era o comandante — destruiu dois tanques alemães em Prókhorovka, queimou os dois. Os soldados morreram, só ficou Vânia — sem olhos, todo queimado. Foi mandado para o hospital, mas não achávamos que ele ia sobreviver. Não tinha sobrado nem um pedacinho intacto. Toda a pele... Toda... Caía aos pedaços... Como uma membrana... Achei o endereço dele trinta anos depois... A metade de uma vida... Lembro que estávamos subindo as escadas, as pernas fraquejavam: é ele? Não é ele? Ele mesmo abriu a porta e me tocou com as mãos, reconhecendo: 'Ninka, é você? Ninka, é você?'. Ele me reconheceu depois de tanto tempo...

A mãe dele era uma velhinha — ele morava com ela; estava sentada conosco, e chorava. Fiquei surpresa:

'Por que está chorando? Devia se alegrar por ele ter encontrado uma companheira de regimento.'

Ela me respondeu:

'Três filhos meus foram para a guerra. Dois morreram, mas Vânia voltou vivo para casa.'

Vânia tinha perdido os dois olhos. Ela o levou pela mão a vida toda.

Perguntei para ele:

'Vânia, a última coisa que você viu foi o chão de Prókhorovka, a batalha de tanques... O que você lembra daquele dia?'

E sabe o que ele me respondeu?

'Só lamento uma coisa: ter dado o comando de abandonar o veículo em chamas cedo demais. Os rapazes morreram de qualquer forma. Poderíamos ter destruído mais um tanque alemão.'

É isso o que ele lamenta... Até hoje...

Eu e eles fomos felizes na guerra... Não trocamos mais nenhuma palavra. Nada. Mas eu me lembro...

Por que fiquei viva? Para quê? Eu acho... Eu entendo que foi para contar isso..."

Meu encontro com Nina Iákovlevna continuou, mas de forma escrita. Depois de transcrever o relato da fita cassete e escolher o que mais me surpreendera e impressionara, eu, como prometido, mandei uma cópia para ela. Algumas semanas depois chegou de Moscou um pesado pacote de encomenda registrada. Abri: eram recortes de jornal, artigos, informes oficiais sobre o trabalho militar-patriótico conduzido nas escolas de Moscou pela veterana de guerra Nina Iákovlevna Vichniévskaia. Também devolvia o material que eu mandara, mas pouco sobrara — estava todo riscado: as linhas alegres sobre os cozinheiros que tomavam banho nos caldeirões foram suprimidas, e até o inofensivo "Moço, ô moço, o outro moço me mandou dar isso para você...". Nas páginas da história sobre o tenente Micha T. havia perturbadores sinais de interrogação e anotações nas margens: "Para meu filho sou uma heroína. Uma divindade! O que ele vai pensar de mim depois disso?".

Depois, mais de uma vez me deparei com essas duas verdades convivendo em uma mesma pessoa: a verdade pessoal, relegada à clandestinidade, e a verdade geral, impregnada do espírito do tempo. Do cheiro dos jornais. A primeira raramente consegue ficar de pé diante da pressão da segunda. Por exemplo, se no apartamento, além da narradora, estivesse presente também algum outro parente ou conhecido, vizinho (especialmente homem), ela seria menos sincera e confidente do que se estivéssemos só as duas. Já se tornava uma conversa pública. Para o espectador. Extrair suas impressões pessoais se tornava uma tarefa impossível, e eu imediatamente verificava uma rigorosa defesa interna. Um autocontrole. A correção se tornava habitual. E até pude identificar um padrão: quanto mais ouvintes presentes, mais desapaixonado e estéril era o relato. Mais cauteloso em relação ao que manda o figurino. O que era terrível já se tornava grandioso, e o incompreensível e obscuro no ser humano era instantaneamente explicável. Eu ia parar no deserto do passado, onde só havia monumentos. Façanhas. Orgulhosas e impenetráveis. Com Nina Iákovlevna aconteceu o mesmo: uma guerra ela rememorava só para mim, "como a uma filha, para que você entenda pelo que nós, meninas de tudo, tivemos que passar"; outra destinava-se ao grande auditório: "Como contam os outros e como escrevem nos jornais: sobre heróis e façanhas, para educar os jovens com exemplos elevados". Todas as vezes eu ficava estupefata com essa falta de confiança no que é simples e humano, com esse desejo de substituir a vida por um ideal. O que é habitualmente cálido por uma auréola fria.

Eu não conseguia esquecer como havíamos bebido chá daquele jeito caseiro, na cozinha. As duas chorando.

“Em nossa casa vivem duas guerras...”

Um edifício cinza de concreto armado na rua Kakhóvskaia, em Minsk; aqui, metade da cidade foi construída com esses edifícios impessoais de vários andares, que a cada ano se tornam mais soturnos. Mas esse edifício é, ainda assim, especial. “No nosso apartamento vivem duas guerras” — escuto quando abrem a porta. A suboficial de primeira classe Olga Vassílievna Podvíchenskaia combateu numa unidade da Marinha no Báltico. Seu marido, Saul Guénrikhovitch, serviu na Infantaria.

Tudo se repete... Mais uma vez olho longamente os álbuns de fotos, compostos com minúcia e carinho, sempre posicionados em um lugar visível para os convidados. E para eles próprios também. Cada um desses álbuns tem um título: “Nossa família”, “Guerra”, “Casamento”, “Filhos”, “Netos”. Gosto desse respeito pela vida pessoal, um amor documentado pelo que passou e foi vivido. Pelos rostos queridos. É bem raro encontrar esse sentimento de casa, através do qual as pessoas olham bem para sua linhagem, para sua família; e isso apesar de ter visitado centenas de apartamentos, ter estado com diversas famílias, intelectuais ou simples.

Urbanas e rurais. Talvez as constantes guerras e revoluções tenham nos desacostumado a manter as ligações com o passado, a tecer cuidadosamente a teia de aranha da família. A sentir orgulho. Nos apressamos em esquecer, em apagar os rastros, porque os testemunhos preservados podiam se transformar em provas, e várias vezes nos custavam a vida. Ninguém conhece a própria história para além das avós e dos avôs, e não se procuram as raízes. Estávamos fazendo história, mas vivíamos o dia. Tínhamos memória curta.

Ali era diferente...

"Será que sou eu mesma?", ri Olga Vassílievna, sentada ao meu lado no sofá, segurando uma foto em que aparecia com uniforme de marinheira e condecorações de guerra. "Quanto mais olho para essas fotografias, mais me surpreendo. Saul mostrou para nossa neta de seis anos e ela perguntou: 'Vovó, antes você era menino, né?'."

"Olga Vassílievna, você foi imediatamente para o front?"

"Minha guerra começou com a evacuação... Deixei para trás minha casa, minha juventude. Percorremos a estrada inteira debaixo de tiros, bombas, aviões voando bem baixo. Lembro que desceu do vagão um grupo de meninos de uma escola de ofícios, todos de capotes pretos. Era um belo de um alvo! Metralharam todos, os aviões passavam logo acima do chão. A sensação era de que atiravam e contavam... Você imagina?

Trabalhávamos em uma fábrica; nos davam comida lá, a situação não era das piores. Mas o coração estava em chamas. Eu escrevia cartas para o centro de alistamento. Uma, duas, três... Em junho de 1942, recebi uma notificação. Cruzamos o lago Ládoga em barcaças abertas, sob fogo inimigo, para chegar ao cerco de Leningrado. Do primeiro dia em Leningrado me lembro das noites brancas e de um destacamento de marinheiros passando de preto. Dava para sentir que a situação estava tensa, não havia nenhum transeunte, só os holofotes funcionavam, e os marinheiros andavam com cintos de balas. Você imagina? Coisas de cinema...

A cidade estava absolutamente sitiada. O front estava bem próximo. Com o bonde número 3 era possível chegar até a fábrica Kírov, onde começava a linha de frente. Quando o tempo estava bom havia tiroteio da artilharia. E, ainda por cima, abriam fogo sobre o alvo. Atacavam, atacavam, atacavam... Havia navios grandes no cais; claro, eles tinham sido camuflados, mas mesmo assim não se descartava a possibilidade de sofrerem algum dano. Fomos encarregadas de fazer cortinas de fumaça. Foi montado um Destacamento Especial de Cortina de Fumaça, dirigido pelo antigo comandante da Divisão de Torpedeiros, o tenente-capitão Aleksandr Bogdánov. As meninas, em geral, tinham formação técnica ou haviam terminado os primeiros cursos do ensino superior. Nossa tarefa era proteger os navios e cobri-los de fumaça. Quando começava o bombardeio, os marinheiros já estavam esperando: 'Tomara que as meninas tragam a fumaça rápido. Com ela fica mais tranquilo'. Saíamos em veículos com uma mistura especial, e enquanto isso todos se escondiam nos abrigos antibomba. Como se diz, atraíamos o fogo para nós mesmas. Os alemães bombardeavam aquela cortina de fumaça...

Nossa alimentação era a possível em uma cidade sitiada, você sabe como é, mas a gente segurava as pontas. Bem, em primeiro lugar, nós éramos jovens, isso é importante; e, em segundo lugar, ficávamos espantados com os próprios habitantes de Leningrado. Pelo menos alguma coisa nós recebíamos, tínhamos um rango qualquer, mesmo que mínimo, mas tinha gente que estava andando e caía de fome. Morria andando. Vinham umas crianças, a gente dava para elas um pouco da nossa ração minguada. Não eram crianças, pareciam uns velhinhos pequenos. Umas múmias. Elas contavam qual era o menu do cerco, se é que dá para dizer isso: sopa de cinto de couro ou de botas de couro novas, galantina de cola de carpinteiro, panquecas de mostarda. Tinham comido todos os cães e gatos da cidade. Os pardais e as pegas desapareceram. Até os ratos e camundongos pegaram para comer… Assavam com algo… Depois as crianças pararam de vir, esperamos por muito tempo… Provavelmente morreram. Eu acho que sim. No inverno, quando Leningrado ficou sem combustível, nos mandaram derrubar as casas de um bairro da cidade onde ainda existiam construções de madeira. Era o momento mais difícil, a hora de se aproximar de uma casa… Uma casa boa, as pessoas tinham morrido ali ou ido embora, mas o mais frequente é que tivessem morrido. A gente sentia pela mesa posta, pelos objetos. Às vezes ficávamos meia hora até alguém levantar o pé de cabra. Você imagina? Nós todos ficávamos ali plantados, esperando alguma coisa. Só quando o comandante se aproximava e cravava o pé de cabra é que começávamos a derrubar.

Fazíamos a preparação da madeira e carregávamos as caixas com munição. Lembro que uma vez estava carregando uma caixa e me estabaquei, a caixa era mais pesada que eu. Isso era uma coisa. A segunda, como era difícil aquilo para nós, mulheres. Depois me tornei comandante de um destacamento. Todo o destacamento era composto por rapazes jovens. Passávamos o dia inteiro em uma lancha. Era uma lancha pequena, não tinha latrina. Os rapazes faziam as necessidades na borda do barco e pronto. Mas, e eu? Umas duas vezes aguentei até um ponto, depois pulei para fora e comecei a nadar. Eles gritaram: 'Suboficial ao mar!'. Me puxavam para fora. Um detalhe tão básico… Mas pode ser um detalhe? Depois tive que fazer um tratamento… Você imagina? E o próprio peso das armas? Também é pesado para as mulheres. No começo nos deram fuzis, mas eles eram maiores do que nós mesmas. As meninas caminhavam com as baionetas meio metro acima delas.

Para os homens era mais fácil se adaptar a tudo. Àquele cotidiano de asceta… Àquelas relações. Nós sentíamos saudade, muita saudade, de nossas mães, do aconchego. Tinha uma menina de Moscou conosco, Natachka Jílina, ela foi condecorada com uma Medalha por Bravura e, como incentivo, foi mandada para casa por alguns dias. Quando voltou, nós a farejávamos. Literalmente, formávamos uma fila e cheirávamos, dizíamos que ela estava com cheiro de casa. Tamanha era a saudade que tínhamos… Que alegria era ver um envelope com uma carta… A caligrafia do meu pai… Se tínhamos um minuto de descanso, bordávamos algo, um lenço. Nos davam tecido para servir de *portianka*, mas nós criávamos cachecóis com eles, decorávamos com bordados. Queríamos fazer tarefas femininas. Sentíamos falta de coisas femininas, a situação toda era insuportável. A gente procurava qualquer pretexto para pegar a agulha e bordar algo, nem que fosse para passar um tempo em nossa forma natural. Claro, também ríamos e nos divertíamos, mas nada era como antes da guerra… Era um estado particular…"

O gravador registra as palavras, conserva a entonação… As pausas. O choro e o embaraço. Entendo que quando uma pessoa está falando acontece algo maior do que o que fica no papel depois. Lamento o tempo todo por não poder "gravar" os olhos, as mãos. A vida delas na época da conversa, a vida pessoal. Separada. Seus "textos".

"Nós temos duas guerras… Isso é um fato…" Saul Guénrikhovitch entra na conversa. "Começamos a nos lembrar e eu sinto que ela está lembrando da guerra dela, e eu da minha. Eu também tive coisas assim, como isso que ela contou da casa ou como elas fizeram fila para cheirar a menina que tinha voltado de casa. Mas não me lembro disso… Passou batido… Na época isso parecia bobagem. Ninharia. E ela ainda não contou dos quepes de marinheiros. Ólia, como você esqueceu isso?"

"Não esqueci. É dos mais... Sempre tenho medo de puxar essa história pela memória... Toda vez... Foi assim: um dia, nossas lanchas saíram para o mar ao amanhecer. Várias dezenas de lanchas... Logo escutamos que começou um combate. Esperamos... Apuramos o ouvido.... O combate durou muitas horas, e houve um momento em que se aproximou da cidade. Mas, em algum lugar por perto, parou. Fui para a margem antes do pôr do sol: uns quepes de marinheiro flutuavam pelo canal Morskoi. Um atrás do outro. Os quepes e grandes manchas vermelhas sobre as ondas... E umas lascas... Tinham jogado nossos rapazes na água. Enquanto estive ali passaram quepes boiando. No começo tentei contar, depois parei. Nem conseguia ir embora, nem conseguia olhar. O canal Morskoi virou uma vala comum.

Saul, onde está meu lenço? Estava na minha mão agora há pouco... Ué, onde está?"

"Eu mesmo decorei várias das histórias dela e, como se diz hoje em dia, 'bato papo' com os netos. Várias vezes conto para eles a guerra dela, e não a minha. Eles se interessam mais por ela, já reparei", Saul Guénrikhovitch prossegue com sua linha de raciocínio. "Eu tenho um conhecimento mais concreto da guerra, mas ela tem o sentimento. E o sentimento é sempre mais brilhante, sempre mais forte do que os fatos. Nós também tínhamos meninas na infantaria. Era só uma delas aparecer no meio de nós que íamos nos aprumar. Você não imagina... Não imagina!" E então: "Essa expressãozinha eu também peguei dela. Você não imagina como é bonito o riso de uma mulher na guerra. A voz de uma mulher.

"Se havia amor na guerra? Havia! E as mulheres que encontramos lá são esposas maravilhosas. Amigas fiéis. As pessoas que se casaram na guerra são as mais felizes, os casais mais felizes. Nós também nos apaixonamos no front. Em meio a fogo e morte. É um vínculo sólido. Não vou negar que também teve outras coisas, porque foi uma guerra longa, muitos de nós estivemos na guerra. Mas me lembro mais do que é luminoso. Nobre.

Me tornei alguém melhor na guerra... Sem dúvida! Me tornei uma pessoa melhor lá porque havia muito sofrimento. Vi muito sofrimento, e eu mesmo sofri muito. Lá, logo se descarta o que é secundário na vida, o que é supérfluo. Você entende isso... Mas a guerra se vingou de nós. Mas... Nós mesmos temos medo de reconhecer isso... Ela nos perseguiu. Nem todas as nossas filhas se ajeitaram em seu destino. E vou lhe dizer por quê: as mães delas, mulheres do front, as educaram da mesma forma que tinham sido educadas no front. E os pais também. Segundo aquela moral. E no front, como já falei, na hora você já via tudo na pessoa: como ela era, o que valia. Lá não tem como esconder. Essas meninas não tinham noção de que a vida podia ser diferente de como era em casa. Ninguém as tinha avisado desse lado oculto e cruel do mundo. Essas moças, quando se casaram, caíram facilmente nas mãos de patifes que as enganaram, porque não era difícil enganá-las. Isso aconteceu com muitos filhos de nossos amigos do front. E com nossa filha também..."

"Por algum motivo, não falamos sobre a guerra com nossos filhos. Talvez tivéssemos medo, sentíssemos pena deles. Estávamos certos?", reflete Olga Vassílievna. "Eu não usava nem as condecorações. Em uma ocasião as tirei e não pus mais. Depois da guerra eu trabalhava como diretora de uma fábrica de pão. Fui a uma reunião, e a diretora de um conglomerado, também mulher, viu minhas medalhas e falou na frente de todos: 'Por que está usando isso, como se fosse um homem?'. Ela mesma usava uma medalha de trabalho, trazia sempre na jaqueta, mas minhas condecorações de guerra não a agradavam por algum motivo. Quando ficamos a sós na sala, contei tudo sobre a Marinha, ela ficou incomodada; mas aí perdi a vontade de usar as medalhas. E agora não as uso mais. Mas tenho orgulho.

Levou dezenas de anos para que a famosa jornalista Vera Tkatchenko escrevesse sobre nós no jornal central *Pravda*, sobre o fato de que também estivemos na guerra. E sobre haver mulheres combatentes que ficaram sozinhas, que não reconstruíram a vida e até hoje não têm um apartamento. Tínhamos uma dívida com essas santas mulheres. Então, passaram a prestar um pouquinho de atenção às mulheres que lutaram no front. Elas tinham por volta de quarenta, cinquenta anos, moravam em alojamentos. Finalmente começaram a oferecer apartamentos para elas. Minha amiga... Não vou dizer o sobrenome, vai que ela se ofende... Era enfermeira militar... Ferida três vezes... A guerra acabou e ela ingressou na faculdade de medicina. Não achou nenhum dos parentes, morreram todos. Vivia numa pobreza terrível, à noite fazia faxina em prédios para ter o que comer. Não confessava a ninguém que era uma ferida de guerra e que tinha direito à pensão; rasgou todos os documentos. Perguntei: 'Por que você rasgou?'. Ela disse, chorando: 'E quem ia casar comigo?'. 'Bem, neste caso', falei, 'você fez certo.' Ela chorou ainda mais alto: 'Aqueles papéis viriam em boa hora agora. Estou muito doente'. Você imagina? Chorando.

Na comemoração de trinta anos da Vitória estive pela primeira vez em Sevastópol, cidade da glória da Marinha russa. Convidaram cem marinheiros, veteranos na Grande Guerra Patriótica, de todas as frotas, e, dentre eles, três mulheres. Duas delas éramos eu e uma amiga. O almirante da frota fez uma reverência para cada uma de nós, fez um agradecimento em público e beijou nossas mãos. Como esquecer?!"

"Dá vontade de esquecer a guerra?"

"Esquecer? Esquecer...", Olga Vassílievna repete a pergunta.

"Não somos capaz de esquecer. Não está em nosso poder", Saul Guénrikhovitch interrompe a demorada pausa. —"No Dia da Vitória, você lembra, Ólia, como encontramos uma mãe, bem velhinha, com um cartaz igualmente velho pendurado no pescoço: 'Procuro Tómas Vladímirovitch Kúlnev, desaparecido em 1942 no cerco a Leningrado'. Pelo rosto víamos que ela não estava longe dos oitenta. Há quantos anos estava procurando? E vai procurar até sua última hora. Nós somos assim."

"Já eu gostaria de esquecer. Eu queria...", proferiu Olga Vassílievna devagar, quase num sussurro. "Eu queria viver ao menos um dia sem a guerra. Sem nossa memória dela... Nem que fosse um dia só."

Os dois ficaram juntos na minha memória, como estavam nas fotos do front — deram-me uma delas de presente. Ali estavam jovens, muito mais jovens do que eu. Tudo imediatamente adquire um outro sentido. Se aproxima. Olho para essas fotos dos jovens e escuto de outra forma o que acabei de escutar e gravar. O tempo entre nós desaparece.

“O gancho do telefone não atira”

As pessoas me recebem e narram de formas diferentes…

Umas começam a contar imediatamente, já pelo telefone: “Eu me lembro… Guardo tudinho na memória, como se fosse ontem…”. Outras postergam o encontro e a conversa por muito tempo: “Preciso me preparar… Não quero cair naquele inferno de novo…”. Valentina Pávlovna Tchudáieva é uma dessas que passou muito tempo com medo, a contragosto me deixou entrar em seu mundo inquieto; eu ligava para ela de vez em quando, ao longo de meses, mas uma vez conversamos duas horas por telefone e, enfim, decidimos nos encontrar. Logo mais, já no dia seguinte.

E aqui estou, vim vê-la…

“Vamos comer umas tortas. Estou preparando desde de manhã”, minha anfitriã me abraça alegremente na soleira. “Vamos ter tempo para conversar. Ainda vou chorar até dizer chega… Há muito tempo vivo com minha tristeza… Mas primeiro, as tortas. De cereja. Como fazemos na Sibéria. Venha, entre.

Desculpe que já fui te chamando direto de ‘você’. Isso vem do front: ‘E então, meninas! Vamos lá, meninas!’. Somos todas assim, você já sabe. Já escutou... Não ganhei muitos cristais, como está vendo. Tudo o que eu e meu marido acumulamos está guardado em uma caixa de bombons feita de lata: duas condecorações e medalhas. Estão na cristaleira, depois eu mostro." Ela me conduz até o quarto. "A mobília também está velha, como você está vendo. Dá pena trocar. Quando os objetos passam muito tempo em casa, adquirem uma alma. Eu acredito nisso."

Ela me apresenta sua amiga Aleksandra Fiódorovna Zéntchenko, que trabalhou no Komsomol durante o cerco de Leningrado.

Sento-me diante da mesa posta: então tudo bem, se são tortas, que sejam tortas, ainda mais siberianas, de cereja, que nunca provei.

Três mulheres. Tortas quentes. E a conversa já vai logo para a guerra.

"Não a interrompa com perguntas", avisa Aleksandra Fiódorovna. "Se ela parar, vai começar a chorar. E depois das lágrimas fica em silêncio... Não a interrompa..."

VALENTINA PÁVLOVNA TCHUDÁIEVA, SARGENTO, COMANDANTE DE CANHÃO ANTIAÉREO

"Sou da Sibéria... O que me levou a ir para o front, eu, uma moça da distante Sibéria? Do fim do mundo, como dizem. Um jornalista francês fez essa pergunta sobre o fim do mundo para mim em um encontro. Foi em um museu, ele estava me observando fixamente, até comecei a ficar acanhada. O que queria? Por que olhava para mim daquele jeito? No fim, se aproximou e, com a ajuda de um tradutor, perguntou se a sra. Tchudáieva não daria uma entrevista. Claro, fiquei agitada. Pensei: mas o que ele quer? Ele me escutou aqui no museu? Porém, pelo visto, não estava interessado nisso. A primeira coisa que ouvi foi um elogio: 'A senhora parece tão jovem hoje em dia... Como pode ter ido para a guerra?'. Respondi: 'Isso é prova de que, como o senhor entende, fomos para o front muito jovens'. Mas ele estava preocupado com outra coisa: como eu tinha saído da Sibéria e ido parar no front — é o fim do mundo! 'Não', adivinhei, 'pelo visto o senhor está preocupado em saber se houve convocação completa entre nós, e por que fui parar no front em idade escolar.' Então ele balançou a cabeça, dizendo que sim. 'Certo', falei, 'vou responder a essa pergunta.' Contei a ele toda a minha vida, como estou contando para você agora. Ele chorou... O francês chorou... No fim, admitiu: 'Sra. Tchudáieva, não se ofenda. Para nós, franceses, a Primeira Guerra Mundial foi um abalo mais forte do que a Segunda Guerra. Nós nos lembramos: há túmulos e monumentos em todo lugar. Mas sabemos pouco a respeito de vocês. Hoje em dia, muitos acham que os Estados Unidos derrotaram Hitler sozinhos, especialmente os jovens. Do preço que os soviéticos pagaram pela vitória — 20 milhões de vidas humanas em quatro anos — não se sabe muito. Do sofrimento de seu país. É desmedido. Obrigado, a senhora comoveu meu coração'.

... Não me lembro da minha mãe. Morreu cedo. Meu pai era um delegado estatal do Comitê da Província de Novossibirsk; em 1925 ele foi mandado para a aldeia de sua família, para buscar trigo. O país estava passando por grande necessidade, e os *kulaks* estavam escondendo trigo, deixando apodrecer. Na época eu tinha nove meses. Minha mãe queria ir para a terra natal junto com meu pai, e ele a levou. Ela carregou a mim e a minha irmãzinha, não tinha com quem nos deixar. Meu pai tinha sido lavrador em outros tempos, trabalhado para o mesmo *kulak* a quem ele ameaçou na reunião à noite: sabemos onde está o trigo; se vocês mesmos não entregarem, vamos encontrar e levar à força. Vamos levar em nome da revolução.

A reunião acabou, todos os parentes se reuniram, e meu pai tinha cinco irmãos — nenhum deles voltou depois da Grande Guerra Patriótica, assim como meu pai. Bem, sentaram-se à mesa para comer os tradicionais *pelmêni* siberianos.* Os bancos ficavam ao longo das janelas... Minha mãe ficou no meio, com um ombro virado para uma janela e o outro para o meu pai, e ele ficou onde não tinha janela. Era o mês de abril... Na Sibéria, nessa época, ainda acontecem geadas. Minha mãe ficou com frio, pelo visto. Entendi isso depois, já adulta. Ela se levantou, vestiu a peliça do meu pai e começou a me dar de mamar. Nessa hora ouviram-se uns tiros de espingarda. Queriam atirar no meu pai, miraram na peliça... Minha mãe só conseguiu dizer 'pa...' e me deixou cair em cima dos *pelmêni* quentes... Tinha 24 anos...

Na mesma aldeia, depois, meu avô foi presidente do soviete rural. Deram estricnina a ele, puseram na água. Guardo uma fotografia do enterro. Sobre o caixão, colocaram um pano onde se lia: 'Morto pelas mãos de um inimigo da classe'.

Meu pai era um herói da guerra civil, comandante do trem blindado que atuou contra a rebelião do corpo do Exército tchecoslovaco. Em 1931, ele foi condecorado com a Ordem da Estrela Vermelha. Naquela época eram poucos os que tinham essa ordem, especialmente entre nós, na Sibéria. Era uma grande honra, uma grande consideração. Meu pai tinha dezenove feridas no corpo, não sobrou um lugar inteiro. Minha mãe contava — não para mim, claro, para os parentes — que os tchecos brancos condenaram meu pai a vinte anos nas galés. Ela pediu para fazer uma visita a ele, naquela época estava no último mês da gravidez da Tássia, minha irmã mais velha. Lá, na prisão, tinha um corredor comprido, e não permitiram que ela fosse andando até o meu pai; disseram a ela: 'Sua canalha bolchevique! Vá se arrastando...'. E

* *Pelmêni*: massa russa recheada de carne.

ela, a poucos dias do parto, se arrastou por aquele longo corredor de cimento. Veja só como lhe concederam uma visita. Ela não reconheceu meu pai, os cabelos dele tinham ficado completamente brancos. Um velho grisalho. Mas ele tinha trinta anos.

E eu por acaso ia conseguir ficar sentada, indiferente, quando o inimigo invadiu de novo minha terra, se eu cresci numa família dessas, com um pai desses? Tenho o sangue dele... Ele teve que aguentar muita coisa... Foi denunciado em 1937, queriam caluniá-lo. Fazer dele um inimigo do povo. Ah, aquele terrível expurgo de Stálin... A *Iejovschina**... Como disse o camarada Stálin, quando se derruba uma árvore sempre voam algumas lascas. Foi declarada uma nova guerra de classes, para que o país não parasse de viver com medo. Submisso. Mas meu pai conseguiu uma audiência com Kalínin,** e seu bom nome foi restabelecido. Todos conheciam meu pai.

Mas os parentes me contaram a respeito disso só depois...

E então chegou 1941... Meu último dia na escola. Todas tínhamos nossos planos, nossos sonhos, éramos meninas. Depois do exame final, à noite, fomos a uma ilha no rio Ob. Estávamos tão alegres, felizes... Ainda não tínhamos beijado ninguém, como se diz, eu nem namorado tinha. Voltamos depois de ver o amanhecer na ilha... A cidade estava toda agitada, as pessoas chorando. A nossa volta escutávamos: 'Guerra! Guerra!'. O rádio ligado por todos os lados. Para nós, não tinha chegado nada. Que guerra? Estávamos tão felizes, tínhamos tantos planos grandiosos: quem iria estudar, onde, no que trabalharíamos. E, de repente, a guerra! Os adultos choravam, mas nós não nos assustamos, assegurávamos uns aos outros que não passaria nem um mês e 'mos-

* Nome com que ficou conhecida a época dos expurgos de Stálin, em referência a Nikolai Iejov (1895-1940), chefe da NKVD.

** Mikhail Kalínin (1875-1942): um dos fundadores da União Soviética e presidente do Soviete Supremo entre 1937 e 1946.

traríamos uma lição aos fascistas'. Cantávamos canções de antes da guerra. Claro, nosso Exército ia destruir o inimigo em seu próprio território. Sem sombra de dúvida… Nem uma migalha…

Todos começaram a entender quando as notificações de morte foram chegando em casa. Eu fiquei doente: 'Como é? Então era tudo mentira?'. Os alemães já estavam se preparando para fazer um desfile sobre a Praça Vermelha…

Não aceitaram meu pai no front. Ele teimava em ir ao centro de alistamento. Depois, conseguiu. E isso com sua saúde, seus cabelos brancos, seus pulmões: ele tinha uma tuberculose crônica. Mal curada. E a idade? Mas ele foi. Se alistou na Divisão de Aço, ou, como a chamavam, Divisão de Stálin;* tinha muitos siberianos ali. Também achávamos que sem nós a guerra não era guerra, que devíamos lutar. Vamos, agora mesmo, às armas! Todos os meus colegas correram para o centro de alistamento. E no dia 10 de fevereiro fui para o front. Minha madrasta chorou muito: 'Vália, não vá. O que você está fazendo? Você é tão fraca, tão magra, como vai ser um soldado?'. Eu fui raquítica por muito, muito tempo. Foi depois que mataram minha mãe. Até os cinco anos eu não andava… Sabe-se lá de onde tirei forças!

Passamos dois meses num vagão de carga adaptado. Duas mil meninas, um trem inteiro. O trem da Sibéria. O que vimos quando chegamos perto da linha de frente? Eu me lembro de um momento… Nunca vou me esquecer: uma estação de trem destruída, e na plataforma uns marinheiros saltavam com as mãos. Não tinham pernas nem muletas. Eles andavam com as mãos. Uma plataforma cheia. E ainda estavam fumando… Quando nos viram, sorriram. Brincaram. O coração batia: tum-tum… Tum-tum… Para onde estávamos indo? Estávamos a caminho? De onde? Para juntar coragem, cantávamos, cantávamos muito.

* Trocadilho entre aço, *stal* em russo, e Stálin.

Havia alguns comandantes conosco, eles nos ensinavam. Nos apoiavam. Estudamos para atuar nas comunicações. Chegamos na Ucrânia, e lá nos bombardearam pela primeira vez. Nessa hora, estávamos no centro de desinfecção, nos banhos. Íamos nos lavar, mas lá havia um moço que era zelador e cuidava dali. Tínhamos vergonha dele; bem, éramos meninas bem jovenzinhas. Quando começaram a bombardear, todas corremos juntas para o tal moço, para nos salvar. Nos vestimos de qualquer jeito, eu enrolei uma toalha na cabeça — eu tinha uma toalha vermelha —, e saímos correndo. O primeiro-tenente, também um rapazinho, gritou:

'Moça, vá para o abrigo antibombas! Tire a toalha! Está atrapalhando nossa camuflagem...'

Mas eu corri para longe dele:

'Não estou atrapalhando nada! Minha mãe mandou não andar com o cabelo molhado por aí.'

Depois do bombardeio, ele me encontrou:

'Por que não me obedeceu? Sou seu comandante.'

Não acreditei nele:

'Era só o que me faltava: você, meu comandante...'

Briguei com ele, como faria com um rapaz. Alguém da minha idade.

Deram-nos capotes grandes, gordos, parecíamos uns gravetos dentro deles; não andávamos, rolávamos. No começo não fabricaram nem botas para nós. Havia botas, mas os tamanhos eram todos masculinos. Depois trocaram nossas botas, deram outras que tinham a ponta vermelha e o cano de couro sintético preto. A gente se achava o máximo com elas! Éramos todas magras, as *guimnastiorki* masculinas ficavam dançando na gente. Quem sabia costurar ajustava um pouco. Mas precisávamos de outra coisa. Éramos moças, afinal! Bem, o subtenente começou a fazer a medição. Era para rir e para chorar. O comandante do batalhão vinha: 'E aí, o subtenente já entregou todas as coisas de mulher para vocês?'. E o subtenente dizia: 'Já tomei as medidas. Em breve'.

Entrei para a seção de comunicações de uma unidade antiaérea. Servi no ponto de controle, e talvez tivesse sido telefonista até o fim da guerra se não tivesse recebido a notificação da morte do meu pai. Não tinha nada no mundo mais importante para mim do que meu amado pai. Era a pessoa mais próxima de mim. A única. Comecei a pedir: 'Quero me vingar. Quero acertar as contas pela morte do meu pai'. Queria matar... Queria atirar... Apesar de terem me mostrado que, na artilharia, o telefone era muito importante. Mas o gancho do telefone não atira... Escrevi um relatório para o comandante do regimento. Ele recusou. Então, sem pensar muito, eu me dirigi ao comandante da divisão. O coronel Krasnikh veio nos visitar, mandou todas formarem uma fila e perguntou: 'Cadê aquela moça que quer virar comandante de artilharia?'. Saí da formação: meu pescoço era magro, fino, mas nele estava pendurada uma metralhadora automática, pesada, com 71 cartuchos. E, pelo visto, eu devia ser uma visão tão lamentável que ele até sorriu. Fez a segunda pergunta: 'Pois bem, o que você quer?'. Disse a ele: 'Quero atirar'. Não sei o que ele pensou. Passou muito tempo calado. Não disse uma palavra. Depois virou-se subitamente e foi embora. Pensei: 'Pronto, vai recusar'. O comandante veio correndo: 'O coronel deu permissão'.

Você entende? Dá para entender agora? Queria que você entendesse meus sentimentos... Ninguém vai atirar sem ódio. É uma guerra, não uma caçada. Eu me lembro que nas aulas de educação política leram para nós o artigo de Iliá Ehrenburg, 'Mate-o!'. Todas as vezes que encontrar um alemão, mate-o. É um artigo famoso, na época todos liam, sabiam de cor. Ele me provocou uma impressão profunda, levei esse artigo e a notificação de morte do meu pai na bolsa durante toda a guerra... Atirar! Atirar! Precisava me vingar...

Me formei num curso breve, muito breve: estudei três meses. Aprendi a atirar. E então era comandante de artilharia. E me mandaram para o 1357º Regimento de Artilharia. No começo sangrava pelo nariz e pelas orelhas, tive um desarranjo intestinal completo... Ficava com a garganta seca a ponto de vomitar. À noite, não sentia tanto medo, mas de dia sentia muito. Parecia que o avião ia voar direto em você, bem no seu canhão. Ia se chocar contra você! Em um instante... Ali ele ia te reduzir a nada. Pronto, era o fim! Isso não era para uma moça... Nem para os ouvidos, nem para os olhos... No começo, tínhamos os 85 milímetros; eles eram bons para os arredores de Moscou, mas depois, para lutar contra os tanques, nos deram os 37 milímetros. Isso foi na direção de Rjev... Lá tinha combates assim... Uma vez, na primavera, o gelo começou a se deslocar pelo Volga... E o que víamos? Víamos um bloco de gelo vermelho e negro flutuando, e em cima dele dois ou três alemães e um soldado russo. Morriam assim, segurando uns aos outros. Congelaram naquele bloco, e ele ficou coberto de sangue. Todo o rio Volga, nossa mãezinha, estava cheio de sangue..."

E de repente ela se deteve: "Preciso recuperar o fôlego... Senão começo a chorar, vou estragar nosso encontro". Virou-se para a janela, para recuperar o controle. Um minuto depois, já estava sorrindo: "Para ser sincera, não gosto de chorar. Desde a infância aprendi a não chorar...".

"Escutando Vália, eu me lembrei do cerco de Leningrado", Aleksandra Fiódorovna Zéntchenko, calada até então, entrou na conversa. "Especialmente de um caso que comoveu a todos nós. Nos contaram que uma certa senhora idosa todo dia abria a janela e, com uma conchinha, derramava água na rua; e a água cada vez chegava mais longe. No começo pensamos: bom, talvez seja louca, víamos de tudo um pouco no cerco — e fomos ter com ela, elucidar a questão. Escutem o que ela nos disse: 'Se os fascistas entrarem em Leningrado, se pisarem na minha rua, vou escaldá--los com água fervendo. Sou velha, não sou capaz de mais nada, então vou escaldá-los com água quente'. E então ela estava treinando... Todo dia... O cerco tinha acabado de começar, ainda tinha água quente... Era uma mulher muito culta. Até me lembro do rosto dela.

Ela escolheu uma forma de lutar compatível com as forças que tinha. É preciso imaginar aquele momento... O inimigo já estava junto da cidade, os combates aconteciam ao lado do Arco do Triunfo de Narva. Bombardeavam a oficina da fábrica Kírov... Cada um pensava no que podia fazer para defender a cidade. Morrer era fácil demais, a gente tinha que fazer alguma outra coisa. Alguma ação. Milhares de pessoas pensavam assim..."

"Quero encontrar as palavras... Como posso me expressar?", pergunta Valentina Pávlovna, para nós ou para si mesma. "Voltei da guerra mutilada. Fui ferida nas costas por estilhaços. A ferida não foi grande, mas me jogou longe, sobre um monte de neve. Estava havia dias sem secar minhas botas de feltro: uma hora não tinha lenha, na outra não chegava minha vez de secar na fila da noite, o aquecedor era pequeno, nós éramos muitos em volta dele. E, até me acharem, meus pés ficaram absolutamente congelados. Parece que fiquei coberta pela neve, mas estava respirando, e isso formou um buraco... Como se fosse um tubo... Os cães da enfermaria me encontraram. Cavaram a neve e levaram de volta minha *uchanka*. Dentro dela estava meu passaporte de morte, todo mundo tinha um desses: ali dizia quem eram os parentes, onde informar. Me desenterraram, me colocaram em uma lona, a peliça curta estava toda ensanguentada... Mas ninguém prestou atenção aos meus pés...

Passei seis meses no hospital. Queriam amputar meu pé, amputar acima do joelho porque já tinha começado a gangrenar. E eu me acovardei um pouco, não queria viver aleijada. Para que ia viver? Quem precisava de mim? Não tinha nem pai nem mãe. Seria um fardo na vida. Quem ia precisar de mim, um coto! Quis me enforcar... E pedi à auxiliar de enfermagem que me desse uma toalha grande, em vez da pequena... No hospital, todos me provocavam: 'Aqui tem uma vovó... Uma vovó velhinha está ali'. Porque, quando o diretor do hospital me viu pela primeira vez, perguntou: 'Mas quantos anos você tem?'. E eu retruquei rapidinho: 'Dezenove. Logo vou completar dezenove'. Ele começou a rir: 'Ah! Mas é uma velha, uma velha, já é uma mulher de idade'. A auxiliar de enfermagem, tia Macha, me provocava assim. Ela me disse: 'Vou lhe dar uma toalha porque estão preparando sua operação. Mas vou ficar de olho em você. Tem alguma coisa no seu olhar, menina, não estou gostando disso. Não andou inventando de fazer uma besteira?'. Fiquei calada... Mas vi que era verdade: estavam preparando a operação. E, apesar de não saber o que era a operação — nunca tinha sido cortada na vida, agora tenho um mapa geográfico no corpo —, eu adivinhava. Escondi a toalha grande debaixo do travesseiro e fiquei esperando o resto ficar em silêncio. Dormir. As camas eram de ferro, e eu pensei: vou amarrar a toalha na cama e me sufocar. Espero que tenha forças... Mas a tia Macha não saiu de perto de mim a noite toda. Protegia a mim e a minha juventude. Não dormiu... Protegeu aquela boba...

O médico da minha ala, um jovem tenente, ficava atrás do diretor do hospital pedindo: 'Me deixe tentar. Me deixe tentar...'. E ele respondia: 'Vai tentar o quê? Ela já está com um dedo preto. A menina tem dezenove anos. Vai morrer por nossa causa'. Descobri que o médico da ala era contra a operação e propôs outra técnica, nova naqueles tempos. Usavam uma agulha especial para injetar oxigênio debaixo da pele. O oxigênio alimenta... Ah, não sei dizer exatamente como é, não sou médica... E ele, esse jovem tenente, convenceu o diretor do hospital. Não operaram minha perna. Começaram a me tratar com essa técnica. E dois meses depois eu já estava começando a andar. De muletas, claro, os pés estavam em frangalhos, não tinham suporte nenhum. Eu não sentia meus pés, só via. Depois, aprendi a andar sem as muletas. Todos me davam os parabéns: eu tinha nascido de novo. Depois do hospital recebi uma licença. Mas que licença? Para onde eu iria? Encontrar quem? Fui para minha unidade, para meu canhão. Lá, entrei para o Partido. Com dezenove anos.

No Dia da Vitória, eu estava na Prússia Oriental. Já estava tudo mais calmo havia uns dois dias, ninguém atirava, e no meio da noite, de repente, soou o sinal: 'Ataque aéreo!'. Todos saltamos. E então gritaram: 'Vitória! Capitulação!'. A 'capitulação' não pegamos, mas 'vitória', isso nos chegou: 'A guerra acabou! A guerra acabou!'. Todos começaram a atirar, cada um com o que tinha: fuzil automático, pistola... Atiravam de canhão... Um enxugava as lágrimas, outro dançava: 'Estou vivo! Estou vivo!'. Um terceiro caiu na terra e abraçava, abraçava a areia, as pedras. De alegria... Eu estava ali, e o que me veio foi: se a guerra acabou, meu pai já não vai voltar para casa nunca mais. A guerra tinha acabado... O comandante depois nos ameaçou: 'Ora essa, não vai ter dispensa enquanto vocês não pagarem esses projéteis. O que vocês desperdiçaram? Quantos projéteis dispararam?'. Parecia que na Terra ia ter paz para sempre, que ninguém nunca mais ia querer entrar em guerra, que todos os projéteis deviam ser destruídos. Para que serviriam? Estávamos cansados de odiar. Cansados de atirar.

Que vontade de ir para casa! Mesmo que meu pai não estivesse ali, nem minha mãe. Casa é algo maior do que as pessoas que moram ali dentro, é maior que a própria casa. É uma coisa... Uma pessoa precisa de uma casa... Tiro o chapéu para minha madrasta, que me recebeu como uma mãe. Depois, comecei a chamá-la de mãe. Ela me esperou muito, me esperou muito. Apesar de o diretor do hospital ter escrito que amputariam meu pé, que me mandariam de volta inválida. Para que ela fosse se preparando. Ele prometia que eu só passaria um tempo vivendo com ela, e que depois me levariam... Mas ela queria que eu voltasse para casa...

Ela me esperou... Eu era muito parecida com meu pai...

Fomos para o front com dezoito, vinte anos, e voltamos com vinte, 24. No começo era muita alegria, depois o medo: o que vamos fazer na vida civil? Um medo diante da vida em tempos de paz... As amigas da universidade já tinham se formado, e nós? Não estávamos adaptadas a nada, não tínhamos nenhuma formação profissional. Só conhecíamos a guerra, só o que sabíamos fazer era a guerra. Queríamos nos afastar da guerra o quanto antes. Rapidinho usei o capote para costurar um casaco, troquei os botões. Vendi os coturnos em uma feira e comprei sapatos. Na primeira vez que usei um vestido, me afoguei em lágrimas. Eu mesma não me reconhecia no espelho, estava havia quatro anos usando calças. Para quem eu ia dizer que estava ferida, lesionada? Você experimenta dizer, depois quem vai lhe dar um emprego, quem vai casar com você? Ficávamos caladas feito peixes. Não confessávamos para ninguém que tínhamos lutado no front. Mantivemos a ligação entre nós, trocávamos cartas. Depois de trinta anos começaram a nos homenagear... Convidavam para encontros... No começo nos escondíamos, não usávamos nem as medalhas. Os homens usavam, as mulheres não. Os homens eram vencedores, heróis, noivos, a guerra era deles; já para nós, olhavam com outros olhos. Era completamente diferente... Vou lhe dizer, tomaram a vitória de nós. Na surdina, trocaram pela felicidade feminina comum. Não dividiram a vitória conosco. Isso era ofensivo... Incompreensível... Porque, no front, os homens tinham uma relação maravilhosa conosco, sempre nos protegiam; na vida de paz, nunca vi nos tratarem bem assim. Na retirada, às vezes nos deitávamos para descansar na terra nua, e eles próprios ficavam de *guimnastiorka* e nos davam seus capotes: 'Meninas...

Tem que cobrir as meninas...'. Se encontravam um pedacinho de algodão, de curativo: 'Tome, pode servir para algo...'. Dividiam a última torrada. Não vimos nada além de bondade e afeto na guerra. Não conhecemos outra coisa. E depois da guerra? Fiquei calada... Calada... O que nos impedia de lembrar? Uma intolerância à lembrança...

Eu e meu marido nos mudamos para Minsk. Não tínhamos nada: nem um lençol, uma caneca, um garfo... Dois capotes e duas *guimnastiorki*. Encontramos um mapa, era bom, de algodão, e o deixamos de molho... Um mapa grande... Virou um lençol de algodão — nosso primeiro lençol. Depois, quando minha filha nasceu, o usei como fralda. Esse mapa... Pelo que me lembro era um mapa-múndi político... Minha filha dormia numa mala... A mala de compensado que meu marido trouxe do front serviu de berço. Além de amor, não tinha nada na casa. É o que digo... Uma vez, meu marido veio e disse: 'Venha, vi um sofá velho que jogaram fora...'. Fomos buscar o sofá. À noite, para que ninguém visse. Como ficamos felizes com ele!

Mesmo assim fomos felizes. Fiz tantas amigas! Os tempos eram difíceis, mas não perdíamos o ânimo. Trocávamos nossos cartões de comida e ligávamos umas para as outras: 'Venha para cá, recebi açúcar. Vamos beber chá'. Não tínhamos nada sobre nós, nada embaixo, ainda não tínhamos tapetes, cristais... Nada... E éramos felizes. Felizes porque estávamos vivas. Falávamos, ríamos. Andávamos pela rua... Estávamos o tempo todo contemplando apesar de não ter o que contemplar — à nossa volta só havia pedras destruídas, até as árvores estavam estropiadas. Mas o sentimento do amor nos aquecia. Uma pessoa precisava das outras, todos sentíamos a necessidade de contar uns com os outros. Depois nos dispersamos, cada uma foi cuidar da vida, da casa, da família, mas naquela época ainda estávamos juntas. Ombro a ombro, como nas trincheiras do front...

Agora sempre recebo convites para encontros no museu militar... Me pedem que guie excursões. Agora, sim. Quarenta anos depois! Quarenta! Há pouco tempo me apresentei para uns jovens italianos. Eles passaram muito tempo fazendo perguntas: que médico tinha me tratado? Qual era minha doença? Por algum motivo queriam saber se eu não tinha ido a um psiquiatra. Que sonhos eu tinha? Sonhava com a guerra? Uma russa que lutou com armas para eles era um enigma. Que mulher é essa que não só salvava, fazia curativos, mas ela própria atirava e bombardeava? Matava homens... Estavam interessados em saber se eu tinha me casado. Tinham certeza de que não. De que era solteira. E eu ria: 'Todos trouxeram troféus da guerra, eu trouxe um marido. Tenho uma filha. Agora já estou nos netos'. Não contei para você sobre o amor... Não consigo mais, meu coração não aguenta. Uma outra vez... Teve um amor! Sim! E uma pessoa por acaso consegue viver sem amor? Consegue sobreviver? Nosso comandante de batalhão se apaixonou por mim no front... Me protegeu a guerra inteira, não deixou ninguém se aproximar, e quando deu baixa veio me buscar no hospital. E aí se declarou... Bem, depois falamos de amor. Volte, volte sem falta. Será como uma segunda filha. Claro que eu sonhava em ter muitos filhos, amo crianças. Mas só tive uma filha... Minha filhinha... Não tive saúde, não tive forças. Não conseguia nem estudar: estava sempre doente. Minhas pernas, tudo era minhas pernas... Elas falham... Até me aposentar, trabalhei como auxiliar de laboratório no Instituto Politécnico, todos me adoravam. Os professores e os alunos. Porque eu mesma tenho muito amor, muita felicidade. Era assim que eu entendia a vida, era assim que eu queria viver depois da guerra. Deus não criou o ser humano para atirar, criou o ser humano para amar. O que você acha?

Dois anos atrás veio me visitar nosso chefe do estado-maior, Ivan Mikháilovitch Grinkó. Faz tempo que se aposentou. Se sentou nessa mesma mesa. Também assei umas tortas. Ele e meu marido conversaram, se lembraram... Começaram a falar sobre nossas meninas... E aí eu desandei a chorar: 'Vocês falam de honra, de glória. Mas essas meninas estão quase todas sós. Solteiras. Morando em apartamentos comunitários. Quem teve pena delas? Quem as defendeu? Onde vocês foram parar depois da guerra? Traidores!'. Enfim, estraguei o clima de festa deles.

O chefe do estado-maior estava sentado no seu lugar. 'Mostre quem ofendeu você', e bateu com o punho na mesa. 'Só me mostre!' E me pedia perdão: 'Vália, não tenho o que falar para você, só posso chorar'. Mas não precisa ter pena de nós. Temos orgulho. Que reescrevam a história dez vezes. Com Stálin ou sem Stálin. Mas isso vai ficar: nós vencemos! E o nosso sofrimento também. Tudo o que aguentamos. Não são trastes e cinzas. É nossa vida.

"E nenhuma palavra mais..."

Antes de ir, me entregam um pacote com tortas: "São siberianas. Especiais. Você não acha tortas dessas nas lojas...". Recebo ainda uma longa lista com endereços e telefones: "Todas ficarão felizes em falar com você. Estão esperando. Vou explicar: é terrível lembrar, mas é mais terrível ainda não lembrar".

Agora entendo por que todas querem falar, apesar de tudo.

"Nos condecoravam com umas medalhas pequenas..."

De manhã, abro minha caixa de correio...

Minha correspondência pessoal lembra cada vez mais a de um centro de alistamento ou de um museu: "Um alô das pilotos do regimento Marina Raskova da Aeronáutica", "Escrevo da parte das *partisans* da Brigada Jelesniak", "As mulheres do grupo clandestino de Minsk parabenizam... Desejamos sucesso no trabalho em curso...", "Nós, soldados de campanha, entramos em contato...". Em todo o período de busca, houve algumas recusas desesperadas: "Não, é como um pesadelo... Não consigo! Não vou!". Ou "Não quero me lembrar! Não quero! Passei muito tempo esquecendo...".

Lembrei ainda de uma carta, sem remetente:

"Meu marido, cavaleiro com uma Ordem da Glória, foi condenado a ficar dez anos em um campo de prisioneiros depois da guerra... Foi assim que a pátria recebeu seus heróis. Os vencedores! Ele escreveu numa carta para um camarada da universidade que tinha dificuldade de se orgulhar da nossa vitória, pois tanto a nossa terra quanto a estrangeira estavam repletas de cadáveres russos. Cheias de sangue. Foi preso imediatamente... Tiraram suas dragonas.

Ele voltou do Cazaquistão depois da morte de Stálin... Doente. Não temos filhos. Não preciso me lembrar da guerra, passei a vida lutando..."

Nem todos se decidem a escrever suas memórias, e nem todos conseguem confiar ao papel seus sentimentos e reflexões. "As lágrimas atrapalham..." (A. Burakova, sargento, operadora de rádio). A correspondência, ao contrário da minha expectativa, só me fornece mais endereços e nomes.

"Não me falta metal... Tenho estilhaços de um ferimento de Vitebsk no pulmão, a três centímetros do coração. O segundo estilhaço está no pulmão direito. Tenho outros dois, na região da barriga.

Aqui está meu endereço. Venha me visitar. Não consigo escrever mais, não estou vendo nada por causa das lágrimas..."

V. Grómova, enfermeira-instrutora

"Não tenho grandes condecorações, só medalhas. Não sei se você vai se interessar pela minha vida, mas queria contá-la para alguém..."

V. Voronova, telefonista

"Eu e meu marido morávamos no extremo norte, em Magadan. Meu marido era motorista, e eu fiscal. Assim que começou a guerra, nós dois pedimos para ir para o front. Responderam: continuem trabalhando onde precisam de vocês. Na época, mandamos um telegrama para o camarada Stálin, dizendo que estávamos contribuindo com 50 mil rublos (naquela época era muito dinheiro, era tudo o que tínhamos) para a construção de um tanque e que desejávamos ir para o front. Recebemos um agradecimento do governo. E em 1943 eu e meu marido fomos mandados para a Escola Técnica de Tanques de Tcheliábinsk, onde nos formamos como alunos externos.

Lá, recebemos um tanque. Nós dois éramos condutores-chefes, mas no tanque só pode haver um condutor. Os comandantes decidiram me designar comandante de um tanque IS-122, e meu marido condutor. E assim chegamos à Alemanha. Nós dois fomos feridos. Temos condecorações.

Não eram poucas as mulheres tanquistas em tanques médios, mas em um tanque pesado eu era a única. Às vezes penso em pedir que algum escritor registre minha vida. Eu mesma não consigo fazer isso do jeito certo..."

A. Boikó, segundo-tenente, tanquista

"Em 1942... Fui designado comandante da divisão. O comissário do regimento avisou: 'Estude, capitão: você não vai receber uma divisão comum, e sim uma de meninas. A metade do efetivo é de moças, e isso exige uma atitude especial, atenção e cuidados especiais'. Claro, eu sabia que havia moças servindo o Exército, mas não imaginava muito bem o que era. Nós, oficiais de carreira, observávamos um pouco ressabiados como o 'sexo frágil' dominaria a atividade militar, considerada desde tempos imemoriais uma ocupação masculina. Digamos que com enfermeiras estávamos acostumados. Elas já tinham demonstrado suas qualidades na Primeira Guerra Mundial, e depois na Guerra Civil. Mas o que iam fazer aquelas meninas na artilharia antiaérea, onde era preciso levantar projéteis pesados? Como ia colocá-las na bateria, onde só havia um abrigo na terra, e o efetivo das guarnições também era composto por homens? Elas precisariam passar horas nos aparelhos, e eles são de metal, o assento dos canhões também era de metal, elas são moças, não podem. E, por fim, onde iriam lavar e secar os cabelos? Apareceu uma série de questões, tão incomum era o caso.

Comecei a visitar as baterias, observar. Confesso que estava um pouco incomodado: uma garota de guarda com um fuzil, uma garota na torre, de binóculos — eu viera da linha de vanguarda, do front. E elas eram tão diferentes: acanhadas, medrosas, manhosas, mas decididas, ardentes. Nem todos conseguem se submeter à disciplina militar, e a natureza feminina é oposta à ordem do Exército. Ora ela se esquecia do que fora ordenado, ora recebia uma carta de casa e passava a manhã inteira chorando. Você punia, mas depois cancelava a punição: dava pena. Eu pensava: 'Estou perdido com essas daí!'. Mas logo tive de renunciar a todas as minhas dúvidas. As meninas se transformaram em verdadeiros soldados. Percorremos um caminho difícil. Venha me ver. Podemos passar muito tempo conversando..."

I. A. Levítski, ex-comandante da Quinta Divisão do 784º Regimento da Artilharia Antiaérea

Os endereços são os mais variados: Moscou, Kíev, a cidade Apcheronsk, na região de Krasnodar, Vítebsk, Volgogrado, Ialútorvsk, Súzdal, Gálitch, Smoliénsk... Como abarcar tudo isso? O país é enorme. Um acaso vem em minha ajuda. Uma dica inesperada. Um dia, o correio trouxe um convite dos veteranos do 65º Exército do general P. I. Bátov: "Geralmente nos reunimos nos dias 16 e 17 de maio em Moscou, na Praça Vermelha. É uma tradição e um ritual. Todo mundo que tem forças vai vir. Vem gente de Múrmansk e Karagandá, de Almati e Omsk. De todo lado. De toda nossa inabarcável pátria... Enfim, contamos com sua presença...".

... Hotel Moscou. Mês de maio — mês da Vitória. Em todo lugar as pessoas se abraçam, choram, tiram fotos. Não consigo distinguir o que são flores pregadas na lapela e o que são condecorações e medalhas. Entro nesse fluxo, ele me ergue e me leva, me puxa irresistivelmente atrás de si, e logo me descubro em um mundo quase desconhecido. Em uma ilha desconhecida. Entre pessoas que reconhecerei ou não; mas sei de uma coisa — eu as adoro. Normalmente elas estão abandonadas no meio de nós, passam despercebidas, porque já estão indo embora; há cada vez menos delas e mais de nós, mas uma vez por ano elas se juntam para, ainda que por um instante, voltar ao seu tempo. E seu tempo são suas lembranças.

No sétimo andar, no quarto 52, se reuniu o hospital 5257. Quem comanda a mesa é Aleksandra Ivánovna Záitseva, médica militar, capitã. Ficou feliz em me ver e com gosto me apresentou a todos, como se já nos conhecêssemos havia muito tempo. Vim bater nessa porta por absoluto acaso. Estava a esmo.

Registro: Galina Ivánovna Sazónova, cirurgiã; Elizavieta Mikháilovna Aizenchtein, médica; Valentina Vassílievna Lukiná, enfermeira cirúrgica; Anna Ignátievna Gorélik, enfermeira-chefe de operações; e as enfermeiras Nadiéjda Fiódorovna Potujnaia, Klávdia Prókhorovna Borodúlina, Elena Pávlovna Iákovleva, Anguelina Nikoláievna Timofêieva, Sófia Kamaldínovna Motrenko, Tamara Dmítrievna Morózova, Sófia Filimónovna Semeniuk, Larissa Tíkhonovna Deikun.

SOBRE BONECAS E FUZIS

"Eh-he, meninas, que infame foi essa guerra... Se olharmos para ela com nossos olhos... Olhos de mulher... A mais terrível entre as terríveis. Por isso não perguntam para a gente..."

"Lembram, garotas? Estávamos viajando em um vagão de carga adaptado... E os soldados riam de como segurávamos os fuzis. Não segurávamos como se empunha uma arma, mas assim... Agora não consigo nem mostrar... Como quem segura uma boneca..."

"As pessoas estavam chorando, gritando... Escutei a palavra: 'Guerra!'. E pensei: 'Como assim, guerra? Nós temos prova na faculdade amanhã. É uma prova tão importante. Como podemos estar em guerra?'.

Uma semana depois começaram os bombardeios, e nós já estávamos salvando gente. Três anos de faculdade de medicina já é muito numa época assim. Mas nos primeiros dias vi tanto sangue que comecei a ter medo. Você está lá, quase uma médica, as melhores notas nas aulas práticas. As pessoas se comportavam de um jeito extraordinário. E isso nos inspirava.

Meninas, contei para vocês... Acabara um bombardeio, e vi que a terra na minha frente estava se mexendo. Corri para lá e comecei a cavar. Com as mãos tateei um rosto, cabelos... Era uma mulher. Desenterrei e comecei a chorar. Mas, quando ela abriu os olhos, não perguntou o que tinha acontecido, só ficou preocupada:

'Onde está minha bolsa?'

'Para que quer a bolsa agora? Depois você encontra.'

'Os meus documentos estão lá.'

Ela não pensava em como estava, se estava inteira, mas onde estavam a carteirinha do Partido e o documento militar. Comecei a procurar a bolsa dela na hora. Achei. Ela pôs em cima do peito e fechou os olhos. Logo a ambulância se aproximou, e levamos a mulher para dentro. Conferi ainda mais uma vez se ela estava com a bolsa.

De noite fui para casa, contei essa história para minha mãe e disse que tinha decidido ir para o front."

"O nosso lado estava em retirada... Todos fomos para a estrada... Passou por nós um velho soldado, parou ao lado da nossa cabana e se curvou aos pés da minha mãe: 'Perdão, mãe... Salve a menina! Ah, salve a menina!'. Na época eu tinha dezesseis anos, uma trança grande... E, veja só, cílios negros..."

"Lembro que estávamos indo para o front... Um veículo cheio de garotas, um grande veículo com capota. Era de noite, estava escuro, os galhos batiam na lona, e a tensão era tão grande que pareciam balas sendo atiradas sobre nós... Com a guerra, as palavras e os sons mudaram... Guerra... Isso estava sempre por perto. Se você dizia 'mamãe', já era uma palavra totalmente diferente, se dizia 'casa', era uma palavra totalmente diferente. Algo foi acrescentado a elas. As palavras carregavam mais amor, mais medo. Algo mais...

Mas desde o primeiro dia eu tinha certeza de que eles não nos venceriam. Tão grande é o nosso país. Infinito..."

"Eu era uma filhinha da mamãe... Nunca tinha saído da minha cidade, não passava a noite na casa dos outros, e fui ser médica auxiliar em uma bateria de morteiros. O que não aconteceu comigo? Os morteiros começaram a atirar, e na mesma hora fiquei surda. Parecia que todo o meu corpo estava queimando. Eu me sentava e sussurrava: 'Mãe, mamãezinha... Mãe...'. Estávamos na floresta; saíamos de manhã e fazia tanto silêncio, as plantas com orvalho. Será mesmo que isso é uma guerra? Num momento tão bonito, tão agradável...

Nos mandaram vestir roupas militares, mas eu tenho um metro e meio de altura. Enfiei as calças, e as meninas a amarraram por cima para mim. Eu andava com meu vestido, mas me escondia dos superiores. Bem, me mandaram para a prisão por quebra de disciplina militar."

"Nunca imaginei... Eu não sabia que conseguia dormir caminhando. Você vai andando na fila e dorme, tropeça em quem está na sua frente, acorda por um segundo, dorme de novo. Os soldados têm um sonho doce. Uma vez, na escuridão, não fui para a frente, mas cambaleei para o lado, e andei pelo campo, estava andando e dormindo. Até que caí em alguma vala, só aí acordei — e corri para alcançar meus companheiros.

Os soldados, na hora do descanso, dividiam um cigarro improvisado para três. Enquanto o primeiro fumava, o segundo e o terceiro dormiam. Até roncavam um pouco..."

"Não vou me esquecer: trouxeram um ferido, tiraram da maca... Alguém pegou a mão dele: 'Não, está morto'. Nos afastamos. E então o ferido suspirou. Nessa hora, fiquei de joelhos diante dele. Comecei a chorar e gritar: 'O médico! O médico!'. Foram acordar o médico, sacudiam e ele caía de novo, tão pesado era o sono. Nem com amoníaco conseguiram acordar. Antes disso, fazia três dias que ele não dormia.

E como são pesados os feridos no inverno... As *guimnastiorki* ficavam duras de sangue e água congelada, os coturnos cheios de sangue e gelo, não tinha como cortar. Todos ficavam frios feito cadáveres.

A gente olhava pela janela, e a beleza do inverno era indescritível. Pinheiros brancos encantadores. Por um segundo eu me esquecia de tudo... E de novo..."

* * *

“Era um batalhão de esquiadores... Só alunos do décimo ano... Foram metralhados... Trouxeram um deles, estava chorando. Éramos da idade deles, mas já nos sentíamos mais velhas. Eu o abraçava: ‘Menino querido’. E ele dizia: ‘Se você estivesse lá, não me chamaria de menino’. Estava morrendo, gritava a noite toda: ‘Mamãe! Mamãe!’. Lá havia dois rapazes de Kursk, nós os chamávamos de ‘rouxinóis de Kursk’. Você ia acordá-los, e eles tinham babado. Eram muito pequenininhos...”

“Passávamos dias inteiros na mesa de operação... Você ficava de pé, mas os braços caíam. Acontecia de cair de cabeça em cima do operado. Dormir! Dormir! Dormir! As pernas inchavam, não entravam nas botas. Os olhos cansavam tanto que era difícil fechar...

Minha guerra tem três cheiros: sangue, clorofórmio e iodo...”

“Ah! As feridas... Largas, profundas, rasgadas... Era de ficar louca... Estilhaços de bala, granada, projéteis na cabeça, nos intestinos, em todo o corpo — junto com metal tirávamos do corpo dos soldados: botões, pedaços de capote, *guimnastiorki*, cintos de couro. Um soldado veio com o peito todo destroçado, o coração visível... Ainda batia, mas ele estava morrendo... Fiz o último curativo, mal segurava o choro. Logo isso acaba, pensei, e posso me esconder em um canto e me acabar de chorar. Ele me disse: ‘Obrigado, irmãzinha...’, e estendeu a mão com algo pequeno, metálico. Olhei rapidamente: era um sabre e uma espingarda cruzados. ‘Para que está me dando isso?’, perguntei. ‘Minha mãe me disse que esse talismã me salvaria. Mas agora não preciso mais dele. Talvez você seja mais feliz do que eu’, falou isso e se virou para a parede.

À noite, tínhamos sangue no cabelo; atravessava o avental e chegava no corpo, grudava no gorro e na máscara. Um sangue negro, viscoso, misturado com tudo o que existe dentro do ser humano. Com urina, fezes…

Outras vezes alguém me chamava: 'Irmãzinha, minha perna está doendo'. E a pessoa não tinha a perna… O que me dava mais medo, ao carregar os mortos, era quando uma brisa levantava o lenço e ele estava olhando para você. Não conseguia carregar se ele estava de olhos abertos; eu ia lá e fechava…"

"Trouxeram um ferido… Estava deitado na maca, todo enfaixado, tinha um ferimento na cabeça, mal dava para ver. Só um pouquinho. Mas, pelo visto, eu o fiz lembrar de alguém; ele falou para mim: 'Larissa… Larissa… Lórotchka…'. Ao que tudo indica, era a garota que ele amava. Esse é o meu nome, mas eu sabia que nunca tinha visto aquele homem antes, e ele estava me chamando. Me aproximei, sem entender nada, observando tudo. 'Você veio? Você veio?' Segurei a mão dele, me inclinei… 'Eu sabia que você viria…' Ele sussurrava algo, mas eu não entendia o que era. Mesmo agora não consigo contar essa história tranquilamente: sempre que lembro desse caso, meus olhos ficam marejados. 'Quando fui para o front', ele disse, 'não tive tempo de beijar você. Me dê um beijo…'

Me inclinei sobre ele e o beijei. Uma lágrima surgiu, escorreu para dentro da faixa e se escondeu. E foi isso. Ele morreu…"

SOBRE A MORTE E O ESPANTO DIANTE DA MORTE

"As pessoas não queriam morrer… Acorríamos a cada suspiro, a cada grito. Tive um ferido que, quando sentiu que estava morrendo, agarrou meu ombro, me abraçou e não soltava. Achava que se houvesse alguém ao lado dele, se houvesse uma enfermeira, a vida não o abandonaria. Ele pedia: 'Se eu conseguisse viver mais cinco minutos. Ou mais dois minutinhos...'. Uns morriam sem um som, quietinhos, outros gritavam: 'Não quero morrer!'. Praguejavam: 'Filho de uma...'. Teve um que de repente começou a cantar... Cantava uma canção moldava... A pessoa está morrendo, e mesmo assim não acha, não acredita que esteja morrendo. E você vê que, debaixo do cabelo, passa uma luz bem amarelada, como uma sombra que no começo atravessa o rosto, depois vai por baixo da roupa... O morto está ali, deitado, e no rosto dele vemos certo espanto: como, vou morrer? É possível que eu tenha morrido?

Enquanto ele escutava... Até o último minuto eu dizia que não, como iria morrer? Beijava, abraçava: o que foi, o que foi? Ele já estava morto, olhos no teto, e eu ainda estava sussurrando algo... Tranquilizando... Os sobrenomes já se apagaram da minha memória, mas os rostos ficaram gravados..."

"Traziam os feridos... Chorando... Não choravam de dor, mas de impotência. Era o primeiro dia deles no front, alguns não tinham nem atirado. Não haviam entregado fuzis para eles porque nos primeiros anos essas armas valiam ouro. E os alemães tinham tanques, morteiros, aviões. Quando um dos nossos caía, os camaradas recolhiam os fuzis. As granadas. Iam para o combate de mãos vazias... Como quem vai para uma briga...

E já batiam de frente contra um tanque..."

"Quando eles morriam... Como olhavam... Como..."

"Meu primeiro ferido... A bala o atingiu na garganta, ele ainda viveu por alguns dias, mas não falava nada...

Quando amputavam uma mão ou um pé, não tinha sangue… A carne estava branca e limpa, o sangue vinha depois. Até hoje não consigo destrinchar uma galinha se a carne estiver branca e limpa. Minha boca fica salgada…"

"Os alemães não faziam prisioneiras de guerra… Se fosse uma mulher, fuzilavam na hora. Conduziam as mulheres diante das fileiras de soldados e mostravam: vejam, não são mulheres, são monstros. Sempre deixávamos dois cartuchos para nós mesmas: dois para o caso de a arma falhar.

Uma das nossas enfermeiras foi capturada… Um dia depois, tomamos uma aldeia, e por todo lado havia cavalos mortos, motos, veículos blindados. Ela foi encontrada: haviam arrancado seus olhos, cortado seu peito… Fora empalada… Fazia frio, e ela era muito branca, com os cabelos brancos. Tinha dezenove anos.

Na mochila encontramos uma carta de casa e um passarinho verde de borracha. Um brinquedo de criança…"

"Estávamos recuando… Debaixo de bombas. No primeiro ano recuávamos e recuávamos. Os aviões fascistas voavam bem pertinho, perseguiam um por um. Sempre parecia que estavam atrás de você. Eu corria… Via e escutava o avião vindo na minha direção, via o piloto, o rosto, e ele via que se tratava de uma garota… Comboio médico. Metralhava o nosso carro e ria. Estava se divertindo… Um sorriso terrível, descarado… E um rosto bonito…

Eu não aguentei… Comecei a gritar… Corri para uma plantação de milho, ele vinha, corri para a floresta, ele me espremia contra a terra. Já tinha alguns arbustos… Saltei para dentro da floresta, para um lugar com folhas caídas. Saía sangue do meu nariz de tanto medo; não sabia: estava viva ou não? Sim, estava viva... Desde essa época morro de medo de avião. Ele ainda está em algum lugar, e eu já estou com medo, já não penso mais em nada, só que ele está vindo, onde posso me esconder, onde me enfio para não ver e não escutar. E até hoje não aguento som de avião. Não voo..."

"Ê, meninas..."

"Antes da guerra eu estava me preparando para casar... Com meu professor de música. É uma história louca... Me apaixonei perdidamente... Ele também... Mas minha mãe não permitiu: 'Você ainda é muito nova!'.

Logo começou a guerra. Pedi para ir ao front. Queria sair de casa, ser adulta. Em casa, choravam ao me aprontar para a estrada. Meias quentes, roupa de baixo...

Vi o primeiro morto no primeiro dia... Por acaso, um estilhaço voou para o pátio da escola onde fora instalado o hospital e feriu mortalmente nosso enfermeiro. Pensei: para casar minha mãe decide que sou muito nova, mas para lutar na guerra, não... Minha mãe querida..."

"Tínhamos acabado de parar... Montamos a enfermaria, trouxeram os feridos, e então veio a ordem: evacuar. Pusemos alguns feridos nas ambulâncias, outros não. Não tinha veículos para todos. Nos apressavam: 'Deixem eles aí. Saiam'. Você estava saindo, e eles olhavam para você. Seguiam com os olhos. Naqueles olhares tinha de tudo: resignação, ressentimento... Pediam: 'Irmãos! Irmãs! Não nos deixem para os alemães. Deem-nos um tiro antes'. Que tristeza! Que tristeza! Quem conseguia se levantar vinha conosco. Quem não podia, ficava deitado. E você, já sem poder ajudar nenhum deles, tinha medo de erguer os olhos... Eu era jovem, chorava e chorava...

Quando já estávamos avançando, não deixávamos nenhum ferido para trás. Até feridos alemães recolhíamos. Uma vez trabalhei com eles. Me acostumei, fazia curativos neles como se não fosse nada. Mas quando lembrava de 1941, de como deixamos nossos feridos, e eles os... Como eles os... Nós vimos... Sentia que eu não ia chegar perto de mais nenhum deles... Mas no dia seguinte ia lá e fazia o curativo..."

"Salvávamos as pessoas... Mas muitos se lamentavam por ser da equipe médica e só poder fazer curativos, em vez de empunhar uma arma. Por não atirar. Eu lembro... Lembro dessa sensação. Lembro que, na neve, o cheiro do sangue é especialmente forte... Os mortos... Estavam nos campos. Os pássaros arrancavam os olhos, bicavam o rosto, as mãos. Ai, que vida impossível..."

"No fim da guerra... Eu tinha medo de escrever para casa. Não vou escrever, pensava, se de repente me matam, minha mãe vai chorar porque a guerra acabou e eu morri logo antes da Vitória. Ninguém falava, mas todos pensavam nisso. Já sentíamos que em breve venceríamos. A primavera já tinha começado.

E de repente eu vi que o céu estava mais azul..."

"De que me lembro... O que ficou gravado na memória... Aquele silêncio, um silêncio extraordinário das enfermarias dos feridos em estado grave... Os mais graves... Eles não conversavam. Não chamavam ninguém. Muitos estavam inconscientes.

Mas o mais habitual era que ficassem deitados, em silêncio. Pensando. Às vezes olhavam para o lado e pensavam. Chamávamos, eles não escutavam.

Em que será que pensavam?"

SOBRE CAVALOS E PASSARINHOS

"Nosso trem andava e andava...

Na estação havia dois trens, lado a lado... Um com feridos e o outro com cavalos. Começou um bombardeio. Os trens pegaram fogo... Saímos abrindo as portas para salvar os feridos, para que eles saíssem, mas todos eles correram para salvar os cavalos que estavam no fogo. Quando os feridos gritam é terrível, mas não há nada mais terrível do que os relinchos dos cavalos feridos. Eles não tinham culpa de nada, estavam pagando pelos assuntos humanos. E ninguém correu para a floresta, todos se apressaram em salvar os cavalos. Todos os que podiam. Todos!

Que falar... Quero falar que os aviões dos fascistas voavam junto do chão. Bem baixinho. Depois eu pensei: os pilotos alemães viam tudo, será que não tinham vergonha? Em que pensavam...?"

"Lembro de um caso... Chegamos a uma vilazinha, e junto da floresta tinha alguns *partisans* mortos. Como tinham sido humilhados, não consigo nem reproduzir, meu coração não aguenta. Foram cortados em pedacinhos... Destripados, como porcos... Estavam ali... Não muito longe, cavalos pastavam... Via-se que eram os cavalos dos *partisans*, estavam até selados... Ou eles se safaram dos alemães, ou não conseguiram capturá-los — não dava para saber. Não foram para longe. Tinha muito capim. E eu também pensei: como fizeram isso na frente dos cavalos? Diante de animais. Os cavalos ficaram olhando para eles..."

* * *

"Ardiam os campos e as florestas... Os prados soltavam fumaça... Vi vacas e cachorros queimados... É um cheiro insólito. Desconhecido. Eu vi... Barris de tomate e de repolho queimados. Os pássaros ardiam. Cavalos... Muitos... Tinha várias coisas negras largadas nas estradas. A gente tinha que se acostumar com esse cheiro também...

Na época, entendi que tudo pode pegar fogo. Até sangue pega fogo..."

"Durante um bombardeio, uma cabra se aproximou de nós. Deitou conosco. Simplesmente deitou ao nosso lado e ficou balindo. Quando pararam de bombardear, ela veio andando conosco, não parava de se achegar às pessoas; bem, é um ser vivo, também estava com medo. Chegamos a algum vilarejo e dissemos a uma mulher: 'Fique com ela, estamos com pena'. Queríamos salvá-la..."

"Na minha enfermaria havia dois homens... Estavam de cama — um alemão e nosso tanquista, que tinha sofrido queimaduras. Fui falar com ele:

'Como está se sentindo?'

'Eu estou bem', respondeu o tanquista. 'Mas aquele ali está mal.'

'É um fascista...'

'Não, comigo está tudo bem, mas ele está mal.'

Já não eram inimigos, e sim pessoas, só dois feridos deitados lado a lado. Entre eles surgiu algo humano. Mais de uma vez observei com que rapidez isso acontecia..."

* * *

"É que... Como é mesmo... Vocês se lembram? Os pássaros estavam voando no outono tardio... Bandos muito grandes... Nossa artilharia atirando, a dos alemães também, e eles voando... Como íamos gritar para eles? Como avisar: 'Não vão para lá! Estão atirando!'. Como? Os pássaros caíam, caíam no chão."

"Trouxeram uns integrantes da ss para fazermos curativos... Oficiais da ss. Uma enfermeira se aproximou de mim e perguntou:

'Como vamos fazer os curativos? Arrancamos ou fazemos normalmente?'

'Normalmente. São feridos...'

E fizemos os curativos normalmente. Depois, os dois fugiram. Foram capturados, e, para que não fugissem de novo, arranquei os botões da ceroula deles..."

"Quando me disseram... estas palavras: 'A guerra acabou!...'. Eu fui e me sentei na mesa de esterilização. Eu e o médico tínhamos combinado que, quando anunciassem: 'A guerra acabou', nos sentaríamos na mesa de esterilização. Íamos fazer alguma coisa improvável. Eu não deixava ninguém chegar perto da mesa, nem à distância de um tiro de canhão. Tinha luvas, máscara, avental esterilizado, e eu mesma entregava tudo de que precisavam: tampões, instrumentos... Mas aí fui lá e sentei na mesa...

Com o que sonhávamos? Em primeiro lugar, claro, com vencer, em segundo, ficar viva. Uma dizia: 'Quando acabar a guerra, vou ter um monte de filhos'; outra dizia: 'Eu vou entrar para a universidade', e alguém respondia: 'Já eu não saio mais do cabeleireiro, vou cuidar de mim'. Ou: 'Vou comprar um bom perfume. Vou comprar um cachecolzinho e um broche'.

E então chegou esse dia. De repente, todas nos acalmamos..."

"Tomamos uma vila... Estávamos procurando onde pegar água. Entramos em um pátio onde percebemos que havia um poço. Um poço de madeira entalhada... O dono da casa estava no chão do pátio, fuzilado... Sua cadela estava ao lado dele. Quando viu a gente, começou a ganir. Não entendemos imediatamente, mas ela estava chamando. Nos levou para a cabana... Fomos atrás dela. No terraço vimos o corpo da esposa e de três filhos.

A cadela sentou ao lado deles e começou a chorar. Chorar de verdade. Feito um ser humano..."

"Entrávamos em nossos povoados... De pé, restaram os aquecedores, e só isso. Só os aquecedores! Na Ucrânia, libertamos lugares onde não tinha sobrado nada, só cresciam melancias, as pessoas só comiam essas melancias e não tinham mais nada. Iam nos receber com melancias... Em vez de flores...

Voltei para casa. Em um abrigo na terra viviam minha mãe e os três filhos, nosso cachorrinho comia espinafre da montanha cozido. Cozinhavam o espinafre, eles mesmos comiam e davam para o cachorrinho. E ele comia... Antes da guerra, havia tantos rouxinóis na nossa terra, mas depois passamos dois anos sem ouvir o canto deles; toda a terra estava revirada, tinha vindo à tona, como se diz, o esterco dos nossos avós. Foi preciso arar de novo. Os rouxinóis só apareceram no terceiro ano. Onde estavam? Ninguém sabe. Só voltaram para o lugar de sempre depois de três anos.

As pessoas construíram casas, e aí os rouxinóis chegaram..."

* * *

"Quando vejo flores do campo, me lembro da guerra. Na época não colhíamos flores. Se fazíamos um buquê, era só quando enterrávamos alguém... Quando nos despedíamos..."

"Ê-ê, meninas, que infame é ela... Essa guerra... Vamos relembrar nossas amigas..."

“Não era eu”

O que fica gravado na memória, mais do que tudo?

Lembro de uma voz humana baixa, muitas vezes atônita. Uma pessoa que experimenta o espanto diante de si mesma, diante do que aconteceu com ela. O passado desapareceu, foi ofuscado por um turbilhão quente e se escondeu, mas a pessoa ficou. Ficou em meio à vida cotidiana. Tudo ao seu redor é costumeiro, menos a memória. Eu também me transformo em testemunha. Testemunha daquilo que as pessoas se lembram, e de como se lembram, do que querem falar, e do que tentam esquecer ou afastar para o canto mais distante da memória. Fechar a cortina. De como elas se desesperam na busca pelas palavras, e mesmo assim querem reconstituir o que desapareceu, na esperança de que a distância permita captar o sentido completo do passado. Ver e entender o que não viram e o que não entenderam na época. Lá. Examinam a si mesmas, se reencontram de novo. Muitas vezes já são duas pessoas — aquela e essa, uma jovem e uma velha. A pessoa durante a guerra e a pessoa depois da guerra. Bem depois da guerra. Sou o tempo todo tomada pela sensação de que estou escutando duas vozes ao mesmo tempo…

Lá mesmo, em Moscou, no Dia da Vitória, me encontrei com Olga Iákovlevna Oméltchenko. Todas as mulheres usavam vestidos de primavera, lenços claros, e ela estava de farda militar e boina. Era alta, forte. Não falou e não chorou. Passou o tempo todo calada, mas era um tipo de silêncio especial: suspeitava de que falava mais com o silêncio do que com palavras. Parecia falar consigo mesma o tempo todo. Já não precisava de mais ninguém.

Nos conhecemos, depois fui ao seu encontro em Pólotsk.

Diante de mim se descortinou mais uma página da guerra capaz de fazer qualquer fantasia se calar...

OLGA IÁKOVLEVNA OMÉLTCHENKO,
ENFERMEIRA-INSTRUTORA DE UMA COMPANHIA DE FUZILEIROS

"Eu era o talismã da mamãe... Minha mãe queria que eu evacuasse com ela; sabia que eu queria ir para o front e me amarrou à carroça que estava levando nossas coisas. Mas eu me desamarrei na surdina e fui: fiquei com um pedacinho da corda no braço...

Todos estavam viajando... Correndo... Onde iam se meter? E como chegar ao front? Encontrei um grupo de meninas na estrada. Uma delas disse: 'Minha mãe mora aqui perto, vamos para minha casa'. Chegamos de noite, batemos na porta. A mãe abriu, olhou para nós — estávamos sujas, esfarrapadas — e ordenou: 'Fiquem paradas'. Nós ficamos. Ela trouxe grandes panelas de ferro e nos mandou tirar a roupa. Lavamos a cabeça com cinzas (já não tinha mais sabão), subimos na estufa e caí num sono profundo. De manhã, a mãe dessa menina cozinhou *schi** e assou pão de

* *Schi*: sopa de repolho.

farelo com batata. Como aquele pão nos pareceu gostoso, como o *schi* pareceu doce! E assim passamos quatro dias ali, enquanto ela nos alimentava. Dava a comida de pouco em pouco, tinha medo de que morrêssemos por comer demais. No quinto dia, nos disse: 'Vão embora'. Antes disso tinha vindo uma vizinha, nós estávamos no fogão. A mãe nos fez um sinal com o dedo para que a gente ficasse calada. Nem para os vizinhos ela confessou que a filha estava em casa, todos sabiam que a menina estava no front. Ela era sua única filha, e a mãe não teve pena, não conseguia perdoar a vergonha do retorno. Pela filha não estar combatendo.

Ela nos acordou de noite e deu uma trouxa com comida. Abraçou cada uma e disse: 'Vão embora'..."

"Ela nem tentou deter a filha?"

"Não, beijou a menina e disse: 'Seu pai está lutando, vá lutar você também'.

Já na estrada essa menina me contou que era enfermeira e tinha sido cercada...

Por muito tempo a vida me jogou por vários lugares, e no fim fui parar na cidade de Tambov, arrumei emprego num hospital. A vida ali não era má, me recuperei dos tempos de fome, até fiquei rechonchudinha. Uma vez, quando completei dezesseis anos, me disseram que, como todas as enfermeiras, eu poderia doar sangue. Comecei a doar sangue todo mês. No hospital sempre estavam precisando de centenas de litros, nunca tinha o suficiente. Doava quinhentos centímetros cúbicos por vez, meio litro de sangue, duas vezes por mês. Recebia a ração de doador: um quilo de açúcar, um quilo de sêmola e um quilo de embutidos para recuperar as forças. Fiz amizade com a auxiliar, a tia Niura: ela tinha sete filhos, e o marido tinha morrido no começo da guerra. O filho mais velho, de onze anos, fora comprar a comida e perdeu o cartãozinho, então eu dava a eles minha ração de doadora. Uma vez, um médico me disse: 'Vamos escrever seu endereço, vai que aparece alguém que recebeu seu sangue'. Escrevemos o endereço e prendemos o papelzinho no frasco.

E eis que, um tempo depois, passados uns dois meses, não mais que isso, eu terminei meu turno e estava indo dormir quando alguém me sacudiu:

'Levante! Levante, seu irmão chegou.'

'Que irmão? Não tenho irmãos.'

Nosso alojamento ficava no último andar, e eu desci, olhei: era um jovem tenente, bonito. Perguntei:

'Quem chamou por Oméltchenko?'

Ele respondeu:

'Fui eu', e me mostrou o bilhetinho que eu e o médico tínhamos escrito. 'Veja... Sou seu irmão de sangue...'

Tinha trazido para mim duas maçãs e um saquinho de bombons — na época a gente não tinha como comprar bombons em lugar nenhum. Meu Deus! Como eram gostosos aqueles bombons! Fui falar com o diretor do hospital: 'Meu irmão veio me ver!'. Me deram folga. Ele me convidou: 'Vamos ao teatro'. Eu nunca tinha ido ao teatro na vida e estava indo com um rapaz, ainda por cima. Um rapaz bonito. Um oficial!

Ele foi embora alguns dias mais tarde, enviado para o front de Vorônej. Quando veio se despedir, abri a janela e acenei para ele. Não me deram folga: tínhamos recebido muitos feridos.

Eu não recebia cartas de ninguém, inclusive nem imaginava o que era isso: receber uma carta. E de repente me entregavam um triângulo; abri, e lá estava escrito: 'Seu amigo, o comandante do pelotão de metralhadoras... faleceu com valentia...'. Era ele, meu irmão de sangue. Tinha crescido num orfanato e, pelo visto, o único endereço que tinha era o meu. Meu endereço... Quando foi embora, ele pediu muito que eu continuasse naquele hospital, seria mais fácil me encontrar depois da guerra. 'É fácil se perder na guerra', temia. Um mês depois recebi essa carta, dizendo que tinha morrido. Fiquei muito mal. Foi um golpe no coração... Decidi com todas as minhas forças ir para o front e vingar meu sangue: eu sabia que, em algum lugar, meu sangue tinha sido derramado...

Mas não era tão fácil ir para o front. Escrevi três requerimentos para o chefe do hospital, e na quarta vez fui falar com ele:

'Se o senhor não me deixar ir para o front, vou fugir.'

'Está bem. Eu te dou o encaminhamento, se você está tão obstinada.'

O mais terrível, claro, é o primeiro combate. Porque você ainda não sabe de nada... O céu estrondeia, a terra estrondeia, parece que o coração vai explodir, que sua pele vai rasgar a qualquer momento. Eu não sabia que a terra podia estalar. Tudo estalava, tudo rugia. Tudo balançava... A terra inteira... Eu não conseguia... Como ia sobreviver a tudo aquilo... Achava que não ia aguentar... Fiquei com tanto medo que decidi: para não me acovardar, peguei minha carteirinha do Komsomol, molhei no sangue de um ferido, pus no bolso, ao lado do coração, e abotoei. E jurei para mim mesma que iria aguentar, que o mais importante era não me acovardar, porque se eu me acovardasse no primeiro combate, não daria mais um passo. Iam me tirar da linha de frente e me mandar para o batalhão médico. E eu só queria ficar na vanguarda, queria alguma vez ver um fascista cara a cara... Pessoalmente... Avançamos, caminhamos por um capim crescido até a altura do cinto. Havia vários anos que não semeavam ali. Era muito difícil andar. Isso foi na batalha de Kursk...

Depois do combate, o chefe do estado-maior mandou me chamar. Estava em uma isbazinha destruída, sem nada dentro. Tinha só uma cadeira, e ele estava de pé. Me mandou sentar:

'Olho para você e penso: o que te fez vir para esse inferno? Vão te matar como uma mosca. Isso aqui é a guerra! É um moedor de carne! Deixe-me transferir você, nem que seja para o batalhão médico. Se te matam tudo bem, mas e se ficar sem olhos, sem braços? Pensou nisso?'

Respondi:

'Camarada coronel, pensei. Mas só peço uma coisa: não me tire da companhia.'

'Certo, vá!', gritou comigo, até me assustei. E se voltou para a janela...

Os combates eram duros. Estive em confrontos corpo a corpo... É um horror... Não é para um ser humano... Batem, enfiam a baioneta, enforcam-se uns aos outros. Os ossos se quebram. Urros, gritos. Gemidos. E aquele estalo... Aquele estalo! Não dá para esquecer. O estalo dos ossos... A gente escuta o crânio estalando. Rachando... Até para a guerra isso é um pesadelo, não tem nada de humano aí. Não acredito em ninguém que diga que não sentiu medo na guerra. Os alemães se levantavam e andavam, sempre com as mangas arregaçadas até o cotovelo, e cinco ou dez minutos depois começava o ataque. Eu tremia. Tinha calafrios. Mas isso só até o primeiro tiro... Depois... Quando escutava o comando, já não me lembrava de mais nada, me levantava e corria junto com os outros. E já não pensava em medo. No dia seguinte não dormia, o medo vinha. Lembrava de tudo, de todos os detalhes, vinha a consciência de que podiam ter me matado, e dava um medo enorme. Logo depois de um ataque, era melhor não olhar para o rosto de ninguém: parecia outro, não era o rosto habitual das pessoas. Não conseguíamos erguer os olhos uns para os outros. Nem para as árvores olhávamos. Você ia falar com alguém, e a pessoa dizia: 'Saia daqui!'. Não consigo expressar o que era. Parecia que estavam todos anormais de alguma forma, e até parecia alguma coisa animalesca. Era melhor não ver. Até hoje não acredito que saí disso viva. Viva... Ferida, com lesões, mas inteira; não acredito...

Quando fecho os olhos, vejo tudo diante de mim novamente.

Um projétil caiu no depósito de munições, que se incendiou na hora. O soldado que estava ao lado, de vigia, começou a pegar fogo. Já era um pedaço de carne preta... Ele só pulava... Ficava saltando no mesmo lugar... E todos olhavam das trincheiras, mas ninguém se mexeu, ficaram todos perdidos. Eu peguei um lençol, fui até ele correndo, cobri o soldado e na mesma hora deitei em cima dele. Apertei-o contra o chão. A terra estava fria... Foi assim... Ele se debateu enquanto o coração não estourava, depois ficou quieto...

Estava coberta de sangue... Algum dos soldados mais velhos se aproximou, me abraçou, e o escutei dizendo: 'Quando a guerra acabar, mesmo se essa menina ficar viva, não tem como se tornar uma pessoa normal, está acabada'. Se eu estava no meio de tanto horror, ele disse, como ia sobreviver, ainda mais tão jovem?! Eu tremia como se estivesse tendo um ataque, me levaram debaixo do braço para o abrigo de terra. Minhas pernas não se aguentavam... Tremiam como se eu tivesse recebido uma corrente elétrica... É uma sensação indescritível...

E então o combate começou de novo... Em Sievsk, os alemães nos atacavam umas sete, oito vezes por dia. Naquele dia continuei tirando os feridos e as armas do campo de batalha. Me arrastei até o último, ele estava com o braço destroçado. Pendurado por uns pedacinhos... Pelas veias... Coberto de sangue... Precisava amputar o braço com urgência para fazer o curativo. Não havia outra maneira. Mas eu não tinha nem faca, nem tesoura. A bolsa chacoalhava tanto que elas tinham caído. O que fazer? Cortei aquela carne com os dentes. Cortei e enfaixei... Estava enfaixando, e o ferido dizia: 'Mais rápido, irmã. Vou lutar mais'. Estava delirando...

Alguns dias depois, quando os tanques vieram para cima de nós, dois soldados se acovardaram. Saíram correndo... Isso deixou toda a fila desnorteada... Muitos de nossos camaradas morreram. Alguns feridos que tinham sido arrastados por mim para uma cratera de explosão foram capturados. Um veículo devia estar vindo buscá-los... Mas, quando aqueles dois se acovardaram, um pânico se instalou. Largaram até os feridos. Depois fomos ao lugar onde eles jaziam: uns com os olhos arrancados, outros com a barriga rasgada... Eu, quando vi isso, mudei do dia para a noite. Eu que havia reunido todos no mesmo lugar... Eu... Fiquei com tanto medo...

De manhã, posicionaram todo o batalhão em formação, trouxeram aqueles dois covardes e puseram na nossa frente. Alguém leu a ordem de fuzilamento. Precisavam de sete pessoas para executar a sentença. Três pessoas se apresentaram, o resto ficou parado. Peguei o fuzil e me apresentei. Quando me apresentei... Uma garota... Todos vieram atrás de mim... Não podíamos perdoá-los. Era por causa deles que aquelas pessoas tinham morrido!

Executamos a sentença... Baixei o fuzil e me deu um medo... Me aproximei deles... Estavam no chão... Um deles tinha um sorriso vivo no rosto...

Não sei se os perdoaria agora. Não sei dizer... Não vou mentir. Às vezes quero chorar. Não consigo...

Na guerra, me esqueci de tudo. Da minha vida anterior. De tudo... Até do amor...

O comandante da companhia de batedores se apaixonou por mim. Mandava os soldados entregarem bilhetinhos. Fui a um encontro com ele. 'Não', falei. 'Amo um homem que há tempo já não está entre os vivos.' Ele chegou bem perto de mim, me olhou direto nos olhos, deu a volta e foi embora. Estavam atirando, e ele caminhava sem nem se abaixar... Depois — isso já foi na Ucrânia —, nós libertamos um grande povoado. Pensei: 'Vou andar por aí, olhar'. O tempo estava bom, as cabaninhas eram brancas. E atrás do povoado havia algumas tumbas, a terra estava fresca... Quem tinha morrido na batalha por aquele povoado estava enterrado ali. Eu não sabia, mas alguma coisa me puxava para lá. Nas plaquinhas havia uma fotografia e o sobrenome. Uma em cada túmulo... De repente, vi um rosto conhecido... Era o comandante da companhia de batedores que tinha declarado amor por mim. E o sobrenome dele... Fiquei aturdida. Um medo com uma força tamanha... Como se ele estivesse me vendo, como se estivesse vivo... Naquela hora, os rapazes dele, de sua companhia, estavam vindo para o túmulo. Todos me conheciam, eram eles que me traziam os bilhetinhos. Nenhum olhou para mim, como se eu não existisse. Eu era invisível. Depois, quando me encontrava com eles, parecia que... É o que eu acho... Que eles queriam que eu tivesse morrido. Achavam difícil ver que eu estava... viva... Era o que eu sentia... Como se para eles eu fosse culpada... E para ele também...

Voltei da guerra e fiquei bastante doente. Passei muito tempo indo de um hospital a outro, até que fui parar nas mãos de um velho professor. Ele passou a cuidar do meu tratamento... Tratou de mim mais com palavras do que com remédios, me explicou qual era minha doença. Disse que, se eu tivesse ido para o front com dezoito, dezenove anos, meu organismo já estaria fortalecido, mas como fui parar lá com dezesseis — é muito cedo —, fiquei fortemente traumatizada. 'Claro, uma coisa é tomar remédios', ele explicou, 'isso pode curar você, mas se quiser recuperar a saúde, se quiser viver, meu único conselho é: case e tenha muitos filhos. Só isso pode te salvar. A cada filho o organismo vai se restabelecendo.'"

"Quantos anos você tinha?"

"Quando a guerra acabou eu estava com dezenove. Claro, nem pensava em casar."

"Por quê?"

"Eu me sentia muito cansada, muito mais velha do que as pessoas da minha idade, uma senhora, mesmo. Minhas amigas dançavam, se alegravam, e eu não conseguia, olhava para vida com olhos de velha. A partir de outro mundo... Uma velha! Uns rapazes vinham flertar comigo. Uns pirralhos. Mas eles não viam minha alma, o que se passava dentro de mim. Eu lhe contei um dia... O da batalha de Sievsk. Só um dia... Depois dele, à noite, meus ouvidos jorravam sangue. De manhã acordei como se tivesse passado por uma doença grave. O travesseiro estava cheio de sangue.

E no hospital? Atrás do biombo ficava uma grande bacia de operação, onde colocávamos os braços e as pernas cortados... Um capitão veio trazer um camarada ferido da linha de frente. Não sei como foi parar lá, mas quando viu essa bacia... desmaiou.

Posso passar muito tempo lembrando. Sem parar... Mas o que é o mais importante?

Eu me lembro dos sons da guerra. Ao seu redor tudo troveja, retine e treme por causa do fogo... A alma de uma pessoa envelhece durante a guerra. Depois da guerra, nunca mais fui jovem... Isso é o mais importante. É o que eu acho..."

"Você se casou?"

"Sim, casei. Tive e criei cinco filhos. Cinco meninos. Meninas, Deus não me deu. O que mais me surpreende é que, depois de tanto medo e horror, eu tenha conseguido ter filhos tão bonitos. Terminei sendo uma boa mãe, uma boa avó.

Agora, me lembro de tudo e parece que não era eu, e sim alguma outra garota..."

Estava voltando para casa com quatro fitas cassete (dois dias de conversa) sobre "mais uma guerra", e uma variedade de sensações: comoção e medo, perplexidade e admiração. Curiosidade e confusão, ternura. Em casa, relatei alguns desses episódios para amigos. Para minha surpresa, todos reagiram da mesma forma: "É terrível demais. Como ela aguentou? Não enlouqueceu?". Ou: "Estamos acostumados a ler sobre outra guerra, uma guerra com uma fronteira muito precisa: eles-nós, bem-mal. E aqui?". Mas notei que todos ficaram com os olhos marejados, todos ficaram pensativos. Com certeza refletiam sobre o mesmo que eu. Já aconteceram milhares de guerras no planeta (recentemente, li que se estimavam mais de 3 mil, entre grandes e pequenas), mas talvez a guerra fosse um dos principais mistérios da humanidade, e continua sendo. Nada mudou. Tento reduzir a grande história a uma escala humana para entender alguma coisa. Encontrar as palavras. Mas parece que, nesse território pequeno e cômodo para o olhar — o espaço de uma alma humana —, tudo é ainda mais incompreensível, menos previsível do que na história. Tenho diante de mim lágrimas vivas, sentimentos vivos. Uma face viva, humana, pela qual passam sombras de dor e medo durante a conversa. Às vezes até se insinua a ideia subversiva de uma quase imperceptível beleza do sofrimento humano. E então me assusto comigo mesma...

O caminho é um só: amar o ser humano. Compreendê-lo pelo amor.

"Até agora me lembro daqueles olhos..."

Prossigo com minha busca... Mas dessa vez não preciso ir longe...

A rua onde vivo em Minsk leva o nome de um herói da União Soviética, Vassíli Zakhárovitch Korj — combatente da Guerra Civil, soldado na Espanha, comandante de uma brigada de *partisans* na Guerra Patriótica. Todo bielorrusso leu algum livro sobre ele, ao menos na escola, ou assistiu a algum filme. É uma lenda bielorrussa. Apesar de escrever seu nome centenas de vezes em envelopes e formulários de telegramas, nunca pensei nele como uma pessoa real. Há muito tempo o mito tomou o lugar da pessoa viva. Tornou-se seu duplo. Mas dessa vez estou andando por essa rua conhecida com um sentimento novo: daqui a meia hora de trólebus até o outro lado da cidade, vou ver suas filhas — as duas lutaram no front — e sua mulher. Diante dos meus olhos, a lenda vai renascer e se transformar em uma vida humana, vai descer até o chão. O grande se tornará pequeno. Mesmo que eu goste de olhar para o céu e para o mar, o que mais me fascina é ver o grão de areia pelo microscópio. O mundo em uma gota. Essa vida grande e improvável que estou descobrindo ali. Como chamar o pequeno de pequeno, e o grande de grande, quando um e outro são igualmente infinitos? Já faz tempo que não os diferencio. Para mim, uma pessoa já é tanto. Dentro dela há de tudo — é possível se perder ali.

Encontro o endereço certo, de novo um prédio de vários andares, maciço e desajeitado. Na terceira entrada, aperto o botão do sétimo andar no elevador.

Quem abre a porta é a mais nova das irmãs: Zinaída Vassílievna. Tem as mesmas sobrancelhas largas e o olhar teimoso e franco que se vê nas fotografias do pai.

"Nos reunimos todas. De manhã, minha irmã Ólia chegou de Moscou. Mora lá. É professora na universidade Patrice Lumumba. Nossa mãe também está aqui. Viu, graças a você nos encontramos."

As irmãs Olga Vassílievna e Zinaída Vassílievna Korj foram enfermeiras-instrutoras nos esquadrões de cavalaria. Sentam-se lado a lado e olham para a mãe, Fiodóssia Alekséievna.

Ela começou:

"Estava tudo em chamas... Disseram-nos para evacuar... Passamos muito tempo viajando. Chegamos à região de Stalingrado. As mulheres e as crianças se deslocavam para a retaguarda, e os homens vinham de lá. Motoristas de ceifadeira, de trator, todos estavam indo. Caminhões lotados. Lembro de um que se levantou e gritou: 'Mães, irmãzinhas! Vão para a retaguarda colher trigo, para que a gente possa vencer o inimigo!'. E então todos tiraram o gorro e olharam para nós. De nossa parte, tudo o que conseguimos levar foram nossos filhos. E os carregávamos. Uns no colo, outros pela mão. E ele pedindo: 'Mães, irmãzinhas! Vão para a retaguarda, colher trigo...'."

Depois, durante toda a nossa conversa ela não proferiu mais nenhuma palavra. As filhas às vezes faziam carinho nas mãos dela em silêncio, tranquilizando-a.

ZINAÍDA VASSÍLIEVNA

"Morávamos em Pinsk... Eu tinha catorze anos e meio, Ólia tinha dezesseis, e nosso irmão Liônia, treze. Exatamente naquele dia mandamos Ólia para uma colônia de férias, e nosso pai queria nos levar para a aldeia. Para ver os parentes do lado dele... Mas naquela noite ele não dormiu em casa. Trabalhava no Comitê Regional do Partido e recebeu um chamado à noite; só voltou para casa de manhã. Correu para a cozinha, comeu alguma coisa e disse:

'Crianças, a guerra começou. É melhor vocês não irem a lugar nenhum. Esperem por mim.'

Naquela noite fomos embora. Uma das lembranças da Espanha mais queridas do meu pai era uma espingarda de caça, um objeto precioso, com cartucheira. Era um prêmio pela coragem. Ele jogou a espingarda para o meu irmão:

'Agora você é o mais velho, é um homem, precisa cuidar da sua mãe, das maninhas...'

Guardamos essa espingarda por toda a guerra. Tudo o que tínhamos de valioso foi vendido ou trocado por pão, mas a espingarda nós guardamos. Não conseguíamos nos separar dela. Era uma lembrança do nosso pai. Ele também jogou para nós no carro uma peliça grande, sua roupa mais quente.

Na estação, pegamos o trem, mas antes de chegar a Gômel nos vimos debaixo de bombardeio pesado. Deram o comando: 'Saiam dos vagões, deitem-se entre os arbustos!'. Quando terminou o bombardeio... No começo pairou um silêncio, depois vieram os gritos... Todos correndo... Minha mãe e meu irmão conseguiram subir num vagão, mas eu fiquei. Estava muito assustada... Muito! Nunca tinha estado sozinha. E estava ali, só. Acho que até perdi a fala por um tempo... Fiquei muda... Me perguntavam alguma coisa, e eu ficava em silêncio... Depois, grudei em alguma mulher, fiquei ajudando a fazer curativos nos feridos: ela era médica. Chamavam-na de 'camarada capitã'. Viajei com ela até uma unidade médica. Cuidavam de mim, me davam comida, mas logo perceberam:

'Quantos anos você tem?'

Entendi que, se dissesse a verdade, me mandariam para algum orfanato. Isso eu compreendi no caminho. Bem, eu já não queria me separar daquelas pessoas fortes. Queria lutar como elas. O tempo todo nos metiam na cabeça, meu pai também dizia isso, que íamos lutar em território estrangeiro, que tudo isso era temporário, a guerra logo terminaria em vitória. Como isso ia acontecer sem mim? Eram esses os meus pensamentos infantis. Disse que tinha dezesseis anos, e me deixaram ficar. Logo me mandaram para um curso. Passei uns quatro meses estudando. Cuidava dos feridos e estudava ao mesmo tempo. Me acostumei à guerra... Claro, tinha que me acostumar. Não estudei na escola, mas ali mesmo, no batalhão médico. Estávamos recuando e levávamos os feridos conosco.

Não íamos pelas estradas: podiam bombardear ou abrir fogo. Íamos por pântanos e pela margem das estradas. Caminhávamos de um jeito desordenado. Várias unidades. Se nos concentrávamos em algum lugar, então ali havia um combate. E andávamos, andávamos e andávamos. Caminhávamos pelos campos. Mas que colheita que nada! A gente ia pisoteando o centeio. E a colheita naquele ano foi algo inédito, o trigo crescia alto. Grama verde, o sol ali, e os mortos no chão, sangue. Pessoas e animais mortos. Árvores negras... Estações de trem destruídas... Pessoas queimadas penduradas em vagões negros... Assim chegamos a Rostóv.

Lá, fui ferida em um bombardeio. Recuperei a consciência no trem e escutei um soldado ucraniano, já idoso, latindo para um jovem: 'Mas nem sua esposa no parto chorou como você está chorando agora'. Quando viu que eu tinha aberto os olhos, disse: 'Grite, querida, grite. Fica mais fácil. Você pode'. Lembrei da minha mãe e comecei a chorar...

Depois do hospital me deram umas férias e tentei procurar minha mãe. Ela estava me buscando, e minha irmã Ólia também procurava por nós. Ah, foi um milagre! Nos encontramos através de uns conhecidos de Moscou. Todas escrevemos para o endereço dele, e assim nos achamos. Um milagre! Minha mãe estava morando perto de Stalingrado, em um colcoz. Fui para lá.

Isso foi no final de 1941...

Como eles viviam? Meu irmão trabalhava no trator, ainda era uma criança, tinha treze anos. No começo, fora rebocador, mas quando levaram todos os tratoristas para o front ele assumiu um trator. Trabalhava dia e noite. Minha mãe ia atrás do trator ou se sentava ao lado dele; tinha medo de que ele dormisse ou caísse.

Os dois dormiam no chão da casa de alguém... Nunca tiravam a roupa porque não tinham com que se cobrir. Assim era a vida deles... Logo chegou Ólia e recebeu o cargo de contadora. Mas ela sempre escrevia para o centro de alistamento pedindo para ir para o front, e a resposta era sempre negativa. Então decidimos — eu já era uma guerreira — que iríamos as duas para Stalingrado e lá íamos encontrar alguma unidade. Tranquilizamos nossa mãe, mentimos para ela dizendo que iríamos para Kuban, para uns lugares de gente rica — nosso pai tinha conhecidos por lá...

Eu tinha meu capote velho, a *guimnastiorka*, dois pares de calças. Dei um para Ólia, ela não tinha nada. Mesmo as botas, só tínhamos um par para as duas. Mamãe tricotou para nós uns sapatos de lã de ovelha, não eram meias, pareciam umas pantufas:

eram quentes. Andamos sessenta quilômetros a pé até Stalingrado: uma calçava as botas, a outra ia com as pantufas da mamãe, depois trocávamos. Caminhávamos em um frio terrível, era fevereiro, congelamos e passamos fome. O que mamãe tinha cozinhado para a viagem? Preparou umas galantinas com ossos e umas panquecas. Passávamos muita fome... Se dormíamos, sonhávamos com comida. Eu sonhava com bisnagas de pão voando acima de mim.

Chegamos a Stalingrado, mas não era para nós. Ninguém queria nos escutar. Então decidimos viajar para Kuban, como mamãe tinha mandado, para a casa dos amigos do meu pai. Subimos num trem mercante: eu vestia o capote e ficava sentada, Ólia ia debaixo do banco. Depois trocávamos de roupa e eu ia para debaixo do banco, Ólia ficava sentada. Os militares não criaram caso. Não tínhamos dinheiro nenhum.

Chegamos a Kuban... Por algum milagre... Achamos os conhecidos. Lá, ficamos sabendo que um corpo voluntário de cossacos estava sendo formado. Era o Quarto Corpo da Cavalaria Cossaca, que depois se tornou um corpo da guarda. Era composto apenas de voluntários. Tinha gente de todas as idades: cossacos que em outros tempos tinham lutado com Budiônni e Vorochílov, e gente jovem. Fomos aceitas. Até hoje não sei por quê. Talvez porque pedimos muito. Não tinham para onde nos mandar. Fomos alistadas no mesmo esquadrão. Deram uma farda e um cavalo para cada uma. Era preciso dar de comer e de beber ao cavalo, cuidar dele, fazer de tudo. Ainda bem que tivéramos um cavalo na infância, eu estava acostumada ao animal, tinha pegado gosto. Quando me deram um cavalo, montei e não tive medo. Não deu tudo certo imediatamente, mas eu não tinha medo. Era um cavalinho pequeno, com rabo até o chão, mas veloz e obediente, e eu aprendi a montar rápido. Até me exibia... Depois já cavalgava cavalos húngaros e romenos. Me afeiçoei tanto aos cavalos, aprendi tanto que até agora não consigo passar na frente de um cavalo com indiferença. Dou um abraço nele. Dormíamos embaixo das patas dos cavalos, e ele mexia devagarzinho, sem esbarrar na pessoa. Um cavalo nunca pisa num cadáver, e se a pessoa está viva, mas só ferida, ele nunca vai embora nem abandona. É um animal muito inteligente. Para um soldado da cavalaria, o cavalo é um amigo. Um amigo fiel.

Meu batismo de guerra... Foi quando nosso corpo participou da resistência a um ataque de tanques, perto da aldeia de Kuchôvskaia. Depois desse combate de Kuchôvskaia — tornou-se um ataque famoso dos cossacos de Kuban — o corpo recebeu a denominação de Corpo de Guarda. O combate foi terrível... Para mim e para Ólia foi o mais assustador, porque ainda tínhamos muito medo. Apesar de na época considerar que já tinha combatido e sabia o que era, eu... Pois bem... Quando os soldados da cavalaria atacaram, foi como uma avalanche: as *tcherkéski** ondulando, os sabres erguidos, os cavalos bufando; e um cavalo, quando corre, tem tamanha força... Pois essa avalanche toda foi de encontro aos tanques, contra a artilharia, parecia um sonho de vida após a morte. Era irreal... Tinha muitos fascistas, estavam em superioridade numérica, vinham com os fuzis automáticos em riste, ao lado dos tanques — e eles não conseguiram conter essa avalanche, entende?, não conseguiram conter. Largavam os fuzis... Largavam as armas e saíam correndo... Imagine essa cena..."

OLGA VASSÍLIEVNA SOBRE A MESMA BATALHA

"Eu estava tratando os feridos. Ao meu lado tinha um fascista, pensei que estava morto e não prestei atenção nele, mas só es-

* *Tcherkeska*: casaco circassiano.

tava ferido… E ele quis me matar… Quando senti alguém me empurrando, me virei para ele. Consegui dar um chute. Não o matei, mas também não fiz nenhum curativo, fui embora. Tinha uma ferida na barriga…”

ZINAÍDA VASSÍLIEVNA CONTINUA

“Eu estava acompanhando um ferido e de repente vi dois alemães saindo de detrás de um tanquete. O tanquete tinha sido destruído, mas, pelo visto, eles tinham conseguido saltar para fora. Foi um segundo! Se eu não tivesse dado uma rajada a tempo, eles teriam me fuzilado, e ao ferido também. Foi tudo muito inesperado. Depois do embate me aproximei deles, estavam deitados com os olhos abertos. Até hoje me lembro daqueles olhos… Um deles era tão bonito, um alemão jovem… Dava pena, mesmo que fosse fascista, não importa… Esse sentimento não me abandonou por muito tempo: não queria matar, entende? Tive tanto ódio na minha alma: para que eles vieram para nossa terra? Matar alguém, você mesma, é terrível. Não há outra palavra… É muito terrível. Quando é você…

A batalha terminou. As *sótnias** cossacas começaram a se deslocar, mas não encontrava Ólia. Eu estava atrás de todos, indo por último, observando. Já era noite. E nada de achar Ólia… Soube que eles — ela e mais algumas outras pessoas — tinham ficado para trás para recolher os feridos. Eu não podia fazer nada, fiquei esperando. Ficava para trás em relação à minha *sótnia*, esperava, depois alcançava de novo. Ia chorando: será que minha irmã caiu na primeira batalha? Onde está? O que houve com ela? Talvez esteja morrendo em algum lugar, me chamando…

* *Sótnia*: unidade militar cossaca.

"Ólia... Ólia também estava em prantos... Me encontrou de madrugada... Todos os cossacos choraram quando viram nosso reencontro. Nos penduramos uma na outra, não conseguíamos nos separar. E aí ficou claro que não conseguiríamos, que não íamos aguentar ficar juntas. Era melhor se separar. O coração não ia aguentar se uma morresse na frente da outra. Tomamos essa decisão, eu devia pedir para ser transferida para outro esquadrão. Mas como a gente ia se separar...? Como?

Dali em diante, combatemos separadas, no começo em esquadrões diferentes, depois até em divisões diferentes. Só dizíamos 'oi'; se a oportunidade aparecesse, confirmávamos que a outra estava viva... A morte espreitava a cada passo. Esperava... Lembro como foi no Ararat... Estávamos na areia. O Ararat fora tomado pelos alemães. Era Natal, eles estavam comemorando. Entre os nossos, selecionaram um esquadrão e uma bateria de quarenta milímetros. Avançamos por volta das cinco horas, caminhamos por toda a madrugada. Ao amanhecer encontramos nossos batedores, que tinham saído antes.

Mais abaixo havia um povoado... Como um cálice... Os alemães nunca imaginariam que conseguiríamos atravessar aquela areia, por isso tinham erguido poucas defesas. Atravessamos a retaguarda deles de forma bastante silenciosa. Corremos para a montanha, imediatamente rendemos os guardas e entramos no povoado como um raio. Os alemães saíram nus, só com os fuzis automáticos nas mãos. Tinham árvores de Natal... Estavam todos bêbados... Em cada pátio havia no mínimo dois ou três tanques. Tanquetes, veículos blindados... Tudo quanto é tecnologia. Nós os abatemos ali mesmo, e foi um tiroteio, uma barulheira, um pânico... Todos correndo... As condições eram tais que todos tinham medo de cair. Estava tudo em chamas... Inclusive as árvores de Natal...

Eu cuidava de oito feridos... Levei-os para cima, para a montanha... Mas, pelo visto, nós cometemos um erro: não cortamos as conexões. A artilharia alemã abriu fogo sobre nós: de morteiros e armas de longo alcance. Logo pus meus feridos em uma carroça médica, e eles foram embora... Então, diante dos meus olhos, caiu um projétil nessa charrete e tudo voou pelos ares. Quando vi, só tinha sobrado uma pessoa viva. E os alemães já estavam subindo a montanha... O ferido pedia: 'Me deixe aqui, irmã... Me deixe aqui, irmã... Eu já estou morrendo...'. Estava com a barriga destruída... As vísceras... Tudo isso... Ele mesmo as estava recolhendo e empurrando para dentro...

Pensei que meu cavalo estava banhado em sangue por causa desse ferido, mas vi que ele também estava ferido na anca. Gastei um kit de primeiros socorros inteiro com ele. Eu tinha conseguido um pouco de açúcar, dei a ele. Já estavam atirando de todos os lados, não dava para entender onde estavam os alemães e onde estavam os nossos. A cada dez metros eu encontrava um ferido. Pensei: 'Tenho que achar uma carroça e recolher todos'. Segui em frente, vi uma ladeira e, embaixo, três estradas: uma para um lado, uma para outro e uma que ia reto. Fiquei desnorteada... Para onde ir? Segurava a rédea com firmeza. O cavalo iria para o lado que eu determinasse. Mas, não sei, algum tipo de instinto me soprou isso, em algum lugar eu tinha ouvido falar que o cavalo fareja a estrada, então, antes de chegar a essa bifurcação, soltei a rédea, e o cavalo foi numa direção totalmente diferente da que eu mesma teria ido. Andou, andou e andou.

Eu já estava sem forças, para mim dava no mesmo a direção que ele tomaria. O que será será. Ele andou e andou, depois ficou mais contente, ia abanando a cabeça, e aí eu levantei as rédeas, segurei. Inclinei-me e segurei sua ferida com a mão. Ele estava alegre, depois: rirriri, relinchou, deve ter escutado alguém. Tive receio: e se fosse um alemão? Decidi deixar o cavalo ir antes, mas eu mesma vi uns rastros recentes: uma trilha aberta por pisadas de cavalos e pelas rodas de uma *tatchanka*;* por ali tinham passado no mínimo cinquenta pessoas. A uns duzentos, trezentos metros o cavalo deu de cara com uma carroça. Dentro dela havia alguns feridos, e nessa hora vi o resto do nosso esquadrão.

Mas em nosso socorro já estavam vindo charretes e *tatchankas*... A ordem era recolher a todos. Recolhíamos gente debaixo de balas, de bombardeios, recolhemos todos, até o último: tanto feridos quanto mortos. Eu também fui na *tatchanka*. Estavam todos lá, inclusive aquele ferido na barriga, levei todos. Só ficaram os cavalos metralhados. O dia já tinha amanhecido, nós andávamos e víamos uma manada inteira no chão. Cavalos tão bonitos, fortes... O vento agitava suas crinas..."

Toda a parede do cômodo grande em que nos encontramos está ocupada por ampliações de fotografias das irmãs antes da guerra e no front. Em uma ainda estavam na escola, de chapeuzinho e segurando flores. A foto fora tirada duas semanas antes do começo da guerra. Rostos infantis comuns, risonhos, um pouco controlados pela importância do momento e pelo desejo de parecerem adultas. Em outra já estão de *tcherkéski* cossacos, com uma capa de feltro da cavalaria. Fotografadas em 1942. Uma diferença de dois anos, mas o rosto já é diferente, são pessoas diferentes. Quando estava no front, Zinaída Ivánovna mandou essa foto para a mãe: na *guimnastiorka* aparece a primeira Medalha por Bravura. Em uma outra, vemos as duas no Dia da Vitória... Gravo na memória o movimento do rosto: de traços suaves e infantis para um olhar feminino seguro, até um pouco rígido, severo. É difícil de acreditar que essa transformação aconteceu em uns poucos meses, anos. O tempo corriqueiro executa esse trabalho de forma mais lenta e imperceptível. O rosto de uma pessoa demora para ser moldado. Lentamente a alma vai se desenhando nele.

* Carruagem com metralhadora.

Mas a guerra criava rapidamente sua imagem nas pessoas. Desenhava seu retrato.

OLGA VASSÍLIEVNA

"Ocupamos uma grande aldeia. Tinha umas trinta casas. Haviam montado um hospital alemão ali. No prédio do hospital local. A primeira coisa que vi foi que tinham cavado uma grande cova em um pátio, e uma parte dos feridos estava ali, fuzilada — antes de sair, os próprios alemães fuzilaram seus feridos. Pelo visto, eles pensaram que faríamos isso. Que nos comportaríamos como eles em relação aos nossos. Só sobrou uma enfermaria, não tinham conseguido chegar a ela, talvez tivesse faltado tempo, ou talvez a tenham abandonado porque todos tinham perdido a perna.

Quando entramos na enfermaria, eles nos olhavam com ódio: pelo visto, achavam que tínhamos ido para matá-los. O tradutor disse que não matávamos feridos, e sim tratávamos. Então um começou a pedir: disse que estavam sem comer fazia três dias e que havia três dias não trocavam os curativos. Olhei e, de fato, estava um horror. Fazia tempo que um médico não os examinava. As feridas tinham supurado, os curativos tinham se encravado no corpo."

"Você teve pena deles?"

"Não posso chamar o que sentia na época de pena — pena é alguma forma de compaixão. Isso eu não sentia. Era diferente... Tivemos um caso... Um soldado tinha batido em um prisioneiro... Eu achava isso inaceitável e intercedi, apesar de entender... Era um grito da alma... Ele me conhecia, era mais velho que eu e, claro, praguejou. Mas não bateu mais. Só que me cobriu de palavrões: 'Você esqueceu, filha da p...? Esqueceu como eles são, filha da p...?'. Eu não tinha esquecido nada, me lembrava daquelas botas... De quando os alemães puseram diante das trincheiras uma fileira de botas com pernas cortadas. Era inverno, elas ficaram de pé, feito estacas... Aquelas botas... Era só isso que víamos de nossos camaradas... O que sobrara...

Lembro de como os marinheiros vieram ajudar... Muitos deles morreram nas explosões de minas, tínhamos chegado a um grande campo minado. Esses marinheiros passaram muito tempo no chão. Expostos ao sol... Os cadáveres incharam, pareciam melancias com as camisas listradas de marinheiro. Melancias grandes em um campo grande. Gigantescas.

Não tinha esquecido, não tinha esquecido de nada. Mas não podia bater em um prisioneiro, no mínimo porque ele estava indefeso. Cada um decidia por si, e isso era o importante."

ZINAÍDA VASSÍLIEVNA

"Numa batalha perto de Budapeste. Era inverno... Eu estava arrastando um sargento ferido, comandante de uma guarnição de metralhadoras. Eu estava vestida de calça e blusão e usava uma *uchanka*. Estava arrastando e vi uma neve preta... Carbonizada... Entendi que era uma cratera profunda causada por alguma explosão, exatamente do que precisava. Desci no buraco e ali havia alguém vivo — senti que estava vivo e ouvi uma espécie de rangido metálico... Me voltei e vi um oficial alemão ferido, estava ferido nas pernas, deitado, e apontando o fuzil para mim. Escapara um pouco de cabelo do meu gorro, eu levava uma bolsa de enfermeira no ombro e nela tinha uma cruz vermelha. Quando me voltei, e ele viu meu rosto, entendeu que era uma garota e fez: 'Rá!'. Quer dizer, descansou daquela tensão e largou o fuzil. Ficou indiferente...

E ficamos nós três naquele buraco — nosso ferido, eu e o alemão. A cratera era pequena, nossos pés ficavam juntos. Eu estava coberta do sangue deles, nosso sangue estava se misturando. O alemão tinha uns olhos enormes e ficava olhando para mim com esses olhos: o que eu ia fazer? Fascista maldito! Tinha largado o fuzil na hora, entende? Aquela cena... Nosso ferido não entendia o que estava acontecendo, estava procurando a pistola... Se esticava, queria enforcar o alemão... E ele me olhando... Até hoje me lembro daqueles olhos... Estava fazendo o curativo no nosso, e o outro deitado em cima do sangue, se esvaindo em sangue; uma de suas pernas estava totalmente destruída. Mais um pouco e ele morreria. Eu entendia isso muito bem. E, antes de terminar o curativo no nosso ferido, rasguei a roupa do outro, do alemão, fiz um curativo e pus um torniquete. Depois voltei para o nosso. O alemão disse: "*Gut. Gut*".* Só repetia essa palavra. Nosso ferido, até perder a consciência, ficou gritando comigo... Me ameaçando... Eu fazia carinho nele, acalmava. Chegou o veículo médico, eu arrastei os dois para fora... E pus no carro. O alemão também. Entende?"

OLGA VASSÍLIEVNA

"Quando os homens viam uma mulher na linha de frente, o rosto deles parecia outro; até com o som de uma voz feminina eles se transformavam. Uma noite, sentei ao lado do abrigo e comecei a cantar baixinho. Pensava que estavam todos dormindo e que ninguém estava escutando, mas de manhã o comandante disse: 'Nós não dormimos. Estávamos com tanta saudade de uma voz de mulher...'.

Estava fazendo curativos em um tanquista... Foi durante uma batalha, com todo aquele estrondo. Ele me perguntou: 'Mo-

* "Bom. Bom", em alemão no original.

ça, como você chama?'. Até me fez um elogio. Foi tão estranho, no meio daquelas explosões, daquele horror, pronunciar meu nome: Ólia. Sempre tentei andar bem cuidada, severa. E muitas vezes me diziam: 'Meu Deus, ela esteve na guerra mesmo? É tão limpinha'. Tinha muito medo de, se me matassem, ficar feia. Via muitas moças mortas... Na lama, na água... Bem... Desse jeito... Eu não queria morrer assim... Às vezes eu me escondia de um bombardeio e não pensava tanto em não ser morta, e sim em esconder o rosto. Os braços. Acho que todas as nossas meninas pensavam nisso. Os homens riam de nós, achavam isso divertido. Diziam que não estávamos pensando na morte, e sim o diabo sabe em quê, em alguma coisa idiota. Em bobagens de mulher."

ZINAÍDA VASSÍLIEVNA

"Não se pode domar a morte... Não... Acostumar-se a ela... Fomos para as montanhas, para nos afastar dos alemães. E sobraram cinco pacientes com ferimentos abdominais graves. Todos estavam feridos na barriga, essas feridas são fatais — um dia, dois, e eles morreriam. Não conseguiríamos levá-los, não tinha como. Deixaram a mim e a uma outra enfermeira-instrutora, Oksánotchka, com eles em um galpão e prometeram: 'Voltamos daqui a dois dias para levar vocês'. Vieram nos buscar três dias depois. Passamos três dias com aqueles feridos. Estavam plenamente conscientes, eram homens fortes. Não queriam morrer... Nós só tínhamos uns pós, nada mais... Pediam para beber alguma coisa o tempo todo, mas eles não podiam beber nada. Uns entendiam, outros praguejavam. Era um palavrão atrás do outro. Um jogou a caneca, outro jogou a bota... Foram os três piores dias da minha vida. Morreram diante dos nossos olhos, um atrás do outro, e nós só ficamos olhando...

A primeira condecoração... Me concederam a Medalha por Bravura. Mas não fui recebê-la. Estava ofendida. Que engraçado, juro! Entende por quê? À minha amiga concederam uma Medalha de Mérito Militar, e para mim uma Medalha por Bravura. Mas ela só tinha estado em uma batalha, e eu já tinha participado da batalha de Kuschôvskaia e de outras operações. Fiquei ofendida: por um combate ela já recebia pelos "méritos militares", vários méritos, e eu, só "por bravura", como se só tivesse dado as caras uma vez. O comandante veio e caiu na risada quando soube do que se tratava. Me explicou que a Medalha por Bravura era a mais importante, era quase uma ordem.

Perto de Makêievka, em Donets, fui ferida no quadril. Entrou um pequeno estilhaço, como uma pedrinha, e ficou ali. Senti o sangue, fiz um curativo com o kit de primeiros socorros. Depois continuei correndo, fazendo curativos. Estava com vergonha de dizer a alguém que era uma menina ferida, e justo onde? Na nádega. Na bunda... Aos dezesseis anos dá vergonha dizer isso para alguém. É incômodo admitir. Bem, e aí fiquei correndo, tratando dos feridos, até cair inconsciente por perda de sangue. Enchi as botas inteiras...

Os nossos olharam e, pelo visto, concluíram que eu estava morta. Os auxiliares de enfermagem viriam e recolheriam o corpo. O combate seguiu acontecendo. Mais um pouco, e eu teria morrido. Mas uns tanquistas estavam fazendo o reconhecimento e notaram que tinha uma moça no campo de batalha. Eu estava sem meu gorro, ele tinha caído. Viram sangue escorrendo por baixo de mim, isso significava que eu estava viva. Levaram-me para o batalhão médico. De lá, fui levada para o hospital, primeiro para um, depois para outro. Aaaa... Acabou minha guerra... Seis meses depois, dei baixa do serviço por motivos de saúde. Estava com dezoito anos... E, saúde, já não tinha nenhuma: três feridas, uma lesão grave. Mas eu era uma moça e, claro, escondia isso: falava das feridas, mas escondia a lesão. E ela apareceu de novo. De novo me puseram no hospital. Recebi invalidez... Ah, e eu? Eu rasguei aqueles documentos e joguei fora, nem o dinheiro quis receber. Precisava passar por uma comissão, refazer os testes. Falar de mim: quando foi a lesão, quando fui ferida. Para quê?

O comandante do esquadrão e o subtenente vieram me visitar no hospital. Eu gostava muito do comandante na época da guerra, mas lá ele não reparava em mim. Era um homem bonito, ficava muito bem de farda. Todo homem fica bem de farda. Já as mulheres pareciam o quê? De calças, não nos permitiam fazer tranças, e todas usavam um corte de cabelo masculino. Já no fim da guerra, às vezes nos deixavam fazer um penteado, não cortar o cabelo. No hospital, meu cabelo cresceu de novo, eu já conseguia fazer uma trança longa, recuperei a saúde, e ele... Foi engraçado, juro por Deus! Os dois se apaixonaram por mim... Na hora! Passamos toda a guerra juntos, nunca houve nada do tipo, e ali os dois, o comandante do esquadrão e o subtenente, me pediram em casamento. Amor! Amor... Como todos queríamos amor! Felicidade!

Isso foi no fim de 1945...

Depois da guerra, a vontade era de esquecer o mais rápido possível. Eu e minha irmã tivemos ajuda do nosso pai. Meu pai era um homem sábio. Pegou nossas medalhas, ordens, agradecimentos do comandante, escondeu e disse:

'A guerra aconteceu, vocês combateram. Agora esqueçam. A guerra já foi, agora começa outra vida. Calcem sapatos. Vocês são moças bonitas. Precisam estudar, precisam se casar.'

Ólia de alguma maneira não conseguiu se acostumar logo com essa outra vida, ela era orgulhosa. Não queria tirar o capote de soldado. Lembro de como meu pai falava com minha mãe: 'É por culpa minha que as meninas foram para a guerra tão novas. Espero que ela não as tenha quebrado... Senão, vão passar a vida toda combatendo'.

Por minhas ordens e medalhas, recebi uns cupons especiais para ir ao centro de mercadorias militares e comprar algo. Comprei umas botinhas de borracha, que eram a última moda na época, um sobretudo, um vestido, sapatos. Resolvi vender o capote. Fui para a feira... Cheguei com um vestido claro de verão... Com uma presilha no cabelo. E o que vi por lá? Rapazes jovens sem braço, sem perna... Todos o que lutaram... Com ordens, com medalhas... Um deles tinha as mãos inteiras, vendia colheres artesanais. Sutiãs, calcinhas. Outro... Sem braços e sem pernas... Estava sentado, banhado em lágrimas. Pedia uns trocados... Não tinham nenhum tipo de cadeira de rodas, andavam sobre tábuas feitas por eles mesmos, empurrando com as mãos, os que tinham mãos. Bêbados. Cantavam 'Esquecido, largado'.* Esse tipo de cena... Fui embora, não vendi meu capote. Enquanto morei em Moscou, uns cinco anos talvez, não consegui ir à feira. Tinha medo de que algum daqueles mutilados me reconhecesse e gritasse: 'Por que você me carregou para fora da batalha aquela vez? Para que me salvou?'. Eu me lembrava de um jovem tenente... As pernas dele... Uma havia sido cortada pelos estilhaços, outra ainda estava pendurada por algo... Estava fazendo curativos nele... Sob bombas... E ele gritava para mim: 'Não prolongue! Termine de me matar! Termine de me matar! Estou ordenando...'. Entende? Eu sempre tinha medo de encontrar esse tenente...

Quando eu estava de cama no hospital, tinha um rapaz jovem e bonito a quem todos conheciam. O tanquista Micha... Ninguém sabia o sobrenome dele, todos só sabiam o nome... Teve as duas pernas e o braço direito amputados, só ficou com o braço esquerdo. A amputação tinha sido alta, as pernas foram cortadas na articulação do ilíaco, então não podia usar prótese.

* Canção russa de domínio público, extremamente popular nos anos pós-guerra civil.

Era levado em uma cadeira de rodas. Fizeram uma cadeira de rodas alta especialmente para ele, e todos os que podiam o empurravam. A população civil vinha em peso ao hospital, ajudava a cuidar dos pacientes, especialmente dos casos graves como o de Micha. Mulheres, estudantes. Até crianças. Carregavam Micha nos braços. Ele não perdia o ânimo. Tinha tanta vontade de viver! Acabara de fazer dezenove anos, ainda não tinha vivido nada. Não lembro se tinha algum parente, mas ele sabia que não o deixariam na pobreza, acreditava que não o esqueceriam. Embora a guerra tivesse passado por nossa terra e tudo estivesse em ruínas. Quando libertávamos as vilas, estavam todas queimadas. As pessoas só tinham a terra. Só a terra.

Eu e minha irmã não nos tornamos médicas, apesar de termos sonhado com isso antes da guerra. Podíamos entrar na faculdade de medicina sem exame nenhum, tínhamos direito a isso por sermos ex-combatentes. Mas ficamos tão saturadas de ver gente sofrendo, morrendo, que não conseguíamos mais ver isso. Nem imaginar. Inclusive trinta anos mais tarde eu dissuadi minha filha de fazer medicina, apesar de ela querer muito. Dezenas de anos depois. É que fecho os olhos e vejo… Era primavera… Estávamos andando por algum campo, um pouco depois de um combate, procurando feridos. O campo estava pisoteado. Dei de encontro com dois mortos: um jovem soldado nosso e um jovem alemão. Estavam deitados sobre o trigo jovem e olhavam para o céu… Nem se notava a morte neles. Só olhavam para o céu. Até hoje me lembro daqueles olhos…"

OLGA VASSÍLIEVNA

"Vou contar o que me ficou na memória dos últimos dias de guerra. Estávamos viajando e, de repente, escutamos uma música que vinha não se sabe de onde. Um violino… Para mim, a guerra acabou nesse dia… Era um milagre: de repente, uma música. Outros sons… Eu sentia que estava acordando… Todos nós achávamos que, depois da guerra, depois daquele mar de lágrimas, a vida seria maravilhosa. Linda. Depois da Vitória… Depois daquele dia… Achávamos que todas as pessoas seriam boas, que iriam simplesmente amar umas às outras. Todos se tornariam irmãos e irmãs. Como esperávamos por esse dia…”

"Não atirávamos"

Havia muita gente na guerra. E muitas tarefas na guerra...

Muito do trabalho não gira só em torno da morte, mas também da vida. As pessoas não só atiram e fuzilam, ativam e desativam minas, bombardeiam e explodem, se lançam em combates corpo a corpo — lá, elas também lavam roupa, cozinham mingau, assam pão, limpam caldeirões, cuidam dos cavalos, consertam carros, aplainam e fecham caixões, distribuem cartas, forram botas, trazem tabaco. Mesmo na guerra mais da metade da vida é composta de afazeres banais. E de bobagens também. É insólito pensar assim, não? "Havia pilhas do nosso trabalho normal de mulher", recorda a auxiliar de enfermagem Aleksandra Ióssifovna Michútina. O exército ia na frente, e atrás dele ia o "segundo front": lavadeiras, cozinheiras, mecânicas, carteiras...

Alguma delas escreveu para mim: "Não éramos heroínas, estávamos nos bastidores". E o que havia lá, nos bastidores?

SOBRE BOTINAS E UM MALDITO PEDAÇO DE MADEIRA

"Estávamos caminhando pela lama, os cavalos afundavam

ou caíam mortos. Os caminhões paravam... Os soldados arrastavam os canhões. Puxavam os carros com pão e roupa. Caixas de tabaco. Vi uma caixa de tabaco cair na lama e, atrás dela, os palavrões russos mais cabeludos... Protegiam os projéteis, protegiam o tabaco...

Meu marido me dizia isso, sempre repetia: 'Olhe bem! Isso é épico! Épico!'."

Tatiana Arkádievna Smeliánskaia, correspondente de guerra

"Eu vivia feliz antes da guerra... Com meu pai, minha mãe. Meu pai foi para a guerra contra a Finlândia. Voltou sem um dedo na mão direita, e eu perguntava a ele: 'Papai, para que serve a guerra?'.

Logo começou a guerra, mas eu ainda não tinha crescido o suficiente. Fomos evacuados de Minsk. Nos levaram para Sarátov. Lá, trabalhei num colcoz. O presidente do soviete rural mandou me chamar:

'Penso o tempo todo em você, menina.'

Fiquei surpresa:

'E o que você pensa, moço?'

'Se não fosse esse maldito pedaço de madeira. Tudo por causa desse maldito pedaço de madeira...'

Fiquei parada, sem entender nada. Ele disse:

'Recebi um papel, precisamos de duas pessoas para ir para o front, e eu não tenho quem mandar. Eu mesmo iria, mas tem esse maldito pedaço de madeira. Você não pode ir, é uma evacuada. Mas que tal ir? Tenho duas meninas aqui: você e Maria Útkina.'

Maria era alta assim, a moça apropriada para isso; eu, não muito. Eu era mais ou menos.

'Você vai?'

'Vão me dar botas?'

Andávamos em farrapos: o que tínhamos conseguido levar!

'Você é tão bonitinha, lhe darão umas botinas.'

Concordei.

... Nos mandaram descer do trem, um moço saudável, bigodudo, veio nos buscar, mas ninguém foi com ele. Não sei por quê, não perguntei; eu não era uma agitadora, nunca tomava a dianteira. Não gostamos daquele moço. Depois veio um oficial bonito. Uma graça! Ele nos convenceu, e fomos. Chegamos à unidade, e lá estava o bigodudo; ele riu de nós: 'O que foi, narizinhos arrebitados, não queriam vir comigo?'

O major nos chamou uma por uma e perguntou: 'O que você sabe fazer?'.

Uma respondia: 'Ordenhar vaca'. A outra: 'Cozinhava batata em casa, ajudava minha mãe'.

Me chamou:

'E você?'

'Sei lavar roupa.'

'Estou vendo que é uma boa menina. Se soubesse cozinhar...'

'Sei sim.'

Passava o dia inteiro cozinhando, e quando chegava de noite tinha que lavar a roupa dos soldados. E montar guarda. Gritavam para mim: 'Guarda! Guarda!', e eu não conseguia responder, não tinha forças. Não tinha forças nem para usar a voz..."

Irina Nikoláievna Zínina, soldado, cozinheira

"Estava no trem médico... Lembro que passei a primeira semana chorando: primeiro, estava sem minha mãe; segundo, me puseram para dormir na terceira cama do beliche, onde hoje se colocam as bagagens. Esse era o meu 'quarto'."

"Com que idade você foi para o front?"

"Estava no oitavo ano, mas não cheguei ao fim. Fugi para o front. Todas as meninas no trem médico tinham a minha idade."

"E o que vocês faziam lá?"

"Cuidávamos dos feridos, dávamos comida, bebida, dávamos a comadre: era esse o nosso trabalho. Uma moça mais velha fazia o turno comigo, no começo ela cuidava de mim: 'Se alguém pedir a comadre, me chame'. Eram feridos em estado grave: uns não tinham braço, outros não tinham perna. No primeiro dia eu a chamei, depois — ela não podia ficar comigo o dia inteiro e a noite inteira — fiquei sozinha. Um ferido me chamou: 'Enfermeira, a comadre!'.

Estendi a comadre para ele e vi que ele não pegava. Olhei: ele não tinha mãos. Em algum lugar do meu cérebro passou como um raio o que eu tinha que fazer, de alguma forma eu entendi, mas passei alguns minutos parada sem saber. Você entende? Eu precisava ajudar... Mas eu não sabia o que era, nunca tinha visto. Nem no curso tinham nos ensinado isso..."

Svetlana Nikoláievna Liúbitch, enfermeira paramilitar

"Eu não atirava... Cozinhava mingau para os soldados. Ganhei uma medalha por isso. Eu nem me lembro dela: e eu lutei, por acaso? Cozinhava mingau, a sopa dos soldados. Pegava as panelas, as tinas. Eram pesadas, pesadas... Lembro que o comandante ficou bravo: 'Eu queria dar um tiro nessas tinas. Como você vai ter filhos depois da guerra?'. Uma vez ele pegou e atirou em todas as tinas. Fomos em algum povoado procurar tinas menores.

Os soldados vinham das linhas de frente, ganhavam um descanso. Pobrezinhos, vinham todos sujos, esgotados, as mãos e os pés queimados de frio. Quem tinha mais medo do frio eram os uzbeques e tadjiques. Na terra deles sempre faz sol e calor, e aqui trinta, quarenta graus negativos. Eu não conseguia aquecê-los, alimentá-los. Eles mesmos não levavam a colher à boca..."

Aleksandra Semiónovna Massakóvskaia, soldado, cozinheira

* * *

"Eu lavava roupa… Passei toda a guerra com uma bacia. Lavávamos na mão. Os blusões, as *guimnastiorki*… Traziam a roupa, estava gasta, cheia de piolhos. Os aventais brancos, de camuflagem, esses tinham sangue de ponta a ponta; não eram mais brancos, e sim vermelhos. Ou pretos pelo sangue velho. Não dava para lavar no primeiro enxágue — a água saía vermelha ou preta… Era *guimnastiorka* sem manga, com um buraco no peito todo, calças sem uma perna. Lavávamos com lágrimas e enxaguávamos com lágrimas.

Montanhas e montanhas de *guimnastiorki*… Casacos acolchoados… Como me lembro, até hoje me doem as mãos. No inverno os casacos eram pesados, o sangue neles congelava. Várias vezes ainda sonho com esses casacos … Uma montanha preta…"

Maria Stiepánovna Detkó, soldado, lavadeira

"Na guerra havia tantos milagres… Vou lhe contar…

Ánia Kabúrova estava deitada na grama… Cuidava da nossa comunicação. Ela estava morrendo — tinha levado um tiro no coração. Nessa hora, um bando de grous passou voando sobre nós. Todas ergueram a cabeça para o céu, e ela abriu os olhos. Olhou: 'Que pena, meninas'. Depois ficou calada e sorriu para nós: 'Meninas, será que vou morrer?'. Nessa hora nossa carteira chegou correndo, nossa Klava, e ela gritava: 'Não morra! Não morra! Tenho uma carta da sua família para você'… Ánia não fechava os olhos, estava esperando…

Nossa Klava sentou ao lado dela e abriu o envelope. Era uma carta da mãe: 'Minha querida, minha filhinha amada…'. Havia um médico ao meu lado, ele dizia: 'É um milagre. Um milagre!

Ela continua viva contra todas as leis da medicina...'. Terminaram de ler a carta... E só então Ánia fechou os olhos..."

Maria Nikoláievna Vassiliévskaia, sargento, comunicações

"Minha especialidade... Minha especialidade eram cortes masculinos...

Chegou uma garota... Eu não sabia como cortar o cabelo dela. Tinha uns cabelos exuberantes, ondulados. O comandante passou no abrigo:

'Faça um corte de homem.'

'Mas ela é uma mulher.'

'Não, ela é um soldado. Vai voltar a ser mulher depois da guerra.'

Mesmo assim... Mesmo assim, era só o cabelo crescer um pouquinho que eu ia fazer cachos nos cabelos das meninas. Em vez de bobes, usávamos pinhas... Pinhas secas, de pinheiro... Nem que fosse só um topetinho..."

Vassilissa Iújina, soldado, cabeleireira

"Li poucos livros... Não sei contar de um jeito bonito... Nós vestíamos os soldados, lavávamos toda a roupa, passávamos, esse foi o nosso heroísmo. A gente ia a cavalo, poucas vezes pegamos o trem, os cavalos estavam extenuados, dá para dizer que chegamos a pé até Berlim. Se for para lembrar, fazíamos tudo o que precisava: ajudávamos a carregar os feridos, carregamos projéteis em Dniepr, porque não dava para levar por transporte, levamos nos braços por vários quilômetros. Cavávamos abrigos, pavimentávamos pontes...

Caímos em um cerco, e eu corri, atirei, como todo mundo. Se matei ou não matei não sei. Corri e atirei, como todos.

Acho que lembro muito pouco. Mas passei por tanta coisa! Vou me lembrar... Venha outra vez..."

Anna Zakhárovna Gorlatch, soldado, lavadeira

"Minha história é curta...

O subtenente perguntou:

'Menina, quantos anos você tem?'

'Dezesseis, por quê?'

'Porque', disse, 'não precisamos de menores de idade.'

'Eu faço o que vocês quiserem. Nem que seja assar pão.'

E me aceitaram..."

Natália Mukhametdinovna, soldado, padeira

"Eu estava inscrita como escrivã... Me convenceram a ir para o estado-maior assim... Me disseram: sabemos que antes da guerra você trabalhava como fotógrafa, então aqui também você será nossa fotógrafa.

O que lembro bem é que eu não queria fotografar a morte. Mortos. Tirava fotos quando os soldados estavam descansando — fumando, rindo, quando recebiam uma recompensa. Pena que na época eu não tinha filme em cores, apenas preto e branco. Quando carregavam a bandeira do regimento... Eu podia ter tirado umas fotos bonitas daquilo...

Hoje em dia... Os jornalistas vêm me perguntar: 'Você fotografava mortos? Campo de batalha...'. Comecei a procurar... tenho poucas fotografias de morte... Se alguém morria, o pessoal pedia: 'Tem alguma foto dele vivo?'. Procurávamos por ele vivo... E sorrindo..."

Elena Vilenskaia, sargento, escrivã

"Construíamos... Construíamos ferrovias, pontes flutuantes, abrigos. O front estava perto. Cavávamos de noite, para que não nos notassem.

Derrubávamos árvores. Minha seção era basicamente de garotas, todas jovenzinhas. Havia alguns homens, que não eram da construção. Como carregávamos as árvores? Todas levantávamos e carregávamos. Uma seção inteira para um tronco. As mãos ficavam com calos de sangue. Os ombros também..."

Zoia Lukiánovna Verjbítskaia, comandante de uma seção do batalhão de construtores

"Terminei o magistério... Quando recebi o diploma, a guerra já tinha começado. Por causa da guerra, não nos encaminharam para um trabalho, nos mandaram para casa. Cheguei em casa, e alguns dias depois me chamaram do centro de alistamento. Minha mãe não me deixou ir, claro, eu ainda era jovem, tinha só dezoito anos: 'Vou mandar você para a casa do meu irmão, digo que não está aqui'. Eu disse: 'Mas eu sou do Komsomol'. Nos reuniram no centro de alistamento, isso e aquilo, disseram que precisavam de mulheres para as padarias do front.

Era um trabalho muito duro. Tínhamos oito fornos de ferro. Chegávamos em um povoado ou cidade destruída e os montávamos. Fornos prontos, precisávamos de lenha, uns vinte ou trinta baldes de água, cinco sacos de farinha. Éramos meninas de dezoito anos e carregávamos sacos de farinha de setenta quilos. Agarrávamos os sacos em duas e levávamos. Ou colocávamos quarenta bisnagas de pão na bandeja. Eu, por exemplo, não conseguia levantar. Dia e noite nos fornos, dia e noite. Amassava uma bacia de massa e já precisavam de outras. No meio do bombardeio, continuávamos assando pão..."

Maria Semiónovna Kulakova, soldado, padeira

"Passei os quatro anos da guerra sobre rodas... Deslocava-me segundo as indicações: 'Administração de Schúkin', 'Administração de Kojuro'. Na base recebíamos tabaco, cigarros, pederneiras — tudo que não pode faltar para um soldado na linha de frente — e pegávamos a estrada. Para alguns lugares ia de carro, para outros de carroça, e com frequência ia a pé com um ou dois soldados. Íamos levando as coisas nas costas. Não havia como chegar na trincheira de carroça, os alemães escutavam os rangidos. Ia tudo com a gente. No nosso próprio lombo, querida..."

Elena Nikíforovna Iévskaia, soldado, abastecedora

"No começo da guerra... Eu tinha vinte anos... Morava na cidade de Múrom, na região de Vladímir. Em outubro de 1941, nós, membros do Komsomol, fomos mandados para a construção da rodovia Múrom-Górki-Kulebaki. Quando voltamos da frente de trabalho, fomos convocados.

Fui mandada para a escola de comunicações em Górki, para um curso de funcionária dos correios. Quando terminei o curso, fui para o Exército em operação, para a Sexagésima Divisão de Fuzileiros. Servi como oficial do correio militar. Vi com meus olhos como as pessoas choravam e beijavam o envelope ao receber uma carta na linha de frente. Muitos tinham parentes que morreram ou que moravam em territórios ocupados pelo inimigo. Esses não podiam escrever. Então escrevíamos cartas da Desconhecida: 'Querido soldado, quem está lhe escrevendo é uma Moça Desconhecida. Como está combatendo o inimigo? Quando você volta com a Vitória?'. Passávamos noites escrevendo... Na guerra, escrevi centenas de cartas como essa..."

Maria Alekséievna Remniova, segundo-subtenente, funcionária do correio

"Casei no dia 1º de maio... Em 22 de junho, a guerra começou. Os primeiros aviões alemães começaram a atacar. Eu trabalhava em um orfanato de crianças espanholas que tinham sido trazidas para Kíev. Isso em 1937... Guerra Civil na Espanha... Não sabíamos o que fazer, e as crianças espanholas começaram a cavar trincheiras no pátio. Elas já sabiam de tudo... As crianças foram mandadas para a retaguarda, e eu fui para a região de Penza. Recebi uma tarefa: organizar um curso de enfermeiras. No fim de 1941 eu mesma dava as provas do curso, porque todos os médicos tinham ido para o front. Entreguei os documentos e também pedi para ir ao front. Fomos mandados para perto de Stalingrado, para um hospital de campanha do Exército. Era a mais velha entre as meninas. Minha colega Sônia Udrúgova — somos amigas até hoje — tinha dezesseis anos na época, só tinha completado o nono ano, e depois foi para o curso de enfermeira. Estávamos havia três dias no front, e vejo Sônia na floresta, chorando. Me aproximei:

'Sônietchka, por que está chorando?'

'Como você não entende? Faz três dias que não vejo a mamãe.'

Agora eu a lembro dessa história, e ela morre de rir.

Na batalha de Kursk fui transferida do hospital para o destacamento de lavanderia de campanha, como comissária política. As lavadeiras eram contratadas. Viajávamos em carroças cheias de bacias, tinas, samovares para esquentar a água; em cima da carroça iam sentadas as meninas com saias vermelhas, verdes, azuis, cinza. Todos riam: 'Lá vai a tropa das lavadeiras!'. Eu era chamada de 'comissária de lavanderia'. Depois minhas meninas começaram a se vestir de uma forma mais ajeitada, como se diz, arrumaram umas roupas melhores.

Fazíamos um trabalho pesado. Não havia nem sombra de máquina de lavar. Era na mão... Tudo feito por mãos de mulheres... Chegávamos, nos davam alguma cabana ou um abrigo na terra. Ali, lavávamos a roupa e, antes de pôr para secar, encharcávamos com o sabão especial K, para matar os piolhos. Havia também DDT, mas esse não adiantava; usávamos o sabão K, muito fedido, tinha um cheiro horrível. Ali, no mesmo recinto em que lavávamos, também colocávamos a roupa para secar e dormíamos. Recebíamos vinte, 25 gramas de sabão para lavar a roupa de um soldado. E ela estava preta como terra. Por causa das lavagens, do peso e do esforço, muitas meninas tiveram hérnias, e o sabão K provocava eczemas nas mãos: as unhas caíam, achávamos que elas nunca mais cresceriam de novo. Mesmo assim, descansávamos uns dois dias, e era preciso lavar de novo.

As meninas me obedeciam...

Uma vez, chegamos em um lugar onde estavam vários pilotos, uma unidade inteira. Imagine, eles nos viram, com roupas sujas, puídas, e disseram com desprezo: 'Quem diria, lavadeiras...'. Minhas meninas quase choraram:

'Comissária, veja isso...'

'Deixe para lá, vamos nos vingar.'

E combinamos o que fazer. À noite, minhas meninas vestiram o que tinham de melhor e foram para o gramado. Uma das nossas tocava sanfona, e o resto dançava. O acordo era não dançar com nenhum piloto. Eles se aproximavam, mas elas não iam com nenhum. Passaram a noite toda dançando umas com as outras. Por fim, eles imploraram: 'Um idiota falou aquilo, agora vocês estão ofendidas com todos'.

Em geral não se devia punir contratados com a prisão militar, mas o que você faz quando tem cem meninas juntas? Às onze havia o toque de recolher, e não tinha conversa. Elas tentavam escapulir — meninas são assim mesmo. Eu as mandava para a cela. Uma vez, vieram uns superiores, de uma unidade vizinha, e eu estava com duas presas.

'Mas como pode? A senhora mandou contratadas para a cela?', me perguntaram.

Respondi tranquilamente:

'Camarada coronel, pode escrever um relatório para os comandantes. É o senhor quem sabe. Mas eu preciso impor disciplina. E tenho aqui uma ordem exemplar.'

Depois disso eles foram embora.

A disciplina era rigorosa. Uma vez encontrei um capitão que estava de passagem em frente à minha casa, enquanto eu saía. Ele até parou:

'Meu Deus! Está saindo daí, sabe quem mora nessa casa?'

'Sei.'

'Quem mora aqui é a comissária política. Sabe como ela é brava?'

Disse que nunca tinha ouvido falar disso.

'Meu Deus! Ela nunca sorri, está sempre zangada.'

'E você não quer conhecê-la?'

'Meu Deus! Não!'

Bem, aí eu confessei:

'Então muito prazer, eu sou a comissária política!'

'Não, não pode ser! Me contaram a respeito dela...'

Eu protegia minhas meninas. Tínhamos a Vália, tão bonita. Uma vez, fui chamada para o estado-maior por dez dias. Quando voltei, me disseram que Vália tinha chegado tarde todos os dias, estava com algum capitão. Estivera, mas já tinha passado, caso encerrado. Dois meses depois, fiquei sabendo que Vália estava grávida. Chamei-a: 'Vália, como isso pôde acontecer? Para onde você vai? Sua madrasta (ela não tinha mãe, tinha madrasta) mora em um abrigo'. Ela chorava: 'A culpa é sua; se a senhora não tivesse saído, nada disso teria acontecido'. Elas me tratavam como uma mãe, uma irmã mais velha.

Ela tinha um sobretudo leve, e como já estava fazendo frio, dei a ela o meu capote. E minha querida Vália foi embora...

Era 8 de março de 1945. Organizamos uma festa. Um chá. Arranjamos alguns bombons. Minhas meninas foram para fora e de repente viram dois alemães vindo da floresta. Estavam arrastando os fuzis atrás de si... Feridos... Minhas meninas os rodearam. Bem, eu, como comissária política, claro, escrevi um relatório informando que aquele dia, 8 de março, as lavadeiras tinham feito prisioneiros dois alemães.

No dia seguinte tivemos reunião de comandantes, e a primeira declaração do chefe da seção política foi:

'Bem, camaradas, vou deixá-los alegres: a guerra termina em breve. Ontem, as lavadeiras do 21º Destacamento de Lavanderia de Campanha fizeram dois prisioneiros alemães.'

Todos aplaudiram.

Enquanto a guerra estava em curso não nos condecoravam, mas quando terminou me disseram: 'Você vai condecorar duas pessoas'. Fiquei indignada. Pedi a palavra e fiz uma apresentação dizendo que era comissária política do destacamento de lavanderia, falei sobre como era difícil o trabalho das lavadeiras, que muitas delas tinham hérnias, eczemas nas mãos e assim por diante, que eram moças jovens e trabalhavam mais do que máquinas, feito um rebocador. Perguntaram-me: 'Pode preparar um material para amanhã? Vamos condecorar mais meninas'. Eu e o comandante do destacamento preparamos a lista à noite. Muitas meninas receberam medalhas por Bravura, de Mérito Militar, e uma lavadeira foi condecorada com a Ordem da Estrela Vermelha. Era a melhor lavadeira, não descansava nem saía de perto da tina: às vezes já estavam todas sem forças, caindo, e ela continuava lavando. Era uma mulher idosa, toda a família tinha morrido.

Quando tive que mandar as meninas para casa, quis dar algo a elas. Eram todas da Bielorrússia e da Ucrânia, e lá estava tudo destruído, arruinado. Como deixar que fossem embora de mãos vazias? Estávamos em uma aldeia alemã, e nela havia uma oficina de costura. Fui olhar: as máquinas estavam inteiras, para minha felicidade. E então, para cada menina que ia embora, demos um presente. Fiquei tão contente, tão feliz. Era tudo o que eu podia fazer pelas minhas meninas.

Todas queriam ir para casa, mas tinham medo de voltar. Ninguém sabia quem estava nos esperando..."

Valentina Kuzmínitchna Brátchikova-Borchévskaia, tenente, comissária política do destacamento de lavanderia de campanha

"Meu pai... Meu querido pai era comunista, um santo homem. Nunca na vida encontrei uma pessoa melhor do que ele. Ele me educava: 'Quem seria eu se não fosse o poder soviético? Um pobretão. Trabalharia como lavrador para um *kulak*. O poder soviético me deu tudo, me deu uma formação. Me tornei engenheiro, construo pontes. Devo tudo isso ao poder da nossa terra'.

Eu amava o poder soviético. Amava Stálin. E Vorochílov. Amava todos os nossos guias. Foi o que meu pai me ensinou.

A guerra ia acontecendo, e eu ia crescendo. À noite, eu e meu pai cantávamos *A Internacional* e *A Guerra Sagrada*. Meu pai acompanhava no acordeão. Quando completei dezoito anos, ele foi comigo ao centro de alistamento...

Do Exército, escrevi para casa contando que estava construindo e vigiando pontes. Que felicidade foi isso para nossa família! Meu pai tinha nos ensinado a adorar pontes, desde a infância. Quando eu via uma ponte destruída — bombardeada ou explodida —, sentia por ela como se fosse um ser vivo, e não um artefato estratégico. Eu chorava... No caminho, encontrava centenas de pontes destruídas, grandes e pequenas, era a primeira coisa que destruíam na guerra. Era o alvo número um. Quando passávamos na frente de uma ruína, eu sempre pensava: 'Quantos anos serão necessários para reconstruir tudo isso?' A guerra mata o tempo, o precioso tempo humano. Eu me lembro bem que meu pai passava vários anos construindo cada ponte. Passava noites fazendo plantas, até nos fins de semana. O que eu mais lamentava na guerra era o tempo. O tempo do meu pai...

Meu pai se foi há muito tempo, mas continuo a amá-lo. Não acredito quando falam que pessoas como ele eram burras e cegas por acreditar em Stálin. Por temer Stálin. Por acreditar nos ideais de Lênin. Elas pensavam da mesma forma que eles. Acredite em mim, eram pessoas boas e honestas; elas não acreditavam em Lênin ou em Stálin, mas no ideal comunista. No socialismo com um rosto humano, como depois chamariam. Na felicidade para todos. Para cada um. Sonhadores e idealistas, sim — mas cegos não. Nunca vou concordar. De forma alguma! Na metade da guerra apareceram por aqui ótimos tanques e aviões, boas armas, mas mesmo assim, sem fé nunca teríamos derrotado um inimigo tão terrível como o Exército de Hitler — poderoso, disciplinado, um Exército que subjugou toda a Europa. Não teríamos quebrado sua espinha dorsal. Nossa arma principal era a fé, e não o medo, dou minha palavra de comunista (durante a guerra eu entrei para o Partido e até hoje sou comunista). Não tenho vergonha da minha carteirinha do Partido e não a renego. Minha fé não mudou desde 1941..."

Tamara Lukiánovna Tórop, soldado, engenheira civil

"As tropas alemãs pararam perto de Vorônej... Levaram muito tempo para tomar a cidade. Bombardeavam e bombardeavam. Os aviões cruzavam o céu da nossa aldeia, Moscovita. Eu ainda não tinha visto o inimigo, só os aviões. Mas logo fiquei sabendo o que era a guerra...

Comunicaram no nosso hospital que um trem tinha sido bombardeado bem perto de Vorônej; corremos para o local e vimos... O que vimos? Só carne moída. Não consigo pronunciar... Ai ai ai! O primeiro que se refez do susto foi nosso médico-chefe. Dava gritos sonoros: 'Macas!'. Eu era a mais nova, tinha acabado de completar dezesseis anos, e todos cuidavam para que eu não desmaiasse. Andávamos pelos trilhos, nos metíamos nos vagões. Não havia a quem levar nas macas: os vagões estavam em chamas, e não se escutavam nem gemidos, nem gritos. Não tinha ninguém inteiro. Eu apertava meu coração, meus olhos se fechavam de tanto medo. Quando voltamos para o hospital, cada um caiu em um lugar: um pôs a cabeça sobre a mesa, outro numa cadeira, e todos dormiram.

Terminei meu turno e fui para casa. Cheguei toda chorosa, deitei na cama e, logo que fechei os olhos, vi tudo de novo... Minha mãe voltou do trabalho, e o tio Mítia veio nos visitar. Escutei a voz da minha mãe:

'Não sei o que vai ser da Lena. Veja só como ficou o rosto dela desde que foi trabalhar no hospital. Não parece mais a mesma, fica calada, não conversa com ninguém e grita enquanto dorme. Onde foram parar o sorriso e as risadas? Você mesmo sabe como ela era alegre. Agora, nunca faz brincadeiras.'

Escutava minha mãe, e escorriam lágrimas.

Quando, em 1943, Vorônej foi libertada, fui para a guarda paramilitar. Lá só havia mulheres. Todas tinham entre dezessete e vinte anos. Jovens, bonitas, nunca vi tantas garotas bonitas juntas. A primeira que conheci foi Marússia Prókhorova, era amiga de Tânia Fiódorova. Eram do mesmo vilarejo. Tânia era séria, gostava de limpeza, ordem, e Marússia adorava cantar, dançar. Cantava canções travessas. Mas, acima de tudo, gostava de se enfeitar, sentava diante do espelho e ficava horas. Tânia brigava com ela: 'Beleza não vai levar a nada, é melhor passar sua farda e fazer a cama'.

Também tinha Pacha Litárvina, uma garota muito ousada. Era amiga de Chura Batíscheva. Esta era tímida e modesta, a mais tranquila de todas nós. E Liússia Likhatchiova adorava fazer cachos, depois ia direto pegar o violão. Ela ia dormir com o violão e acordava com o violão. A mais velha de todas era Polina Nevérova, o marido tinha morrido no front, e ela estava sempre triste.

Andávamos todas de farda militar. Quando minha mãe me viu de farda pela primeira vez, ficou pálida:

'Você decidiu entrar para o Exército?'

Tranquilizei-a:

'Não, mãe. Já disse que estou vigiando pontes.'

Ela começou a chorar:

'Logo logo a guerra acaba. E você vai tirar esse capote imediatamente.'

Eu também achava isso.

Dois dias depois da notícia de que a guerra tinha terminado, tivemos uma reunião no Krásni Ugolok.* Nela, o chefe de segurança, camarada Naúmov, se pronunciou.

'Meus caros soldados', disse, 'a guerra acabou. Mas ontem recebi uma ordem: precisa-se de soldados na estrada ocidental para cuidar da segurança militarizada.'

Alguém entre nós gritou:

'Mas lá estão os partidários de Bandera!'**

Naúmov ficou em silêncio, depois disse:

'Sim, meninas, os partidários de Bandera estão lá. Estão lutando contra o Exército Vermelho. Mas ordens são ordens, têm que ser cumpridas. Quem quiser ir, peço que mande um requerimento ao chefe da guarda. Os voluntários irão.'

* Literalmente, "cantinho vermelho". Seção de atividade de conscientização política nas repartições públicas da União Soviética.

** Stepan Bandera (1909-59), líder do movimento nacionalista ucraniano, lutava contra a União Soviética pela independência.

Voltamos para a caserna, e cada uma ficou deitada na sua tarimba. Fez-se um silêncio completo. Ninguém queria ir para longe da nossa terra natal. E ninguém queria morrer depois da guerra. No dia seguinte, fomos chamadas de novo para uma reunião. Me sentei atrás da mesa da chefia, estava coberta por uma toalha vermelha. Fiquei pensando que era a última vez que sentava àquela mesa.

O chefe da guarda proferiu um discurso:

'Bábina, sabia que você seria a primeira a ir. E todas vocês, meninas, parabéns, não tiveram medo. A guerra acabou, podiam voltar para casa, mas vão defender a pátria.'

Fomos embora dois dias depois. Deram-nos um trem mercante; havia feno no chão, e cheirava a capim.

Eu nunca tinha ouvido falar de uma cidade chamada Stri, agora era onde servíamos. Não gostei da cidade, era pequena, horrível, todo dia tocava uma música e acontecia um enterro: ora um policial, ora um comunista, ora um membro do Komsomol. De novo estávamos vendo a morte. Fiz amizade com Gália Koróbkina. Ela morreu lá. E com mais uma menina... Também levou uma facada à noite. E ali eu parei por completo de fazer brincadeiras e sorrir..."

Elena Ivánovna Bábina, soldado da segurança militarizada

SOBRE ROLAMENTOS FUNDIDOS E PALAVRÕES RUSSOS

"Puxei tudo do meu pai... Sou filha dele...

Meu pai, Miron Lenkov, percorreu o caminho de rapazinho analfabeto a comandante de pelotão da guerra civil. Era um verdadeiro comunista. Quando morreu, eu e minha mãe ficamos em Leningrado, devo tudo o que tenho de melhor àquela cidade. Minha paixão eram os livros. Soluçava lendo os romances de Lídia Tchárskaia, adorava ler Turguêniev. Amava poesia...

No verão de 1941... No fim de junho fomos para a casa da minha avó, perto do rio Don. A guerra nos surpreendeu na estrada. Imediatamente mensageiros a cavalo começaram a correr pelas estepes — a um passo ligeiro — com notificações de convocação. As mulheres cossacas cantavam, bebiam e choravam desconsoladamente quando se despediam dos cossacos que iam para a guerra. Fui para o centro de alistamento local da *stanitsa** de Bokóvskaia. Foram curtos e grossos:

'Não mandamos crianças para o front. Você é do Komsomol? Maravilha. Ajude o colcoz.'

Revolvíamos o trigo com a pá para que ele não apodrecesse nos silos. Depois, colhíamos as verduras. Os calos da minha mão ficaram duros, os lábios rachados, o rosto queimado pelo sol da estepe. A única diferença que havia entre mim e as meninas do campo era que eu sabia uma infinidade de versos e podia recitá-los de cor por todo o longo caminho do campo para casa.

A guerra estava se aproximando. No dia 17 de outubro, os fascistas ocuparam Taganrog. As pessoas iam embora na evacuação. Minha avó ficou, mandou que eu e minha irmã fôssemos: 'Vocês são jovens. Salvem-se'. Até a estação Oblívskaia eram cinco dias de caminhada. Terminamos jogando as sandálias fora, chegamos descalças à *stanitsa*. O chefe da estação avisou a todos: 'Não esperem por vagões fechados, subam nas plataformas abertas. Forneceremos uma locomotiva a vapor e enviaremos vocês para Stalingrado'. Tivemos sorte: pegamos uma plataforma com aveia. Mergulhamos os pés descalços nos grãos, nos cobrimos com o lenço... Nos apertamos uma contra a outra e cochilamos... Nosso pão tinha acabado havia muito tempo, o mel também. Nos últimos dias, as cossacas nos davam comida. Ficávamos com vergonha de pegar, não tínhamos com o que pagar, mas elas

* Povoado cossaco.

insistiam: 'Comam, coitadinhas. A coisa está feia para todo mundo, um tem que ajudar o outro'. Eu jurava para mim mesma que nunca esqueceria aquela bondade das pessoas. Nunca! Por nada! E não esqueci.

De Stalingrado pegamos um barco a vapor, depois de novo um trem, e às duas da madrugada chegamos à estação Medvêditskoe. Uma onda humana nos jogou para a estação. Nós mesmas tínhamos nos transformado em dois bastões de gelo, não conseguíamos nos mover, ficávamos de pé, nos apoiando uma na outra para não cair. Para não se partir em pedacinhos, como uma vez, diante dos meus olhos, vi acontecer com um sapo tirado de um frasco de oxigênio líquido e jogado no chão. Felizmente alguém que estava viajando conosco se lembrou de nós. Chegou uma *brítchka** cheia de gente, nos amarraram na parte de trás. Nos vestiram com casacos acolchoados. Disseram: 'Andem, senão vão congelar. E não vão se aquecer. Não podemos levar vocês na carroça'. No começo caíamos, mas continuávamos andando, depois até corríamos. Foi assim por dezesseis quilômetros...

Povoado de Frank, colcoz Primeiro de Maio. O presidente do colcoz ficou muito feliz quando soube que eu era de Leningrado e tinha terminado o nono ano:

'Muito bem. Você vai me ajudar aqui. Vai ser contadora.'

Por um momento até me alegrei. Mas então vi um cartaz pendurado atrás do presidente que dizia: 'Meninas, ao volante!'.

'Não vou ficar sentada em um escritório', respondi ao presidente. 'Se me ensinarem, posso dirigir um trator.'

Os tratores estavam cobertos de neve. Nós os desenterrávamos e desmontávamos, queimando as mãos no metal, deixando nele pedacinhos de pele. Os parafusos, enferrujados e apertados

* *Brítchka*: carruagem comprida, de quatro rodas, muito usada por viajantes, pois em seu interior cabiam mesas, camas e outros móveis.

com toda a força, pareciam estar soldados. Quando não conseguíamos movê-los no sentido anti-horário, tentávamos girar no sentido horário. Mas que azar... Justo nesse momento... Como se tivesse brotado da terra, surgia o chefe de brigada Ivan Ivánovitch Nikítin, o único tratorista de verdade e nosso instrutor. Ele arrancava os cabelos e não conseguia segurar os palavrões. Ah, sua...! Filha de uma... Praguejava como quem solta um gemido. Mesmo assim, um dia comecei a chorar...

No campo, uma vez saí de marcha a ré: na caixa de câmbio do meu STZ, a maioria das engrenagens estava "desdentada". A conta era simples: depois de vinte quilômetros, algum trator ficaria inutilizado, e então instalariam a caixa de câmbio dele no meu. Foi o que aconteceu. Sara Gozenbuk, tratorista como eu, não percebeu que estava saindo água do radiador, estragou o motor. Ah, sua...! Filha de uma...

Antes da guerra não tinha aprendido nem a andar de bicicleta, e estava ali, num trator. Passávamos muito tempo aquecendo os motores com fogo aberto — contra todas as regras. Aprendi até o que era um reajuste. E como ligar o trator depois desse procedimento: não pode girar, não pode ir de lado... Os materiais de lubrificação e combustível eram dados em quantidade de tempos de guerra. Por cada gota você paga com a cabeça, e também por cada rolamento fundido. Ah, sua...! Filha de uma...

Naquele dia... Antes de sair para o campo eu abri a torneirinha do cárter para conferir o óleo. Saiu uma espécie de soro. Gritei para o chefe de brigada que precisávamos pôr óleo novo; ele se aproximou, pôs uma gota na mão, friccionou, cheirou por algum motivo e disse: 'Não tenha medo! Ainda dá para trabalhar um dia'. Eu briguei: 'Não dá, o senhor mesmo disse...'. Ele subiu nas tamancas: 'Maldita hora em que falei — agora vocês não me deixam em paz. Bonequinhas da cidade! Estudo demais. Ah, sua...! Filha de uma... Vá lá, sua v...'. Eu fui. Um calor, o trator soltava fumaça e não dava para respirar, mas tudo isso era bobagem: como estavam os rolamentos? Achei que havia algo batendo. Parava, e parecia que não. Aumentava a carga e ouvia bater! E, de repente, logo abaixo do assento, escutei: tuc, tuc, tuc!

Desliguei o motor, corri para ver a janelinha: dois rolamentos de biela estavam completamente fundidos! Me deixei cair no chão, abracei a roda e, pela segunda vez na guerra, comecei a chorar. A culpa era minha: eu tinha visto como estava o óleo! Me assustei com os palavrões. Era melhor ter praguejado de volta, mas não, essa porcaria de educação.

Escutei algum barulho e me voltei. E veja só! O presidente do colcoz, o diretor da MTS,* o chefe do departamento político e, claro, nosso chefe de brigada. Tudo por causa dele!

Ele estacou e não conseguiu se mexer. Entendeu tudo. Ficou calado. Ah, sua...! Filha de uma...

O diretor da MTS também entendeu tudo:

'Quantos?'

'Dois, respondi.'

Segundo as leis de tempos de guerra, eu deveria ir a julgamento. Artigo: negligência e sabotagem.

O chefe do departamento político se voltou para o chefe de brigada:

'Você não cuida das suas meninas? Como vou mandar essa criança para julgamento?'

De alguma forma se resolveu. Com conversa. Mas o chefe de brigada parou de falar palavrões diante de mim. Eu, por outro lado, aprendi. Ah, sua...! Filha de uma... Fazia um escândalo daqueles...

Depois, aconteceu uma coisa boa: encontramos nossa mãe. Ela veio, e voltamos a ser uma família. Um dia, ela disse de repente:

* Sigla para Machinno-Tráktornaia Stantsia [Estação de Máquinas e Tratores], empresa estatal soviética encarregada das máquinas agrícolas dos colcozes.

'Acho que você precisa ir para a escola.'

Não entendi imediatamente:

'Para onde?'

'Quem vai terminar o décimo ano por você?'

Depois de tudo o que eu vivera, era estranho me ver de novo em uma carteira de escola, resolver problemas, escrever redações e queimar as pestanas para decorar verbos alemães em vez de combater os fascistas! E isso quando o inimigo estava entrando rumo ao Volga!

Eu precisava esperar só mais um pouco: em quatro meses faria dezessete anos. Não era dezoito, mas era dezessete. E aí ninguém me mandaria para casa! Ninguém! No comitê regional correu tudo tranquilamente, mas no centro de alistamento precisei lutar. Por causa da minha idade e da minha visão. Mas a primeira ajudou a resolver a segunda... Quando a questão era a idade, xinguei o funcionário do centro de alistamento de burocrata... E anunciei que estava entrando em greve de fome... Me sentei ao lado dele e passei dois dias sem sair do lugar, afastando o pedaço de pão e a água quente que ele me dava. Ameacei, disse que ia morrer de fome, mas que antes escreveria em um bilhete quem era o culpado pela minha morte. Não acho que tenha se assustado e acreditado, mas mesmo assim me mandou para a comissão médica. Tudo isso se passou na mesma sala. Bem ao lado. E quando a médica, depois de verificar minha visão, afirmou que não havia o que fazer, ele riu e disse que eu tinha passado fome à toa. Ficou com pena de mim. Mas respondi que não estava vendo nada por causa da fome. Fui até a janela, cheguei mais perto daquele cartaz de visão infeliz e caí no choro. Chorei até que... Chorei por muito tempo... Até decorar as linhas de baixo. Depois enxuguei as lágrimas e disse que estava pronta para passar pela comissão de novo. E passei.

Em 10 de novembro de 1942, segundo as ordens, nos abastecemos de produtos para dez dias, subimos (éramos umas 25 meninas) na caçamba de um caminhão velho e cantamos 'Ordem dada',* trocando as palavras 'para a guerra civil' por 'defender nosso país'. De Kamíchin, onde fizemos o juramento, fomos marchando pela margem esquerda do Volga até Kapústin Iar. Ali estava instalado o regimento de reserva. E ali, no meio de milhares de homens, até nos perdemos. Vinham os 'compradores' de diferentes unidades e escolhiam os reforços. Faziam questão de não reparar em nós. Sempre passavam reto.

No caminho, fiz amizade com Ánnuchka Rakchenko e Ássia Bássina. Nenhuma das duas tinha qualquer especialidade, e eu considerava que a minha não era militar. E por isso, não importava para que chamassem, nós três dávamos três passos para a frente, supondo que ao chegar no local assimilaríamos rápido qualquer especialidade. Mas nos evitavam.

Quando porém saímos à frente em resposta ao comando: 'Motoristas, tratoristas, mecânicos — três passos à frente!', o 'comprador', um jovem primeiro-tenente, não conseguiu passar reto. Eu não dei três passos, mas cinco, e ele parou:

'Por que só escolhem homens? Eu também sou tratorista!'

Ele se surpreendeu:

'Não pode ser. Certo: qual a ordem de trabalho do trator?'

'Um, três, quatro, dois.'

'Já fundiu os rolamentos?'

Admiti honestamente que tinha fundido por completo duas bielas.

'Certo, vou levar. Pela honestidade.' Acenou com a cabeça e seguiu em frente.

Minhas amigas vieram comigo, ao meu lado. O primeiro-tenente aparentou estar de acordo. Ah, sua...! Filha de uma...

* Canção dos irmãos Dmitri e Daniil Pokrass, com letra de Mikhail Issakóvski, também conhecida como "Proschanie" [Despedida].

O comandante da unidade, quando recebeu os reforços, perguntou ao primeiro-tenente:

'Para que você trouxe essas meninas?'

Ele ficou desconcertado e respondeu que tinha ficado com pena: sabe-se lá onde iríamos parar, nos matariam como perdizes.

O comandante suspirou:

'Certo. Uma para a cozinha, outra para o depósito, a que tiver mais tempo de escola para o estado-maior, como escrivã.' Calou-se um pouco, depois disse: 'Que pena, são bonitas'.

A que tinha 'mais tempo de escola' era eu, mas trabalhar como escrivã? E o que nossa beleza tinha a ver com isso? Esqueci da disciplina militar e me exaltei ali mesmo:

'Somos voluntárias! Viemos defender a pátria! Só vamos se for para as subdivisões militares...'

Por algum motivo o coronel cedeu imediatamente:

'Se é para ser militares, vão ser militares. Duas para a brigada móvel, nas máquinas, e essa língua solta vai para a montagem de motores.'

Assim, comecei a servir na 44ª Oficina de Campanha de Veículos Blindados. Éramos uma fábrica sobre rodas. Sobre os veículos, chamados de brigadas móveis, ficavam as máquinas: fresadoras, alesadoras, polidores, tornos; a central elétrica, o preenchimento, a vulcanização. Duas pessoas trabalhavam nas máquinas. Cada uma ficava doze horas, sem um único minuto de descanso. No almoço, no jantar e no café da manhã, o companheiro substituía. Se chegava a vez de alguém sair em patrulha, o outro trabalhava 24 horas. Trabalhávamos na neve, na lama. Sob bombardeio. E ninguém mais dizia que éramos bonitas. Mas tinham pena das garotas bonitas na guerra, tinham muita pena. Isso é verdade. Tinham pena ao enterrá-las... Dava pena escrever uma notificação de morte para a mãe... Ê, sua...! Filha de uma...

Agora, sonho sempre... Sei que tenho sonhos, mas raramente me lembro. Só que fica uma sensação de que eu estive em algum lugar… E voltei… Num sonho, em um segundo cabem coisas que exigem anos na vida real. Às vezes confundo o que é sonho e o que é realidade. Acho que isso aconteceu em Zimóvniki: logo que me deitei para dormir umas duas horas, começou um bombardeio. Ê, sua...! Filha de uma… Preferia que me matassem a estragar uma alegria dessas, duas horas de sono. Em algum lugar por perto senti uma forte explosão. A casa balançou. Mas eu adormeci mesmo assim…

Eu sentia uma ausência de medo, esse sentimento não existia. Dou minha palavra. Só depois dos ataques mais furiosos um dente cariado me incomodava. E por pouco tempo. Eu me consideraria muito corajosa até hoje, se não tivesse ido a especialistas alguns anos depois da guerra por causa de umas dores constantes, insuportáveis e absolutamente incompreensíveis nos pontos mais variados do meu corpo. Um neuropatologista experiente, depois de perguntar quantos anos eu tinha, ficou admirado:

'Aos 24 anos seu sistema nervoso vegetativo está completamente destruído! Como vai viver?'

Respondi que ia viver bem. Em primeiro lugar, estava viva! Como eu sonhava em sobreviver! Sim, fiquei viva, mas alguns meses depois da vida pós-guerra minhas juntas incharam, perdi os movimentos do braço direito, que doía terrivelmente, minha visão piorou ainda mais, descobri que tinha um rim e o fígado deslocados e, como logo se revelou, meu sistema nervoso vegetativo estava completamente destruído. Passei toda a guerra sonhando com o que estudaria. E a universidade se tornou para mim um segundo Stalingrado. Terminei um ano antes, porque não tinha forças. Passei quatro anos com o mesmo capote — inverno, primavera, outono — e a mesma *guimnastiorka*, desbotada até ficar branca… Ê, sua...! Filha de uma…"

Antonina Mirônovna Lenkova, mecânica de uma oficina de campanha de veículos blindados

“Eram necessários soldados... Mas também queríamos ser bonitas...”

Passados alguns anos, já anotei centenas de relatos... Nas prateleiras de livros tenho separadas centenas de fitas cassete e milhares de páginas impressas. Escuto e leio com atenção...

Cada vez mais, o mundo da guerra revela para mim um lado inesperado. Antes, eu não me fazia essas perguntas: como era possível, por exemplo, passar anos dormindo em trincheiras inacabadas, ou ao lado de uma fogueira na terra nua, usar botas e capote e, por fim, não rir, não dançar? Não usar vestidos de verão? Esquecer dos sapatos e das flores... E elas tinham dezoito, vinte anos! Estava acostumada a pensar que não há lugar para a vida feminina na guerra. Ali, ela é impossível, quase proibida. Mas eu estava enganada... Bem depressa, já na época dos primeiros encontros, notei: não importa de que as mulheres falassem, até mesmo de morte, sempre se lembravam (sim!) da beleza, que aparecia como uma parte indestrutível de sua existência: “Ela estava tão bonita no caixão... Parecia uma noiva...” (A. Strótseva, soldado de infantaria), ou: “Iriam me entregar uma medalha, e minha *guimnastiorka* estava velha. Costurei para mim uma pequena gola de gaze. Era branca, de qualquer forma... Me achei tão bonita naquele momento. Não tínhamos espelho, eu não conseguia me ver. Bombardearam tudo o que tínhamos…" (N. Iermakova, comunicações). Contavam alegremente e com gosto seus ingênuos truques de meninas, seus pequenos segredos, sinais invisíveis, como se, no cotidiano "masculino" da guerra e nos assuntos "masculinos" da guerra, quisessem ainda assim continuar sendo elas mesmas. Sem trair sua natureza. A memória delas surpreendentemente (já tinham se passado quarenta anos) guardava uma grande quantidade de coisas banais do cotidiano na guerra. Detalhes, nuances, cores e sons. No mundo delas, cotidiano e existência se uniam, e o fluxo da existência era valioso em si mesmo, elas se lembravam da guerra como uma época da vida. Não tanto das ações, mas da vida, e mais de uma vez observei como nas conversas delas o pequeno vencia o grande e até a história. "Pena que só fui bonita na guerra… Queimei nela meus melhores anos. Passaram. Depois eu envelheci muito rápido…" (Anna Galai, atiradora de fuzil).

Depois de muitos anos de distanciamento, alguns fatos de repente se ampliavam, outros diminuíam. Ampliava-se também o que era humano, íntimo, e isso passou a ser, para mim, o mais curioso: até para elas mesmas era o mais interessante e próximo. O humano vencia o desumano, simplesmente porque era humano. "Não tenha medo de minhas lágrimas. Não fique com pena. Mesmo que me seja doloroso, sou grata a você por ter me lembrado da minha juventude…" (K. S. Tikhonóvitch, sargento, operadora de artilharia antiaérea).

Eu também não conhecia essa guerra. Nem suspeitava de sua existência…

SOBRE BOTAS MASCULINAS E CHAPÉUS FEMININOS

"Vivíamos dentro da terra… Como toupeiras… Mas guardávamos alguns bibelôs. Trazíamos um galho na primavera e botávamos ali. Nos alegrava. E no dia seguinte podíamos não estar mais aqui — era nisso que pensávamos sozinhas. E gravávamos, gravávamos na memória... Uma menina recebeu de casa um vestidinho de lã. Ficamos com inveja, mesmo que não fosse permitido usar nossos próprios vestidos. E o subtenente, um homem, resmungava: 'Melhor seria ter mandado um lençol. Seria mais útil'. Não tínhamos lençóis nem travesseiro. Dormíamos sobre galhos e palhas amontoados. Mas eu tinha uns brincos escondidos; à noite eu os colocava e dormia com eles...

Quando sofri minha primeira lesão, parei de escutar e de falar. Disse para mim mesma: se não recuperar a voz, me jogo debaixo de um trem. Eu cantava tão bem, e de repente estava sem voz. Mas a voz voltou.

Fiquei feliz, pus os brincos. Fui para meu turno gritando de alegria:

'Camarada primeiro-tenente, guarda às ordens...'

'O que é isso?'

'Como, o quê?'

'Fora daqui!'

'O que foi?'

'Tire esses brincos imediatamente! Que soldado é esse?'

O primeiro-tenente era muito bonito. Todas as nossas meninas eram um pouco apaixonadas por ele. Dizia para nós que durante a guerra precisavam de soldados, e apenas soldados. Eram necessários soldados... Mas também queríamos ser bonitas... Durante toda a guerra tive medo de que mutilassem minha perna. Eu tinha pernas bonitas. Para um homem, e daí? Não é tão terrível, mesmo perder uma perna. Ele será um herói do mesmo jeito. Um noivo! Mas se uma mulher é mutilada, seu destino está decidido. Destino de mulher..."

Maria Nikoláievna Schiólokova, sargento, comandante do departamento de comunicação

* * *

"Passei a guerra toda sorrindo... Achava que devia sorrir o máximo possível, porque uma mulher deve iluminar. Antes de ser mandada para o front, um velho professor nos ensinava: 'Vocês devem dizer a cada paciente que o ama. O seu remédio mais potente é o amor. O amor preserva, dá forças para sobreviver'. O ferido estava chorando de tanta dor, e você dizia para ele: 'Ah, meu queridinho. Ah, meu benzinho...'. 'Você me ama, irmãzinha?' (Eles chamavam todas nós, jovens, de irmãzinhas.) 'Claro, amo. Só se recupere logo.' Eles podiam se ofender, xingar, mas nós, nunca. Por uma palavra grosseira éramos punidas até com a prisão.

Era difícil... Claro, era difícil... Até subir no veículo de saia quando só havia homens em volta. Os caminhões eram altos, uns veículos médicos especiais. Vá se enfiar lá no alto! Tente..."

Vera Vladímirovna Chevá ldicheva, primeiro-tenente, cirurgiã

"Deram-nos vagões... De mercadoria... Éramos doze meninas, o resto eram todos homens. Andávamos uns dez ou quinze quilômetros, e o trem parava. Uns dez ou quinze quilômetros, e de novo parávamos no desvio. Sem água e sem banheiro... Entende?

Numa parada os homens fizeram uma fogueira e estavam sacudindo as roupas para tirar os piolhos, secavam-se. E nós, o que faríamos? Corremos para algum lugar escondido, lá tiramos a roupa. Eu tinha um suéter de tricô, que estava com piolho em cada milímetro, em cada ponto. Dava enjoo só de olhar. Há piolhos de todos os tipos, de cabelo, de roupa, de pelos pubianos... Tive todos... Mas eu não ia fazer isso junto com os homens. Não ia queimar os piolhos junto com eles. Tinha vergonha. Joguei o suéter fora e fiquei só de vestido. Em alguma estação, uma mulher desconhecida me deu um casaquinho e uns sapatos velhos.

Viajamos por muito tempo, e depois ainda passamos um bom período andando a pé. Fazia um frio terrível. Enquanto andava, eu segurava um espelhinho o tempo todo e conferia: será que congelei? À noite, vi que minhas bochechas tinham congelado. Era tão boba... Tinha escutado que, quando as bochechas congelam, ficam brancas. E as minhas estavam vermelhas, vermelhas. Pensei: 'Então que elas fiquem congeladas para sempre'. Mas no dia seguinte ficaram pretas..."

Nadiéjda Vassílievna Alekséieva, soldado, telegrafista

"Tínhamos muitas meninas bonitas... Fomos a uma casa de banhos, e ali trabalhava uma cabeleireira. Olhamos umas para as outras, e todas tingimos as sobrancelhas. O comandante foi duro conosco: 'Vocês vieram para combater ou para ir a um baile?'. Passamos a noite toda chorando e esfregando as sobrancelhas para tentar tirar a tinta. De manhã, ele andava e repetia a cada uma: 'Preciso de soldados, não de damas. Damas não sobrevivem à guerra'. Era um comandante muito severo. Antes da guerra, era professor de matemática..."

Anastassia Pietróvna Chéleg, terceiro-sargento, operadora de aeróstato

"Sinto que vivi duas vidas: uma de homem e outra de mulher...

Quando fui para a Escola de Guerra, imediatamente me vi sob disciplina militar: nos exercícios, nas filas, no quartel, tudo seguia o regulamento. Não existia nenhuma condescendência por sermos garotas. Sempre escutávamos: 'Quietas!', 'Olha a conversa!'. À noite, tínhamos vontade de sentar, bordar um pouco... Lembrar de coisas de mulher... Não permitiam de jeito nenhum. Mas tínhamos ficado sem casa, sem os afazeres domésticos, e parecia que não éramos nós mesmas. Só tínhamos uma hora de descanso: ficávamos no quarto de Lênin,* escrevíamos cartas, podíamos ficar à vontade, conversar. Mas sem risos nem gritos altos: isso não era permitido."

"Podiam cantar canções?"

"Não, era proibido."

"Por que era proibido?"

"Não permitiam. Em formação, você cantava se recebesse o comando. Se ordenavam: 'Cante'."

"De outra forma era proibido?"

"Era. Ia contra o regulamento."

"Foi difícil se acostumar?"

"Acho que a isso eu nunca me acostumei. Mal tinha tempo de adormecer e de repente ouvia: 'Acordar!'. Era como se o vento nos tirasse da cama. Eu começava a me vestir, mas as mulheres têm mais roupas do que os homens, e ora uma coisa voava da mão, ora outra. Finalmente, com o cinto na mão, corríamos para o vestiário. Sem parar, agarrava o capote e voava para a sala de armas. Lá, enfiava a capa na pá, passava pelo cinto, enfiava a cartucheira por ele, abotoava de qualquer jeito. Agarrava o fuzil, fechava a trava enquanto andava e literalmente rolávamos do quarto andar para baixo pela escada. Na fila nos arrumávamos. E, para tudo isso, davam uns poucos minutos.

E depois, no front... Usava umas botas três números maior, elas viravam, entrava pó. A dona da casa uma vez trouxe dois ovos: 'Leve para a viagem, está tão magrinha, logo logo você se quebra'. E eu, bem quietinha para que ela não visse, quebrei os dois ovos — eram pequenos — e limpei minha bota. Claro, queria comer, mas meu lado feminino venceu: queria ficar bonita.

* Espaço onde os soldados podiam se dedicar a atividades de descanso organizado.

Você não sabe como o capote rala, como tudo isso é pesado, como tudo isso é masculino, o cinto, tudo. Eu detestava em particular como o capote ralava no pescoço, e ainda por cima aquelas botas. Mudavam o passo, mudavam tudo...

Lembro que ficávamos tristes. Passávamos o tempo inteiro tristes..."

Stanislava Pietróvna Vólkova, segundo-subtenente, comandante do pelotão de sapadores

"Não era tão fácil nos transformar em soldados... Não era tão simples...

Recebemos as fardas. O subtenente nos pôs em formação:

'Alinhem as botas.'

Nos alinhávamos. Os bicos dos sapatos estavam alinhados, mas nós mesmas ficávamos para trás porque as botas eram número 40, 41. Ele dizia:

'Os bicos, os bicos!'

E depois:

'Cadetes, alinhar o peito da quarta pessoa!'

Claro que isso não dava certo conosco, e ele gritava a plenos pulmões:

'O que vocês puseram no bolso da *guimnastiorka*?'

Ríamos.

'Parem de rir', gritava o subtenente.

Para aprendermos de forma clara e correta a saudação, nos obrigava a fazê-la para tudo: de cadeiras a cartazes pendurados. Ah, ele passou por uns maus bocados conosco.

Em uma cidade, nos levaram em formação para uma casa de banhos. Os homens foram para a seção masculina, e nós para a feminina. As mulheres que estavam lá gritaram, alguém se cobriu: 'Estão vindo uns soldados!'. Não dava para distinguir se éramos meninas ou meninos: usávamos cabelo curto, uniforme militar. Outra vez, entramos em um banheiro, e as mulheres chamaram um policial. Dissemos para ele:

'E aonde devíamos ir?'

Ele então gritou para as mulheres:

'Mas são meninas!'

'Que meninas que nada, são soldados...'"

Maria Nikoláievna Stepánova, major,
chefe de comunicações no batalhão do corpo de fuzileiros

"Só me lembro da estrada. A estrada... Uma hora íamos para a frente, na outra íamos para trás...

Quando chegamos à Segunda Frente bielorrussa, queriam deixar-nos no estado-maior da divisão; diziam: 'Vocês são mulheres, o que vão fazer na linha de frente?'. E nós: 'Não, somos francoatiradoras, mandem-nos para onde for preciso'. Então eles nos disseram: 'Vamos mandá-las para o mesmo pelotão. O coronel ali é um bom homem, cuida das mulheres'. Os comandantes podiam ser muito diferentes. Foi o que nos disseram.

Esse coronel nos recebeu com as seguintes palavras: 'Vejam, meninas, vocês vieram lutar, lutem, não façam outra coisa. Estão entre homens, não há mulheres. Vai saber como diabos vou explicar o que é isso aqui. É a guerra, garotas...'. Ele entendia que ainda éramos pirralhas. Na primeira vez, fomos atacados por aviões. Eu me agachei e cobri a cabeça com os braços, depois também senti pena pelos meus braços. Ainda não estava pronta para morrer.

Lembro que na Alemanha... Ah, foi engraçado! Em um povoado alemão nos alojaram por uma noite em um castelo residencial. Cheio de quartos que eram uns salões. E que salões! Os armários estavam repletos de roupas bonitas. Cada menina escolheu um vestido. Eu gostei de um amarelinho e de um roupão: não tenho palavras para dizer como era bonito esse roupão: longo, leve... Uma pluma! Já era hora de dormir, estávamos terrivelmente cansadas. Vestimos essas roupas e fomos deitar. Pusemos o que nos agradava e pegamos no sono ali mesmo. Eu dormi com o vestido e o roupão por cima...

Outra vez, em uma chapelaria abandonada, cada uma escolheu um chapéu e, para ficar com eles ao menos um pouco, dormimos sentadas a noite toda. Levantamos de manhã... Olhamos mais uma vez no espelho... Tiramos os chapéus, vestimos de novo nossas *guimnastiorki* e calças. Não levávamos nada conosco. Na estrada, até uma agulha pesa. Você enfia uma colher no cano da bota e pronto..."

Bella Issáakovna Epstein, sargento, francoatiradora

"Os homens... Eles são assim... Nem sempre nos entendiam...

Mas adorávamos o nosso coronel, Ptítsin. Nós o chamávamos de 'pai'. Ele não era como os outros, entendia nossa alma feminina. Perto de Moscou, e isso quando estávamos recuando, na época mais difícil, ele nos disse:

'Meninas, estamos próximos de Moscou. Vou trazer um cabeleireiro para vocês. Tinjam as sobrancelhas, os cílios, façam cachos. Mesmo que não seja permitido, quero que vocês fiquem bonitas. A guerra é longa... Não vai acabar tão cedo...'

E trouxe uma cabeleireira para nós. Fizemos cachos, tingimos. Ficamos tão felizes..."

Zinaída Prokófievna Gomariova, telegrafista

"Corremos sobre o lago Ládoga congelado... Era um ataque. Ali mesmo nos vimos sob um forte bombardeio. Estávamos cercadas por água; uma pessoa era ferida e já ia direto para o fundo do lago. Eu estava me arrastando, fazendo curativos, me aproximei de um soldado; ele estava com as pernas destruídas, perdendo a consciência, mas me empurrou e começou a procurar algo na sacola. Estava procurando a ração de emergência. Queria pelo menos comer algo antes de morrer... Tínhamos recebido provisões quando partimos para o gelo. Eu queria cuidar dele, mas o rapaz ficava procurando algo na sacola e não tinha jeito: os homens têm muita dificuldade de passar fome. A fome, para eles, é pior do que a morte...

Sobre mim mesma, veja o que me ficou na memória... No começo eu tinha medo da morte... O espanto e a curiosidade conviviam dentro de mim. Depois, nem um nem outra: só cansaço. Estava o tempo todo no limite das minhas forças. Além do limite. Até o fim, só um medo restou: ficar feia depois da morte. Um medo de mulher... Só não queria que um projétil me fizesse em pedaços... Eu sei como é isso... Eu mesma recolhi..."

Sófia Konstantínovna Dubniakova, enfermeira-instrutora

"Chovia e chovia... Corríamos pela lama, as pessoas caíam nessa lama. Feridos, mortos. Ninguém quer morrer nesse pântano. Num pântano negro. Como uma moça jovem ia ficar jogada ali... Em outra ocasião, isso já foi na Bielorrússia... Nos bosques de Orcha, havia ali uns arbustos miúdos de cereja. Campainhas azuis. Todo o campo estava cheio de flores azuis. Podia morrer naquelas flores! Deitar ali... Eu era bobinha, tinha dezessete anos... Era assim que imaginava a morte...

Achava que morrer era como voar para algum lugar. Uma noite falamos sobre a morte, mas foi só uma vez. Tínhamos medo de proferir essa palavra..."

Liubov Ivánovna Osmolóvskaia, soldado, batedora

* * *

"Nosso regimento era formado apenas por mulheres... Fomos para o front em maio de 1942...

Deram-nos um avião Po-2. Era pequeno, de baixa velocidade. Voava sempre com pouca altura, várias vezes em voos rasantes. Logo acima do chão! Antes da guerra, era neles que os jovens aprendiam a voar nos aeroclubes, mas ninguém podia imaginar que seria usado para fins bélicos. Era um avião com estrutura de madeira, todo feito de compensado, revestido de percal. Na verdade, de gaze. Bastava uma queda para ele pegar fogo: e se reduzia a cinzas ainda no ar, antes de atingir o chão. Como um fósforo. A única peça de metal sólido era o próprio motor M-11. Bem depois, pouco antes do fim da guerra, nos entregaram paraquedas e instalaram uma metralhadora na cabine do navegador, mas antes disso não havia nenhuma arma: eram quatro compartimentos de bomba sob as asas inferiores e pronto. Agora nos chamariam de camicases, talvez fôssemos mesmo. Sim! Éramos! Mas dávamos mais valor à vitória do que às nossas vidas. Vitória!

Você me pergunta como aguentávamos? Vou responder...

Antes de me aposentar, fiquei doente de tanto pensar nisso: como vou parar de trabalhar? Para que me formei numa segunda faculdade depois dos cinquenta anos? Me tornei historiadora. Tinha sido geóloga a vida toda. Mas um bom geólogo está sempre em campo, e eu já não tinha forças. Veio um médico, fez um cardiograma e me perguntou:

'Quando a senhora sofreu um infarto?'

'Que infarto?'

'Seu coração está cheio de cicatrizes.'

Tudo indica que essas cicatrizes eram da época da guerra. Você se posicionava sobre o alvo e tremia inteira. Todo o corpo era tomado por um tremor, porque embaixo havia fogo: os caças atiravam, os canhões antiaéreos disparavam... Algumas moças precisaram sair do regimento, não aguentavam. Voávamos basicamente à noite. Por um tempo tentaram nos mandar para as missões diurnas, mas logo desistiram. Podiam alcançar nossos Po-2 com tiros de fuzil...

Fazíamos doze voos por noite. Vi o famoso ás da aviação Pokríchin quando estava voltando de um combate aéreo. Era um homem robusto, não tinha vinte nem 23 anos, como nós: enquanto abasteciam o avião, o técnico tinha tempo de tirar a camisa dele e torcer. Saiu tanta água que era como se ele tivesse tomado chuva. Agora fica fácil você imaginar o que acontecia conosco. Aterrissávamos e não conseguíamos nem sair da cabine, tinham que nos puxar de lá. Não conseguíamos nem carregar o porta-mapas, íamos arrastando pelo chão.

Mas o trabalho de nossas meninas armeiras! Precisavam carregar na mão quatro bombas — são quatrocentos quilos — para a máquina. E era assim a noite toda — um avião decolava, outro pousava. O organismo se reorganiza a tal ponto que, por toda a guerra, não éramos mulheres. Não tínhamos coisas de mulher... Menstruação... Bem, você entende... E depois da guerra nem todas conseguiram ter filhos.

Todas nós fumávamos. Eu também fumava, dava a sensação de que você se acalmava um pouco. A gente voltava com o corpo tremendo, e quando fumava se acalmava. Usávamos jaquetas de couro, calças, *guimnastiorki*, e, no inverno, mais uma jaqueta de peles. A contragosto, até no andar e nos movimentos apareceu algo de masculino. Quando a guerra acabou, costuraram vestidos cáqui para nós. De repente, sentimos que éramos garotas..."

Aleksandra Semiónovna Popova,
tenente da guarda, navegadora

* * *

"Há pouco tempo recebi uma medalha... Da Cruz Vermelha... A Medalha de Ouro Internacional Florence Nightingale. Todos me parabenizavam e se admiravam: 'Como você conseguiu levar 147 feridos? Nas fotos de guerra parece uma menina tão pequena'. Sim, talvez tenha carregado duzentos, quem ia contar? Isso nem me passava pela cabeça, não entendíamos isso. A batalha estava acontecendo, gente se esvaindo em sangue, e eu lá ia sentar e anotar? Nunca esperava acabar o ataque, eu me arrastava na hora da batalha e recolhia os feridos. Se houvesse alguém ferido por fragmento, e eu fosse até ele umas duas horas depois, já não haveria o que fazer, a pessoa teria perdido todo o sangue.

Fui ferida três vezes e tive três lesões. Na guerra, cada um sonhava com uma coisa: um com voltar para casa, outro com chegar a Berlim, e eu só pensava em viver até o dia do meu aniversário, em completar dezoito anos. Por algum motivo eu tinha medo de morrer antes, de não viver nem até os dezoito. Usava boina, calças, sempre esfarrapadas porque você estava sempre de joelhos, e ainda por cima sob o peso dos feridos. Não conseguia acreditar que em algum momento seria possível me levantar e andar por aí, em vez de me arrastar. Era um sonho! Veio algum comandante de divisão, me viu e perguntou: 'E esse adolescente aqui? Por que vocês o seguram aqui? Tinham que mandá-lo para a escola'.

Lembro que faltavam bandagens... Havia umas feridas de metralhadora tão terríveis que usávamos um pacote inteiro em uma só. Uma vez rasguei toda a minha roupa de baixo e pedi ao pessoal: 'Tirem as cuecas, as camisetas de baixo, tenho gente morrendo'. Eles tiraram e rasgaram em pedaços. Eu não tinha vergonha deles, eram como irmãos, eu vivia entre eles como um dos rapazes. Quando estávamos caminhando, um grupo de três dava as mãos, e o do meio dormia uma ou duas horas. Depois trocávamos.

Cheguei a Berlim. Escrevi no Reichstag: 'Eu, Sófia Kuntsiévitch, vim aqui para matar a guerra'.

Quando vejo uma vala comum, fico de joelhos na frente dela. Na frente de cada vala comum... Só de joelhos..."

Sófia Adámovna Kuntsiévitch, subtenente, enfermeira-instrutora de uma companhia de fuzileiros

SOBRE A SOPRANO FEMININA E AS SUPERSTIÇÕES DE MARUJO

"Eu escutava... Palavras... Veneno... Palavras são como pedras... Dizem que esse era um desejo masculino: ir lutar. Por acaso uma mulher é capaz de matar?! São umas anormais, não são mulheres verdadeiras...

Não! Mil vezes não! Não, era um desejo humano. A guerra estava acontecendo, e eu levava uma vida normal. Vida de garota... Mas minha vizinha recebeu uma carta dizendo que o marido tinha sido ferido, estava no hospital. Eu pensava: 'Ele está ferido, quem vai no lugar dele?'. Chegou um sem braço, quem iria no lugar dele? O outro voltou sem perna, quem iria no lugar dele? Eu escrevia, pedia, implorava para ser aceita no Exército. Éramos educadas assim, não devia acontecer nada no nosso país sem que participássemos. Fomos ensinadas a amá-lo. A admirá-lo. Se a guerra tinha começado, era nossa obrigação ir ajudar. Se precisavam de enfermeiras, iríamos como enfermeiras. Se precisavam de soldados da artilharia antiaérea, teríamos que ir como soldados da artilharia antiaérea.

Se queríamos parecer homens no front? No começo queríamos muito: cortávamos o cabelo rente, mudávamos até o jeito de caminhar. Mas depois não, que nada! Depois queríamos tanto nos maquiar, nem comíamos o açúcar: guardávamos para fixar o topete. Ficávamos felizes quando conseguíamos uma panela de água para lavar o cabelo. Se passávamos muito tempo andando, procurávamos umas ervas suaves. Cortávamos, e os pés... Ah, você entende, lavávamos com as ervas... Nós, garotas, temos nossas particularidades... O Exército não tinha pensado nisso... Nossos pés ficavam verdes... Certo, se o subtenente era um homem mais velho, entendia tudo, não tirava dos sacos a roupa de baixo extra, mas se era jovem, certeza absoluta de que descartaria o que sobrasse. Mas será que algo podia sobrar para meninas que às vezes precisavam trocar de roupa duas vezes por dia? Arrancávamos as mangas da camisa de baixo, mas eram só duas. Tínhamos apenas quatro mangas..."

Klara Semiónovna Tikhonóvitch, primeiro-sargento, operadora de artilharia antiaérea

"Antes da guerra eu adorava tudo que era militar... Masculino... Consultei a Escola de Aviação, pedi que me enviassem as regras de admissão. Eu ficava bem de farda militar. Amava a ordem, a precisão, as palavras marteladas nas ordens de comando. Me responderam da escola: 'Primeiro, termine o décimo ano'.

Claro, quando a guerra começou, eu, com essa disposição, não podia ficar em casa. Mas não me aceitaram no front. De forma alguma, porque eu tinha dezesseis anos. O comandante do centro de alistamento dizia: 'O que o inimigo vai pensar de nós se, mal começada a guerra, aceitamos umas crianças dessas no front, meninas menores de idade?'.

'É preciso combater o inimigo.'

'Vão destruir o inimigo sem você.'

Eu tentava convencê-lo de que era alta, de que ninguém me daria dezesseis anos, de que com certeza achariam que eu tinha mais. Me postava no gabinete e saía: 'Escreva que tenho dezoito, e não dezesseis'. 'Isso você diz agora, quero ver lembrar depois.'

Depois da guerra eu já não queria, na verdade já não conseguia ter nenhuma especialização militar. Queria tirar o quanto antes toda roupa de camuflagem... E até hoje tenho aversão a calças, não as visto nem quando vou para a floresta colher cogumelos, frutas silvestres. Quero vestir roupa comum, feminina..."

Klara Vassílievna Gontcharova, soldado, operadora de artilharia antiaérea

"Sentimos a guerra imediatamente... Terminamos a escola preparatória e no mesmo dia apareceram os 'compradores', que era como chamavam quem vinha das unidades, durante a reorganização, para buscar gente nova. Eram sempre homens, dava para sentir claramente que tinham pena de nós. Nós os encarávamos de um jeito, eles de outro: saíamos à frente nas filas, ansiosas para que nos aceitassem, para que nos notassem, ansiosas para que nos pusessem à prova, e eles estavam cansados, nos olhavam e sabiam para onde estavam nos mandando. Entendiam tudo.

... Nosso regimento era masculino, tinha ao todo 22 mulheres. Era o 870º Regimento de Bombardeio de Longo Alcance. Levamos de casa duas ou três mudas de roupa de baixo, não podíamos juntar muita coisa. Fomos bombardeados, ficamos só com a roupa do corpo, com o que conseguimos levar. Os homens foram para o posto de trânsito e lá receberam roupa nova. E para nós, nada. Deram-nos uns trapos, fizemos calcinhas com eles, costuramos sutiãs. O comandante ficou sabendo e nos deu uma bronca.

Passaram seis meses... E, por causa da sobrecarga, deixamos de ser mulheres... Se transformou, a nossa... Perdemos nosso ciclo biológico... Dá para entender? Foi terrível. Era terrível pensar que você nunca mais vai ser mulher..."

Maria Nésterovna Kuzmenko, primeiro-sargento, armeira

* * *

"Buscávamos... Não queríamos que dissessem de nós: 'Ah, essas mulheres!'. E nos esforçávamos mais do que os homens, ainda precisávamos demonstrar que não éramos piores do que os homens. E por muito tempo tiveram uma atitude arrogante, condescendente conosco: 'Esse bando de mulher vai lutar muito...'.

E como ser homem? É impossível ser homem. Nossos pensamentos são uma coisa, mas nossa natureza é outra. Nossa biologia...

Estávamos andando... Umas duzentas meninas, e atrás de nós uns duzentos homens. Fazia muito calor. Marcha em acelerado: trinta quilômetros. Trinta! Estávamos andando e, atrás de nós, começaram a aparecer manchas vermelhas na areia... Um rastro vermelho... Bem, era a... Nossa... Como você vai esconder isso? Os soldados vinham atrás e fingiam que não estavam notando nada... Não olhavam para os pés... As calças secavam no corpo e ficavam feito vidro. Cortavam. Faziam feridas, o tempo todo se sentia cheiro de sangue. Não nos davam nada... Ficávamos de guarda para ver quando os soldados penduravam as camisas nos arbustos. Surrupiávamos umas duas. Depois eles já adivinhavam, riam: 'Subtenente, dê-nos outra camisa de baixo. As meninas pegaram as nossas'. Não havia algodão e ataduras suficientes para os feridos... Para outros usos, então... Roupa de baixo feminina só apareceu uns dois anos depois, talvez. Usávamos cuecas e camisetas masculinas. Bem, estávamos andando... De botas! Os pés também estavam fritos. Estávamos andando. Seguimos até uma passagem, e lá as balsas estavam nos esperando. Chegamos à passagem e começaram a nos bombardear. Um bombardeio terrível; os homens correram para se esconder, cada um num lugar. Nos chamavam... Mas nós não escutávamos as bombas, não estávamos nem aí para as bombas, fomos rápido para o rio. Para a água... Água! Água! Sentamos lá até lavar tudo... Debaixo de estilhaços... Veja como era... A vergonha dava mais medo do que a morte. E algumas garotas morreram na água...

Talvez tenha sido a primeira vez que desejei ser homem... A primeira vez...

E então veio a Vitória. No começo estava andando pela rua e não acreditava que estava vendo a Vitória. Sentava à mesa e não acreditava que estava vendo a Vitória. Vitória! Nossa Vitória..."

Maria Semiónovna Kaliberdá, sargento, comunicações

"Já estávamos libertando a Letônia... Estávamos perto de Daugavpils. Era noite, e eu tinha acabado de me ajeitar para dormir. Escutei o guarda exclamando para alguém: 'Alto! Quem vem?'. Literalmente dez minutos depois o comandante mandou me chamar. Entrei no abrigo dele e lá estavam sentados nossos camaradas e um homem de roupas civis. Eu me lembro bem desse homem. Tantos anos vendo homens de farda militar, capote, e aquele estava de sobretudo preto com gola de pele.

'Preciso da sua ajuda', o homem me disse. 'A dois quilômetros daqui, minha mulher está dando à luz. Ela está sozinha, não há mais ninguém em casa.'

O comandante retrucou:

'É na faixa neutra. Você sabe, não é seguro.'

'Uma mulher está parindo. Tenho que ir ajudá-la.'

Deram-me cinco atiradores de fuzil. Preparei uma bolsa com material para curativos; havia pouco tinha recebido uns panos de flanela e também os levei comigo. Saímos. Trocavam tiros o tempo todo — ora tiros curtos, ora pelo alto. A floresta estava tão escura que nem se via a Lua. Finalmente apareceu a silhueta de alguma construção. Revelou-se ser um sítio. Quando entramos na casa, vi a mulher. Estava deitada no chão, em uns trapos velhos. O marido na mesma hora começou a fechar as cortinas. Dois atiradores ficaram no pátio, dois ao lado da porta, e um me iluminava com a lanterna. A mulher mal continha os gemidos, estava com muita dor.

Eu pedia a ela o tempo todo:

'Segure, querida. Não pode gritar. Segure.'

Ali era a faixa neutra. Se o oponente notasse algo, lançaria projéteis em cima de nós. Mas, quando os soldados escutaram que a criança tinha nascido... 'Viva! Viva!' Assim baixinho, quase num sussurro. Nasceu uma criança na linha de frente!

Trouxeram água. Não tinha onde ferver, limpei a criança com água fria. Envolvi-a com meus panos. Não encontrei nada na casa, só os trapos velhos onde a mãe estava deitada.

E assim consegui, com dificuldade, ir até aquele sítio algumas noites. Fui uma última vez antes do ataque e me despedi:

'Não vou mais poder vir. Estou indo embora.'

A mulher perguntou algo em letão ao marido. Ele traduziu para mim:

'Minha esposa está perguntando como você se chama.'

'Anna.'

A mulher disse algo de novo. E o marido traduziu mais uma vez:

'Ela está dizendo que é um nome muito bonito. E, em sua homenagem, vamos chamar nossa filha de Anna.'

A mulher se soergueu — ela ainda não conseguia ficar de pé — e estendeu para mim uma bela caixa de pó de arroz nacarada. Pelo visto, era seu objeto mais valioso. Abri a caixa, e aquele cheiro à noite, quando trocavam tiros à nossa volta, lançavam bombas... Era algo... Até agora me dá vontade de chorar... O cheiro de pó de arroz, aquela tampa nacarada... Um bebê pequeno... Uma menina... Era algo tão caseiro, de uma verdadeira vida de mulher..."

Anna Nikoláievna Khrolóvitch,
tenente da guarda, enfermeira

* * *

"Uma mulher na Marinha... Era algo proibido, até antinatural. Consideravam que trazia azar para o navio. Eu sou da região de Fastov; na nossa vila as mulheres provocavam minha mãe até a morte: mas o que você teve, uma menina ou um rapaz? Eu escrevi para o próprio Vorochílov, pedindo que me aceitassem na Escola Técnica de Artilharia de Leningrado. E foi apenas por sua iniciativa pessoal que fui admitida lá. A única garota.

Terminei a escola, e mesmo assim queriam me deixar em terra firme. Então parei de admitir que era mulher. Meu sobrenome ucraniano, Rudenko, me salvou. Mesmo assim uma vez eu me entreguei. Estava esfregando o convés, de repente escutei um barulho e me voltei: um marinheiro estava perseguindo um gato. Não sei como ele foi parar no navio, onde — certamente uma superstição que se mantém desde os primeiros navegadores — acredita-se que gatos e mulheres trazem infelicidade no mar. O gato não queria abandonar o navio e executava cada drible que daria inveja a um jogador de futebol internacional. Todos riam no navio. Mas num certo momento ele quase caiu na água; eu me assustei e gritei. E, pelo visto, soltei uma voz tão soprano, tão feminina, que as risadas masculinas cessaram na mesma hora. Fez-se silêncio.

Escutei a voz do comandante:

'Imediato, uma mulher subiu no navio?'

'De jeito nenhum, camarada comandante.'

E começou um pânico: havia uma mulher no navio.

... Fui a primeira mulher a ocupar um posto de oficial de carreira na Marinha de Guerra. Na guerra equipei navios, fuzileiros navais. Na época até saiu na imprensa inglesa que alguma criatura incompreensível — nem homem, nem mulher — estava combatendo na Marinha dos russos. E diziam que essa 'lady com adaga' não se casaria com ninguém. Eu não me casaria? Não, aí é que se engana, casei com um bom senhor, o oficial mais bonito...

Fui uma esposa feliz e sou uma mãe e avó feliz. Não tenho culpa se meu marido morreu na guerra. Eu amava a Marinha, e amei por toda a vida..."

Taíssia Pietróvna Rudenko-Cheveliova, capitã, comandante de uma companhia da tripulação de Moscou, atualmente coronel da reserva

"Eu trabalhava em uma fábrica... Na fábrica de correntes da nossa aldeia, Mikháltchikovo, na região de Kstóvski, distrito de Gorkóvskaia. Assim que começaram a convocar homens e mandar para o front, me puseram para operar o torno, executando um trabalho masculino. De lá fui transferida para a oficina quente, onde forjavam correntes de navio, como marteladora.

Pedi para ir para o front, mas a diretoria da fábrica me mantinha lá com diversos pretextos. Então escrevi para o Comitê Regional do Komsomol e em março de 1942 recebi a convocação. Estava indo com mais algumas meninas, toda a aldeia veio se despedir de nós. Andamos trinta quilômetros a pé até Górki, e lá nos distribuíram por diferentes unidades. Fui mandada para o 784º Regimento de Artilharia Antiaérea de Calibre Médio.

Logo fui nomeada primeira apontadora. Mas eu achava pouco, queria ser carregadora. Só que esse trabalho era considerado exclusivamente masculino: era preciso erguer projéteis de dezesseis quilos e manter um fogo intenso a uma velocidade de descarga de cinco segundos. Mas eu não tinha trabalhado como marteladora à toa. Um ano depois me concederam a patente de terceiro-sargento e me nomearam comandante de segundo canhão, no qual serviam duas garotas e quatro homens. O cano do canhão ficava incandescente por causa do fogo intenso, e era perigoso atirar, precisávamos, contra todas as regras, esfriá-lo com cobertores molhados. Os canhões não aguentavam, mas as pessoas aguentavam. Sou uma mulher resistente, forte, mas sei que minha capacidade na guerra era maior do que na vida de paz. Até fisicamente. Sei lá de onde, mas surgiam forças inexplicáveis...

Depois de escutar o anúncio da Vitória no rádio, chamei a guarnição pelo alarme e dei meu último comando:

'Azimute: quinze, zero, zero. Ângulo de elevação: dez, zero. Detonador cento e vinte, ritmo dez!'

Eu mesma me aproximei do castelo e comecei a saudar com quatro projéteis em honra da nossa Vitória, depois de quatro anos de guerra.

Ao ouvir os tiros, saíram correndo todos os que estavam em posição de bateria, assim como o comandante de batalhão Slatvínski. Diante de todos, mandou me prender por insubordinação, mas depois anulou a decisão. E nós todos saudamos juntos a Vitória, dessa vez já com nossas armas pessoais, nos abraçamos e nos beijamos. Bebemos vodca, cantamos canções. Depois choramos a noite toda e o dia todo..."

Klávdia Vassílievna Konoválova, terceiro-sargento,
comandante de canhão antiaéreo

"Eu levava nos ombros uma metralhadora manual... Nunca confessava que ela era pesada. Quem então me colocaria como o número dois? Diriam que era um soldado inferior, que precisava ser substituído. Me mandariam para a cozinha. Seria uma vergonha. Deus me livre passar a guerra inteira na cozinha. Eu ficaria chorando..."

"As mulheres eram mandadas para as missões em igualdade com os homens?"

"Tentavam nos proteger. Era preciso pedir uma missão militar, ou merecer. Dar provas. Era preciso ter coragem e ousadia para uma coisa dessas. E nem todas as garotas eram capazes disso.

Na nossa cozinha, trabalhava a Vália. Era tão doce, tímida, ninguém a imaginava com um fuzil. Em um caso extremo ela atiraria, claro, mas ela não tinha desejo de sair em uma missão. Eu? Eu tinha. Eu sonhava com isso!

E na escola era uma menina quieta... Apagada..."

Galina Iarosláovna Dubovik, partisan *da 12ª Brigada Stálin de Cavalaria* Partisan

"A ordem: chegar ao lugar em 24 horas... Encaminhamento: ir para o hospital itinerante de campanha nº 713.

Lembro que me apresentei no hospital, de vestido de marquisete preto e sandálias, e usando por cima uma capa do meu marido. Imediatamente me deram uma farda militar, mas eu me recusei a receber: tudo era três, quatro números maior que o meu tamanho. Informaram ao diretor do hospital que eu não queria me submeter à disciplina militar. Ele não tomou nenhuma medida: 'Vamos esperar, daqui a uns dias ela mesma vai trocar de roupa'.

Alguns dias depois mudamos para outro lugar, e fomos muito bombardeados. Nos escondemos em um campo de batatas, mas antes disso tinha chovido. Você consegue imaginar no que se transformou meu vestido de marquisete e como ficaram as sandálias? No dia seguinte eu já estava vestida como soldado. Farda completa.

Assim começou meu percurso militar... Que terminou na Alemanha...

Em 1942, nos primeiros dias de janeiro, entramos no povoado de Afônevka, na região de Kursk. Fazia um frio terrível. Dois edifícios da escola estavam abarrotados de feridos: deitados nas macas, no chão, sobre a palha. Não havia carros nem gasolina suficientes para levar todos para a retaguarda. O chefe do hospital decidiu organizar um comboio de cavalos partindo de Afônevka e povoados vizinhos. O comboio chegou de manhã. Os cavalos eram conduzidos apenas por mulheres. Nos trenós tinham posto cobertores feitos em casa, peliças, travesseiros, alguns tinham inclusive colchões de penas. Até hoje não consigo me lembrar disso sem chorar. Essa cena... Cada mulher escolhia seu ferido, começava a prepará-lo para o caminho e a lamentar baixinho: 'Meu filhinho querido!', 'Ah, queridinho', 'Ah, meu amorzinho!'. Cada uma trazia consigo um pouco de comida caseira, tinha até batata ainda quentinha. Elas agasalhavam os feridos com o que tinham trazido de casa e os colocavam cuidadosamente nos trenós. Até hoje trago nos ouvidos essa prece, essa cantilena silenciosa de mulher: 'Ah, queridinho', 'Ah, meu amorzinho...'. É uma pena, tenho até dor na consciência de não ter perguntado o sobrenome dessas mulheres na época.

Também ficou na minha memória como avançávamos pela Bielorrússia liberta e não encontrávamos nenhum homem nas aldeias. Só encontrávamos mulheres. Só sobraram mulheres..."

Elena Ivánovna Variúkina, enfermeira

SOBRE O SILÊNCIO DO HORROR E A BELEZA DA CRIAÇÃO

"Será que encontro as palavras? Sobre como eu atirava eu posso contar. Sobre como chorava, não. Isso continuará não dito. Sei de uma coisa: na guerra, o ser humano se torna terrível e inconcebível. Como entendê-lo?

Você é escritora. Invente algo você mesma. Algo bonito. Sem piolhos nem sujeira, sem vômito... Sem cheiro de vodca e sangue... Que não seja tão terrível quanto a vida..."

Anastassia Ivánovna Medvédkina, soldado, atiradora de metralhadora

* * *

"Não sei... Não, eu entendo o que você está perguntando, mas minha língua não é suficiente... Minha língua... Como descrever? Preciso... Que... Um espasmo sufoque, como acontece comigo: à noite fico deitada em silêncio e de repente me lembro. Perco o ar. Sinto um calafrio. É assim...

Em algum lugar essas palavras existem... É preciso um poeta... Como Dante..."

Anna Pietróvna Kaliáguina, sargento, enfermeira-instrutora

"Às vezes escuto uma música... Ou uma canção... Uma voz feminina... E ali encontro o que eu sentia na época. Algo parecido...

Mas vejo um filme sobre guerra e penso: 'mentira', leio um livro: 'mentira'. Não é... Não é assim... Eu mesma começo a falar, e também não é bem isso. Não é tão terrível, nem tão bonito. Sabe como é bonita a manhã na guerra? Antes da batalha... Você olha e sabe: pode ser a sua última. A terra é tão bonita... E o ar... O sol..."

Olga Nikítitchna Zabélina, cirurgiã militar

"No gueto vivíamos atrás de arame farpado... Até me lembro que isso aconteceu em uma terça-feira, por algum motivo depois prestei atenção no fato de que era terça. Terça-feira... O dia e mês eu não me lembro. Mas era terça. Por acaso me aproximei da janela. No banco em frente à nossa casa havia um menino e uma menina se beijando. Cercados pelo pogrom, por tiros. E eles se beijando! Fiquei comovida com essa cena pacífica...

Na outra ponta da rua — nossa rua era curta —, apareceu uma patrulha alemã. Eles também viram todos, tinham uma ótima visão panorâmica. Não tive tempo de entender nada... Claro que não tive tempo... Um grito. Um estrondo. Tiros... Eu... Nenhum pensamento... O primeiro sentimento foi medo. Só vi que o menino e a menina se levantaram e já foram caindo. Caíram juntos.

Depois... Passou um dia, o segundo... O terceiro... E eu só pensava nisso. Precisava entender: eles não estavam se beijando em casa, e sim na rua. Por quê? Queriam morrer assim... Sabiam que iam morrer no gueto de qualquer jeito e queriam morrer de outra forma. Claro, isso é o amor. E o que mais seria? O que mais poderia ser...? Só amor.

O que eu contei para você... Isso, é verdade, acabou ficando bonito. Mas, e a vida? Na vida eu experimentei o terror... Sim... O que mais? Vou pensar... Eles estavam resistindo... Queriam uma morte bonita. Estou certa de que essa foi a escolha deles..."

Liubov Eduárdovna Kréssova, membro da resistência

"Eu? Eu não quero falar... Apesar de que... Enfim... Não é possível falar sobre isso..."

Irina Moissêievna Lipítskaia, soldado, fuzileira

"Tinha uma mulher louca que vagava pela cidade... Ela não se lavava nunca, não se penteava. Tinham matado seus cinco filhos. Todos. E matado de formas diferentes. Um, com um tiro na cabeça; outro, no ouvido...

Ela se aproximava de uma pessoa na rua... Qualquer uma... E dizia: 'Vou lhe contar como mataram meus filhos. Com qual começo? Com o Vássienka... Deram um tiro no ouvido dele. E a Tolika foi na cabeça... Então, com qual?'

Todos corriam dela. Era louca, por isso conseguia contar..."

Antonina Albértovna Vijutóvitch, enfermeira partisan

"Só me lembro de uma coisa: estavam gritando 'vitória'! O grito ressoou por todo o dia... Vitória! Vitória! Irmãos! No começo eu não acreditava, estávamos tão acostumados à guerra — era como se a vida fosse aquilo. Vitória! Vencemos... Estávamos felizes! Felizes!"

Anna Mikháilovna Perepiolka, sargento, enfermeira

“Senhoritas! Vocês sabem que um comandante de pelotão de sapadores só vive dois meses...”

Falo da mesma coisa o tempo todo... De uma forma ou de outra volto a isso...

Em geral, falo mais sobre a morte. Sobre a relação dessas mulheres com a morte — ela estava sempre circulando por perto. Tão perto e habitual quanto a vida. Tento entender: como era possível sair sã e salva em meio àquela infinita experiência de morte? Vê-la dia após dia. Pensar. Involuntariamente experimentá-la.

Será possível falar sobre isso? O que transmitem nossas palavras e sentimentos? E o que é indizível? Tenho cada vez mais perguntas e cada vez menos respostas.

Às vezes, volto para casa depois de uma entrevista com a ideia de que o sofrimento é solidão. Um isolamento surdo. Outras vezes, acho que o sofrimento é uma forma particular de conhecimento. Há algo na vida humana que é impossível transmitir e guardar por outros caminhos, especialmente em nossa terra. Assim está estruturado nosso mundo, assim nós estamos estruturados.

Encontrei-me com uma das protagonistas deste capítulo numa sala da Universidade Estatal Bielorrussa. Os alunos juntavam seus cadernos depois da aula, alegres e ruidosos. "Como éramos na época?", ela respondeu com uma pergunta à minha primeira pergunta. "Assim, que nem eles, meus alunos. Só que a roupa era diferente e os enfeites das meninas eram mais simples. Aneizinhos de ferro, colares de contas de vidro. Chinelos impermeabilizados. Não havia esses jeans, esses gravadores..."

Eu seguia com os olhos os estudantes apressados, e o relato já havia começado...

"Antes da guerra eu e uma amiga nos formamos na universidade, e durante a guerra fomos para a escola de sapadores. Fomos para o front já como oficiais... Segundos-tenentes... Fomos recebidas assim: 'Muito bem, meninas! Que bom que vieram, meninas. Não vamos mandá-las para lugar nenhum. Vocês ficam conosco no estado-maior'. Foi assim que nos receberam no estado-maior dos engenheiros do Exército. Demos meia-volta e fomos procurar o comandante do front, Málinski. Quando estávamos indo, se espalhou pela vila que duas moças estavam procurando pelo comandante. Um oficial se aproximou de nós e disse:

'Mostrem seus documentos.'

Ele olhou.

'Por que estão procurando o comandante, vocês precisam ir para o estado-maior dos engenheiros do Exército.'

Respondemos a ele:

'Fomos mandadas como comandantes do pelotão de sapadores, e querem nos deixar no estado-maior. Mas vamos brigar para ser apenas comandantes do pelotão de sapadores e atuar apenas na linha de frente.'

Então aquele oficial novamente nos levou para o estado-maior dos engenheiros do Exército. E eles todos passaram muito tempo falando, juntou-se uma casa inteira de gente; cada um aconselhava, alguns também riam. Mas nós insistíamos, nos defendíamos, dizíamos que tínhamos um encaminhamento e deveríamos ser apenas comandantes do pelotão de sapadores. Então, aquele oficial que nos levou ficou irritado:

'Senhoritas! Vocês sabem quanto vive um comandante de pelotão de sapadores? Um comandante de pelotão de sapadores só vive dois meses...'

'Sabemos, e por isso queremos ir para a linha de frente.'

Ele não teve o que fazer, assinou o encaminhamento:

'Certo, vamos mandá-las para o Quinto Exército de Choque. Vocês sabem o que é um exército de choque, o próprio nome indica. Está permanentemente na linha de frente.'

Quantas histórias de apavorar não nos contavam. Mas estávamos contentes:

'Concordamos!'

Chegamos ao estado-maior do Quinto Exército de Choque, e lá havia um capitão intelectual, que nos recebeu muito bem. Mas quando escutou que estávamos determinadas a ser apenas comandantes do pelotão de sapadores, arrancou os cabelos.

'Não, não! Imaginem! Vamos encontrar trabalho para vocês aqui, no estado-maior. O que foi, estão brincando? Lá só tem homens, e de repente o comandante é uma mulher — isso é maluquice. Estão achando o quê?'

Passaram dois dias insistindo. Falando diretamente... Nos convencendo. Mas não cedemos: só aceitaríamos ser comandantes do batalhão de sapadores. Não arredamos um passo. Só que não parou por aí. Por fim... Por fim, recebemos a nomeação. Me levaram para o meu pelotão... Os soldados me olhavam: uns com zombaria, outros até com raiva, e alguns se denunciavam pelo movimento dos ombros. Entendi tudo imediatamente. Quando o comandante do batalhão me apresentou, disse, vejam, essa é a nova comandante do pelotão, todos começaram a vaiar na hora: 'Uuuuuu...'. Teve um que até cuspiu.

Um ano depois, quando me entregaram a Ordem da Estrela Vermelha, esses mesmos rapazes, os que ainda estavam vivos, me levaram nos braços para meu abrigo. Estavam orgulhosos de mim.

Se você perguntar qual é a cor da guerra, direi: cor de terra. Para uma sapadora... Preto, amarelo e a cor de barro da terra...

Estávamos indo a algum lugar... Pernoitávamos na floresta. Fazíamos uma fogueira e, enquanto ela ardia, todos se sentavam em silêncio ao redor dela, alguns até caíam no sono. Eu adormecia olhando para o fogo, dormia de olhos abertos: umas borboletas, umas moscas voavam para o fogo, voavam a noite toda, sem som, sem nenhum sussurro, em silêncio sumiam naquela grande fogueira. Outros vinham em seguida... Na verdade... Nós também éramos assim. Andávamos e andávamos. Seguíamos o fluxo.

Não morri dois meses depois, mas fui ferida. A primeira vez foi uma ferida leve. E parei de pensar na morte..."

Stanislava Pietróvna Vólkova, segundo-subtenente,
comandante de um pelotão de sapadores

"Na infância... Vou começar pela minha infância... Na guerra, o que eu mais tinha medo era de me lembrar da infância. Justamente da infância. Não se deve lembrar das coisas mais ternas durante a guerra. Coisas ternas estão proibidas. É um tabu.

Pois bem... Na infância, meu pai raspava meus cabelos bem rente, com máquina zero. Lembrei disso quando cortaram nossos cabelos e nos transformamos de moças em jovens soldados. Algumas meninas ficaram assustadas... Mas para mim foi fácil me acostumar. Estava no meu ambiente. Não era em vão que meu pai suspirava: 'Estamos criando um rapazinho, não uma menina'. A culpada de tudo era uma paixão minha, foi por ela que levei bronca mais de uma vez. No inverno, eu saltava de um barranco escarpado para o rio Ob coberto de neve. Depois da aula eu pegava umas velhas calças de algodão do meu pai, vestia e amarrava sobre as botas de feltro. Punha uma jaqueta acolchoada e enfiava as barras por dentro da calça, depois apertava bem o cinto. Na cabeça usava uma *uchanka*, amarrada embaixo do queixo. Com essa aparência ia bamboleando como um urso, um pé atrás do outro, até o rio. Corria com toda a minha força e pulava do barranco para baixo...

Ah! Que sensação você experimenta ao voar do precipício e esconder a cabeça sob a neve. Te rouba o fôlego! Outras meninas tentavam ir comigo, mas com elas não dava certo: uma torceu o pé, a outra quebrou o nariz na neve dura, e com a terceira aconteceu alguma outra coisa. Mas eu era mais hábil que os meninos.

Lembrei da minha infância... Porque não estava com vontade de falar logo de sangue... Mas eu entendo, é importante, claro, é importante. Gosto de livros. Entendo...

Chegamos a Moscou em setembro de 1942... Nos levaram pelo anel ferroviário durante uma semana inteira. Parávamos nas estações: Kúntsevo, Perovo, Otchákovo, e em todo lugar desciam meninas do trem. Vinham os 'compradores', como se dizia, comandantes de diferentes unidades e tipos de tropas, e faziam propaganda para que fôssemos francoatiradoras, enfermeiras-instrutoras, operadoras de rádio... Nada daquilo me seduzia. Por fim, de todo o trem sobraram treze pessoas. Alojaram todas em um vagão de carga adaptado. Só sobraram dois vagões no desvio morto: o nosso e o do estado-maior. Passamos dois dias e ninguém veio nos ver. Ríamos e cantávamos a canção 'Esquecido, largado'. No segundo dia, no fim da tarde, vimos que três oficiais estavam se dirigindo para o nosso vagão, junto com o chefe do trem.

Eram 'compradores'! Eles eram altos, esbeltos, os cinturões bem apertados. Capotes novos em folha, botas bem engraxadas, brilhantes, com esporas. Uma beleza! Ainda não tínhamos visto ninguém como eles. Entraram no vagão do estado-maior e nos colamos à parede para escutar o que estavam falando. O chefe mostrava nossas listas e dizia as características resumidamente: quem era cada uma, de onde vinha, formação. Por fim, escutamos: 'Todas são adequadas'.

Então o chefe saiu do vagão e ordenou que entrássemos em formação. Formamos fila. 'Querem aprender a arte da guerra?' Como não íamos querer? Claro que queríamos. Muito, inclusive! Sonhávamos com isso! Nenhuma de nós nem perguntou onde estudaríamos e para quê. Veio a ordem: 'Primeiro-tenente Mitropólski, leve as meninas para a Academia Militar'. Cada uma pôs sua mochila no ombro, nos postamos de duas em duas, e o oficial nos levou pelas ruas de Moscou. Amada Moscou... Nossa capital... Até naqueles tempos difíceis era bonita... Querida... O oficial andava rápido, a passos largos, não conseguíamos ir atrás dele. Só no aniversário de trinta anos da Vitória, quando nos encontramos em Moscou, Serguei Fiódorovitch Mitropólski admitiu para nós, ex-cadetes da Escola de Engenharia Militar de Moscou, que estava com vergonha de nos conduzir pela cidade. Ele tentava se afastar ao máximo de nós, para que ninguém prestasse atenção nele. Naquela manada de meninas... Não sabíamos disso e o seguíamos praticamente correndo. Acho que não estávamos muito bem!

Pois bem... Já nos primeiros dias de aula me deram duas patrulhas extras: uma hora achei a sala de aula muito fria, e depois alguma outra coisa. Sabe, hábitos de escola. Bem, eu mereci: uma patrulha extra, a segunda... Depois outra e mais uma. Na divisão na rua, os cadetes reparavam em mim e começavam a rir:

já era a plantonista titular. Eles, claro, achavam engraçado, mas eu não ia à aula, de noite não dormia. Passava o dia inteiro ao lado da porta, no posto, e à noite esfregava o chão da caserna com cera. Como se fazia na época? Vou explicar... Em detalhes... Não é como se faz agora, agora tem várias escovas, enceradeiras e coisas do tipo. Mas na época... Depois do toque de recolher, você tirava as botas, para não sujar de cera, enrolava os pés em pedaços de um capote velho, fazia uma espécie de chinelo amarrado com barbantes. Espalhava a cera pelo chão, esfregava com a escova, e não era uma escova de náilon, era de pelo, soltava uns fiapos, e depois começava a mexer os pés freneticamente. Tinha que esfregar até ficar com um brilho espelhado. Você se acabava de dançar! As pernas fraquejavam e ficavam dormentes, as costas tortas, o suor inundava os olhos. De manhã, não tinha forças nem para gritar para a companhia: 'Vamos lá!'. E de dia também não conseguia sentar; para fazer o plantão eu precisava ficar o tempo todo de pé no posto. Uma vez aconteceu um caso curioso comigo... Engraçado... Estava no posto, tinha acabado de terminar a limpeza da caserna. Estava com tanta vontade de dormir que sentia: vou cair agora. Encostei o cotovelo no posto e cochilei. De repente, escutei alguém abrir a porta do local, saltei e vi que, diante de mim, estava o oficial encarregado do batalhão. Levantei a mão e informei: 'Camarada primeiro-tenente, a companhia está em descanso'. Ele olhou para mim com olhos arregalados e não conseguia segurar o riso. Então eu percebi que, como sou canhota, na pressa levei a mão esquerda à boina. Tentei mudar rapidamente para a direita, mas já era tarde. Mais um erro.

Levei muito tempo para entender que aquilo não era um jogo, não era a escola, mas uma escola militar. Treinamento para a guerra. A ordem do comandante é lei para o subordinado.

Do exame final, ficou na minha memória a última pergunta: 'Quantas vezes na vida um sapador se engana?'

'O sapador se engana uma vez na vida.'

'Isso mesmo, menina...'

E depois o habitual:

'Está dispensada, cadete Bairak...'

E veio a guerra. A guerra de verdade...

Fui levada para o meu pelotão. Dei o comando: 'Pelotão, sentido!', mas o pelotão nem pensava em levantar. Uns estavam deitados, outros sentados fumando, um estalando os ossos: 'Ê!'. Quer dizer, fingiram que não me notaram. Se sentiam ofendidos em saber que eles, batedores, homens, tinham que se subordinar a uma garota de vinte e poucos anos. Entendi isso muito bem e precisei dar o comando: 'Descansar!'.

Então, começou um bombardeio... Saltei na vala, o capote novinho, e, em vez de me deitar embaixo, na lama, me deitei de lado, na neve não derretida. Bom, os jovens têm dessas coisas: um capote pode ser mais valioso do que a vida. Era uma menina boba! Meus soldados riram.

Pois bem... O que era o reconhecimento terrestre que nós fazíamos? À noite os soldados cavavam uma pequena trincheira para duas pessoas na faixa neutra. Antes de amanhecer, eu e um dos comandantes da seção nos arrastávamos até essa trincheirinha e os soldados nos camuflavam. E então passávamos o dia inteiro deitados ali, tínhamos medo de fazer o menor movimento. Uma ou duas horas depois, as mãos e os pés já estavam congelados, apesar de vestirmos botas de feltro e peliças curtas. Quatro horas depois, éramos um bloco de gelo. Nevava... Eu me transformava num boneco de neve... Isso no inverno... No verão precisávamos deitar no calor ou debaixo de chuva. Passávamos o dia inteiro observando atentamente todos os passos do inimigo e compúnhamos um mapa de observação da linha de frente: marcávamos em que lugares aparecera alguma mudança na superfície terrestre. Se achávamos um montinho ou uma bola de terra, neve suja, grama pisada ou orvalho batido na grama, era disso que precisávamos... Era o nosso objetivo... Ficava claro: ali, sapadores alemães tinham feito um campo minado. Se eles tivessem feito uma barreira de arame, precisávamos determinar a largura e a longitude. Que minas foram usadas: antipessoal, antitanque ou minas surpresa? Marcávamos a localização do ponto de fogo do oponente.

Antes do ataque, nossas tropas trabalhavam à noite. Sondavam o local, centímetro por centímetro. Faziam corredores nos campos minados... O tempo todo rastelando a terra... Se arrastando de barriga... E eu ficava como uma lançadeira, ia e vinha de uma seção para outra. As 'minhas' minas eram sempre maiores.

Eu tenho vários casos... O suficiente para um filme... Uma série de filmes.

Os oficiais me chamaram para o café da manhã. Eu aceitei, os sapadores nem sempre têm comida quente, nós vivíamos basicamente de ração. Quando todos se acomodaram na mesa da cozinha, o fogão russo me chamou a atenção: estava com a tampa fechada. Cheguei perto e comecei a examinar a tampa. Os oficiais riam de mim, diziam: 'Essa mulher procura mina até nas panelas'. Eu respondia com brincadeiras, mas reparei que, bem embaixo, no lado esquerdo da tampa, havia um buraquinho. Examinei com atenção e vi um fio muito fino que ia até o fogão. Rapidamente me voltei para as pessoas à mesa: 'A casa está minada, peço que abandonem o local'. Os oficiais ficaram em silêncio e fixaram os olhos em mim, incrédulos; ninguém tinha vontade de se levantar da mesa. A carne cheirava bem, havia batatas fritas... Repeti: 'Saiam rápido do local!'. Eu e os outros sapadores nos pusemos a trabalhar. Para começar, tiramos a tampa. Cortaram com tesouras o fio... Bem, e aí... E aí... Aí... No fogão havia algumas canecas esmaltadas de um litro amarradas com um barbante. O sonho dos soldados! Melhor que uma panelinha. Mas no fundo do fogão, envoltos em papel preto, havia dois pacotes grandes. Uns vinte quilos de explosivos. Aí estavam, com as panelas.

Estávamos andando pela Ucrânia, isso já foi em Stanislav, atualmente região de Ivano-Frankovsk. O pelotão recebeu uma missão: desativar com urgência minas em uma fábrica de açúcar. Cada minuto era precioso: não sabíamos como haviam minado a fábrica, e, se fora ativado o mecanismo-relógio, podíamos esperar por uma explosão a qualquer minuto. Saímos em marcha acelerada para a missão. O clima estava ameno, levávamos pouca coisa. Quando estávamos passando pela posição dos artilheiros-condutores, de repente um deles saltou das trincheiras e gritou: 'Alerta! Avião!'. Levantei a cabeça e fiquei procurando o 'avião' no céu. Não vi nada. Ao meu redor estava tudo silencioso, não se ouvia um som. Onde estava o tal 'avião'? Então, um dos meus sapadores pediu permissão para sair da formação. Quando vi, ele foi até o soldado de artilharia e deu-lhe um tabefe. Não tive tempo de entender nada, e o soldado da artilharia começou a gritar: 'Rapazes, estão batendo nos nossos!'. Saltaram das trincheiras outros artilheiros e rodearam nosso sapador. O meu pelotão, sem hesitar, soltou as sondas, os detectores de minas, os sacos e correu em socorro dele. Começou uma briga. Eu não conseguia entender o que tinha acontecido. Por que o pelotão se meteu numa briga? Estávamos contando cada minuto, e agora aquele tumulto? Dei o comando: 'Pelotão, entrar em formação!'. Ninguém prestou atenção em mim. Então peguei minha pistola e dei um tiro para o alto. Os oficiais saíram do abrigo. Até todos se acalmarem, passou um tempo considerável. O capitão se aproximou do meu pelotão e perguntou: 'Quem é o superior aqui?'. Eu me apresentei. Ele arregalou os olhos, até ficou desnorteado. Depois perguntou: 'O que aconteceu aqui?'. Eu não sabia responder, porque na verdade não sabia os motivos. Então meu ajudante saiu à frente e contou o que havia se passado. E aí eu soube que 'avião' era uma palavra ofensiva para uma mulher. Era algo como vadia. Um xingamento do front...

Mas, sabe... Estamos aqui numa conversa sincera... Na guerra, eu tentava não pensar nem em amor, nem na infância. E na morte também. Hmmm... Estamos aqui numa conversa sincera... Pois bem... Eu já disse: tive que me proibir muitas coisas para poder sobreviver. Em especial, me proibi tudo o que era carinhoso e terno. Até pensar nisso. Recordar. Lembro que pela primeira vez na libertação de Lvov nos deram algumas noites livres. Era a primeira vez em toda a guerra... O batalhão foi para o cinema municipal ver um filme. No começo não estávamos acostumados a sentar em poltronas macias, ver um ambiente bonito, conforto e silêncio. Antes do começo da sessão, tocava uma orquestra, se apresentavam artistas. Organizaram danças no foyer. Dançaram polca, cracoviana, *pas d'espagne*, e terminamos com a indefectível 'Russa'. A música tinha um efeito especial sobre mim... Nem dava para acreditar que em algum lugar estavam atirando e em breve nos mandariam para a linha de frente de novo. Que a morte estava em algum lugar por perto.

Mas já um dia depois, meu pelotão foi mandado para uma operação pente-fino em uma localidade acidentada, que ia de um vilarejo até a ferrovia. Alguns carros tinham explodido por lá. Minas... Os batedores com detectores de minas foram andando ao longo da rodovia. Chuviscava, uma chuvinha fria. Estava tudo molhado, até o último fio. Minhas botas incharam, ficaram pesadas, como se a sola fosse de ferro. Pus a aba do capote por dentro do cinto para não enrolar nas pernas. Adiante, minha cadela Nelka ia na coleira. Se encontrava um projétil ou uma mina, sentava ao lado e esperava até desativarem. Minha amiga fiel... E então a Nelka se sentou... Ficou esperando e ganindo... Nessa hora me passaram uma ordem: 'Tenente, apresentar-se ao general'. Olhei em volta: na estrada de terra havia um Willys. Saltei a vala, no caminho ajeitei a aba do capote, endireitei o cinto e a boina. Mas ainda assim eu estava com um aspecto lamentável.

Correndo, me aproximei do carro, abri a porta e comecei a me apresentar:

'Camarada general, segundo sua ordem...'

Escutei:

'Retire-se...'

Me endireitei na posição de 'sentido'. O general nem se virou para mim, estava olhando para a estrada pelo vidro do carro. Se irritava e olhava com frequência para o relógio. Eu continuei postada. Ele se voltou para o ordenança:

'Onde é que está esse comandante dos sapadores?'

Tentei me apresentar de novo:

'Camarada general, às ordens...'

Ele por fim se virou para mim e disse com raiva:

'Para que diabos vou precisar de você?'

Entendi tudo e quase comecei a gargalhar. O ordenança adivinhou primeiro:

'Camarada general, talvez ela seja a comandante dos sapadores.'

O general se espantou comigo:

'Quem é você?'

'Comandante do pelotão de sapadores, camarada general.'

'Você, comandante do pelotão?', ele ficou indignado.

'Exato, camarada general!'

'São os seus sapadores que estão trabalhando?'

'Exato, camarada general!'

'Mas não para de repetir: general, general...'

Ele desceu do carro, deu alguns passos para a frente, depois se voltou para mim. Parou, me mediu com os olhos. Disse para o ordenança:

'Viu?'

E me perguntou:

'Quantos anos você tem, tenente?'

'Vinte, camarada general.'

'De onde você é?'

'Da Sibéria.'

Ele ainda passou muito tempo me fazendo perguntas, propôs me transferir para sua unidade de tanques. Estava indignado que eu estivesse com aquela aparência lamentável: ele jamais teria permitido. Precisavam muito de sapadores. Depois, me levou para o lado e me mostrou um bosque:

'Ali estão minhas caixinhas. Quero passá-las por essa ferrovia. Os trilhos e dormentes já foram retirados, mas a estrada talvez esteja minada. Dê uma mão para os tanquistas, verifique a estrada. Aqui é mais cômodo e mais próximo para avançar até a linha de frente. Sabe o que é um ataque surpresa?'

'Sei, camarada general.'

'Bem, boa sorte, tenente. Veja se fica viva até a vitória, ela já está próxima. Entende?'

Verificou-se que a ferrovia de fato estava minada. Nós conferimos.

Todos queriam viver até a vitória...

Em outubro de 1944, nosso batalhão, integrante do 210º Destacamento Especial de Desativação de Minas, junto com as tropas da Quarta Frente Ucraniana, entrou no território da Tchecoslováquia. Fomos recebidos com alegria por todos os lados. Jogavam flores, frutas, pacotes de cigarros... Estendiam tapetes nas calçadas... Que uma moça comandasse um pelotão de homens, e que ainda fosse uma sapadora, tornou-se uma sensação. Eu usava um corte de cabelo masculino, usava calças e túnicas, meu jeito era masculino, em suma, parecia um adolescente. Às vezes eu entrava numa aldeia a cavalo, e era muito difícil definir qual era o sexo do cavaleiro, mas as mulheres adivinhavam com o faro e me examinavam. Intuição feminina... Era engraçado... Bacana! Eu chegava ao apartamento onde devia ficar, e os donos da casa sabiam que o inquilino era um oficial, mas não um homem. Muitos ficavam com a boca aberta de surpresa... Cinema mudo! Mas isso me... Hmmm... Eu até gostava. Gostava de surpreender desse jeito. Na Polônia foi igual. Lembro que, em uma aldeiazinha, uma velhinha alisou minha cabeça. Eu adivinhei: 'O que foi, senhora, está procurando meus chifres?'. Ela ficou desconcertada e disse que não, só estava com pena de mim, 'uma senhorita tão nova'.

Havia minas a cada passo. Eram muitas minas. Uma vez, entramos em uma casa, alguém na hora viu umas botas de couro de bezerro ao lado do armário. Já ia estendendo a mão para pegá-las. Gritei: 'Não ouse tocar!'. Quando me aproximei e comecei a examinar, verifiquei que estavam minadas. Encontrávamos minas em poltronas, cômodas, aparadores, bonecas, lustres... Os camponeses pediam para desativar minas em canteiros de tomates, batata, repolho. Em uma aldeia, para provar os *varêniki*,* o pelotão teve que desativar minas no campo de trigo, e até do mangual de debulhar...

Pois então... Passei por Tchecoslováquia, Polônia, Hungria, Romênia, Alemanha... Na minha memória sobraram poucas impressões, lembro basicamente de fotografias visuais do relevo do lugar. Umas rochas... Capim alto... Talvez ele fosse realmente alto, ou talvez nos parecesse assim porque era incrivelmente difícil atravessá-lo e trabalhar com sondas e detectores de minas. Um capim velho... Bardanas mais altas do que os arbustos... Lembro ainda de uma infinidade de riachinhos e barrancos. Floresta cerrada, barreiras de arame com estacas apodrecidas, um campo minado coberto por mato crescido. Canteiros de flores abandonados. Sempre havia minas neles, os alemães adoravam canteiros. Uma vez, no campo vizinho, estavam colhendo batatas com a pá, e nós ao lado cavávamos minas...

* *Varêniki*: massa cozida recheada. De origem turca, é muito popular na Rússia e na Ucrânia.

Na Romênia, na cidade de Dej, fiquei na casa de uma jovem romena que falava russo bem. Soube que a avó dela era russa. A mulher tinha três filhos. O marido morrera no front, estivera em uma divisão romena de voluntários. Mas ela adorava rir, se divertir. Uma vez, me chamou para ir com ela a um baile. Me ofereceu sua roupa. A tentação era grande. Eu estava de calças, *guimnastiorka*, botas de bezerro, e, por cima de tudo, uma roupa tradicional romena: uma camisa bordada longa, de linho, e uma saia xadrez justa, de lã, presa na cintura com uma faixa preta. Cobri a cabeça com um lenço colorido de bolas grandes. Tendo em conta que no verão eu tinha me bronzeado muito rastejando pelas montanhas, tirando as mechas brancas nas têmporas e o nariz descascado, eu já não tinha nenhuma diferença de uma romena de verdade. Uma moça romena.

Eles não tinham um clube, os jovens se reuniam na casa de alguém. Quando chegamos, já tocava música, estavam dançando. Vi quase todos os oficiais do meu batalhão. No começo fiquei com medo de que me reconhecessem e desmascarassem, por isso passei um tempo me escondendo, no canto, sem atrair a atenção para mim, quase me cobrindo com o lenço. Ia só olhar e pronto... Bem, olharia de longe... Mas depois, quando vi que um dos nossos oficiais me chamou para dançar algumas vezes e não me reconheceu com os lábios e sobrancelhas pintadas, comecei a achar engraçado e divertido. Me diverti de coração... Gostava quando diziam que eu era bonita. Escutava os elogios... Dançava e dançava...

A guerra acabou, e nós ainda passamos um ano inteiro desativando minas em campos, lagos e rios. Na guerra, tudo era despejado na água, o mais importante era avançar, chegar ao destino a tempo. Mas agora era preciso pensar em outras coisas... Na vida... Para os sapadores, a guerra acabou alguns anos depois da guerra, combatemos por mais tempo que o resto. E o que era esperar uma explosão depois da Vitória? Esperar aquele instante... Não, não! A morte depois da Vitória era a morte mais terrível. Uma morte dupla.

Pois bem... Como presente de Ano-Novo, em 1946 ganhei dez metros de cetim vermelho. Eu ri: 'Para que vai me servir? Só se depois da baixa eu costurar um vestido vermelho para mim. O vestido da Vitória'. Parecia que eu tinha previsto... Logo veio a ordem da minha baixa... Como é de praxe, meu batalhão organizou uma despedida solene. À noite, os oficiais me levaram de presente um lenço azul-escuro, grande, de uma malha fina. Para ganhá-lo, eu precisava cantar a música do lenço azul. Cantei a noite inteira para eles.

Tive febre no trem. Meu rosto inchou, a boca não abria. Estavam nascendo os dentes do siso... Eu estava voltando da guerra..."

Appolina Níkonovna Litskévitch-Bairak, segundo-subtenente, comandante do pelotão de sapadores

"Só olhar uma vez..."

E agora, uma história de amor...

O amor é o único acontecimento pessoal na guerra. Todo o resto é coletivo — até a morte.

O que terminou sendo inesperado para mim? Que, sobre o amor, elas falassem de forma menos franca do que sobre a morte. O tempo todo eu sentia que elas não contavam a história completa, sempre paravam em algum ponto. Protegiam isso vigilantemente. Existia entre elas um acordo não dito: daqui para a frente é proibido. Baixa-se a cortina. Eu entendia do que elas se defendiam: das ofensas e calúnias do pós-guerra. Tinham levado a culpa! Depois da guerra, tiveram ainda uma outra guerra, não menos terrível do que aquela da qual voltavam. Se alguém decidia ser sincera até o fim, se deixava escapar uma confissão desesperada, invariavelmente vinha o pedido no fim: "Mude meu sobrenome", ou "Na nossa época não era permitido falar disso em voz alta... era indecente...". Escutei mais sobre o romântico e o trágico.

Claro, não é nem toda a vida, nem toda a verdade. Mas é a verdade delas. Como reconheceu sinceramente um escritor da geração da guerra: "Maldita seja a guerra, nosso momento triunfal!". Essa era a senha, a epígrafe comum da vida deles.

E ainda assim: como era ele, o amor? Ao lado da morte...

SOBRE A MULHER DOS DEMÔNIOS E AS ROSAS DE MAIO

"A guerra tirou o meu amor de mim... Meu único amor...

Estavam bombardeando a cidade; minha irmã Nina veio correndo falar comigo, nos despedimos. Já pensávamos que não íamos mais nos ver. Ela me disse: 'Vou me juntar aos enfermeiros paramilitares, só preciso encontrá-los'. E então eu entendi: olhei para ela, era verão, ela estava usando um vestido leve, e vi que ela tinha um sinal de nascença no ombro esquerdo, ali, perto do pescoço. Era minha irmã, mas eu notei isso. Olhava e pensava: 'Vou reconhecê-la em qualquer lugar'.

E um sentimento tão pungente... Um amor desses... Me parte o coração...

Todos estavam indo embora de Minsk. As estradas estavam sendo bombardeadas, íamos pela floresta. Em algum lugar, uma menina gritava: 'Mamãe, a guerra'. Nossa unidade estava recuando. Íamos andando por um campo largo, o centeio espigando, e perto da estrada havia uma isbá camponesa baixa. Já estávamos no distrito de Smoliénsk... Uma mulher estava postada ao lado da estrada, parecia maior que a casinha, toda vestida de linho bordado com um desenho tradicional russo. Ela cruzava as mãos no peito e fazia reverências profundas; os soldados passavam, ela fazia uma reverência para eles e dizia: 'Que o Senhor lhe permita voltar para casa'. Sabe? Ela se inclinava para cada um e falava isso. Todos ficaram com lágrimas nos olhos...

Me lembrei dela por toda a guerra... E ainda tem outra coisa, isso foi na Alemanha, quando estávamos perseguindo os alemães. Em algum povoado... Vi duas alemãs sentadas no pátio, com suas touquinhas, bebendo café. Como se não estivesse acontecendo guerra nenhuma... E pensei: 'Meu Deus, do nosso lado está tudo em ruínas, nossa gente está vivendo debaixo da terra, comendo grama, e vocês sentadas, tomando café'. Nossos veículos, nossos soldados passando ao lado... E elas bebendo café...

Depois viajei por nossa terra... O que vi? No lugar de uma vila, sobrou só um fogão. Um velho estava sentado, e atrás dele três netos; pelo visto, tinha perdido o filho e a nora. A velha estava recolhendo tições para acender o fogão. Tinha uma peliça pendurada, ou seja, tinham vindo da floresta. Não cozinhavam nada no fogão.

Um sentimento tão pungente... Um amor desses...

... Nosso trem parou. Não lembro o que aconteceu — estavam fazendo um conserto nos trilhos, ou iam mudar a locomotiva. Eu estava sentada com uma enfermeira, e ao lado dois soldados nossos estavam cozinhando mingau. Saídos não sei de onde, dois prisioneiros alemães se aproximaram de nós e começaram a pedir para comer. Tínhamos pão. Pegamos uma bisnaga, partimos e demos para eles. Escutei a discussão dos soldados que estavam cozinhando mingau:

'Veja quanto pão as médicas deram para o nosso inimigo!', e depois algo como: será que elas sabem o que é a guerra de verdade, ficam só nos hospitais, de onde vieram...

Um tempo depois outros presos se aproximaram desses soldados que estavam cozinhando o mingau. E o mesmo soldado que havia pouco nos repreendera disse a um alemão:

'O que foi, quer rangar?'

E ele ficou lá... Esperando. O outro soldado deu uma bisnaga para o camarada.

'Certo, corte um pouco para ele.'

Ele cortou um pedaço para cada. Os alemães pegaram o pão e continuaram parados — olhando o mingau no fogo.

'Ah, está bem', disse um soldado, 'dê mingau para eles.'

'Mas ainda não está pronto.'

Entende?

E os alemães, como se também entendessem a língua, ficaram parados. Esperando. Os soldados temperaram o mingau com sal e deram para eles em latas de conserva.

Esta é a alma do soldado russo. Nos julgaram, mas eles próprios deram pão, e ainda deram mingau, mas só depois de temperar com sal. É isso o que eu me lembro.

E um sentimento tão pungente... Tão forte...

A guerra tinha terminado havia muito tempo... Eu estava me preparando para ir a um balneário... Foi exatamente na época da Crise dos Mísseis de Cuba. O mundo estava intranquilo de novo. Tudo se agitando. Estava fazendo a mala, pondo vestidos, casaquinhos. Parecia que eu estava me esquecendo de algo. Peguei a bolsa com os documentos e tirei de lá minha carteirinha militar. Pensei: 'Se acontece alguma coisa, vou na hora ao centro de alistamento'.

Já estava na praia, descansando, e contei para alguém no restaurante que viera com minha carteirinha militar. Falei assim, sem nenhuma intenção ou desejo de embelezar a história. Um homem que estava na nossa mesa ficou alvoroçado:

'Não, só uma mulher russa, quando vai para um balneário, leva a carteirinha militar e pensa que, se acontece algo, já vai direto para o centro de alistamento.'

Eu me lembro do estado de êxtase em que ele ficou. Da admiração. Meu marido me olhava assim. Com esse olhar...

Desculpe por essa longa introdução... Não sou capaz de contar na ordem. Meus pensamentos sempre saltam, os sentimentos irrompem...

Eu e meu marido fomos juntos para o front. Os dois.

Esqueci muita coisa. No entanto, todo dia me lembro de algo.

A batalha terminou… Não podia acreditar naquele silêncio. Ele afagava a grama com as mãos, a grama suave… E olhava para mim. Olhava… Com uns olhos…

Tinham saído em grupo para a prospecção. Esperamos dois dias… Eu não dormi por dois dias… Então cochilei. Acordei com ele sentado ao meu lado, olhando para mim. 'Durma.' 'Fico com pena de dormir.'

Um sentimento tão pungente… Um amor desses… Me parte o coração.

Esqueci muita coisa, esqueci quase tudo. Achava que não ia esquecer. Que não esqueceria por nada.

Estávamos atravessando a Prússia Oriental, todos já estavam falando da Vitória. Ele morreu… Morreu instantaneamente… Pelos estilhaços… Morte instantânea. Em um segundo. Me informaram que o corpo tinha sido trazido, corri para lá… Eu o abracei e não deixei que o levassem. Para enterrar. Na guerra, faziam os enterros logo em seguida: no dia da morte, se a batalha era rápida, juntavam todos na hora, traziam de todos os lugares e cavavam uma grande fossa. Cobriam. Às vezes, só com areia seca. E se você olhasse muito tempo para essa areia, parecia que ela se mexia. Tremia. A areia sacudia. Porque lá… Para mim, ainda havia gente viva, estavam vivos havia pouco. Eu os via, falava com eles… Não acreditava… Todos nós andávamos por ali e não acreditávamos que eles tinham ido para lá… Lá onde?

Não permiti que ele fosse enterrado ali. Queria que ainda tivéssemos mais uma noite. Deitar ao lado dele. Olhar… Afagar…

De manhã… Decidi que o levaria para casa. Para a Bielorrússia. E isso ficava a milhares de quilômetros. Estradas de guerra… Uma confusão… Todos achavam que eu tinha ficado louca de tanta dor. 'Você precisa se acalmar. Tem que dormir.' Não! Não! Eu ia de um general a outro, e assim cheguei ao comandante do front, Rokossóvski. No começo ele recusou… Estava louca!

Quantos já estavam enterrados em valas comuns, em terras estrangeiras...

Tentei mais uma audiência com ele:

'Quer que eu fique de joelhos?'

'Eu entendo... Mas ele já está morto...'

'Não tive filhos com ele. Nossa casa foi reduzida a cinzas. Até as fotografias foram perdidas. Não ficou nada. Se eu o levar para a nossa terra, restará ao menos o túmulo. E vou poder voltar para lá depois da guerra.'

Ele ficou calado. Andava pelo gabinete. Andava.

'O senhor já amou alguma vez, camarada marechal? Eu não estou enterrando meu marido, estou enterrando meu amor.'

Silêncio.

'Senão, também quero morrer aqui. Para que vou viver sem ele?'

Ele passou muito tempo calado. Depois, se aproximou e beijou minha mão.

Deram-me um avião especial por uma noite. Entrei no avião... Abracei o caixão... E perdi a consciência..."

Efrossínia Grigórevna Breus, capitã, médica

"A guerra nos separou... Meu marido foi para o front. Na evacuação, primeiro fui para Khárkov, depois para a Tartária. Arrumei um trabalho por lá. E então uma vez me procuraram, meu sobrenome de solteira é Lissóvskaia. Estavam todos me chamando: 'Sóvskaia! Sóvskaia!'. Respondi: 'Sou eu!'. Me disseram: 'Vá para a NKVD, pegue uma autorização, depois siga para Moscou'. Por quê? Ninguém me explicou nada, e eu não sabia. Tempos de guerra... Durante a viagem, pensava que meu marido talvez estivesse ferido, talvez estivessem me chamando para ficar com ele. Já tinha quatro meses que eu não sabia nada do paradeiro dele, nenhuma notícia. Estava determinada: se o encontrasse sem braços, sem pernas, inválido, eu o pegaria e levaria para casa imediatamente. Viveríamos de alguma forma.

Cheguei a Moscou, fui até o endereço. Estava escrito: TSK KPB,* ou seja, nosso governo bielorrusso, e lá havia muita gente na mesma situação. Queríamos saber: 'O quê? Por quê? Para que nos reuniram?'. Disseram: 'Logo vão saber'. Reuniram todos em uma sala grande: lá estavam nosso secretário do Comitê Central da Bielorrússia, camarada Ponomarenko, e outros dirigentes. Perguntaram para mim: 'Quer ir para o lugar de onde você veio?'. Bem, eu vim da Bielorrússia. Claro que quero. Me colocaram em uma escola especial. Começaram a me preparar, depois me mandariam para a retaguarda do inimigo.

Num dia terminamos o treinamento, já no dia seguinte nos puseram em veículos e nos levaram até a linha de frente. Depois fomos a pé. Eu não sabia o que era o front e como era a faixa neutra. Comando: 'Preparar! Prontidão...'. 'Bum!' — atiraram o míssil. Vi a neve, branca, branca, e ali havia uma faixa de gente: éramos nós, deitados um após o outro. Havia muitos de nós. O míssil se apagou, não houve tiros. Mais um comando: 'Correr!', e saímos correndo. Passamos assim...

No destacamento da resistência por algum milagre me chegou uma carta do meu marido. Foi algo tão alegre, tão inesperado, fazia dois anos que eu não sabia nada dele. E então um avião jogou comida, munição... E o correio... E nesse correio, nesse saco de lona havia uma carta para mim. Então fiz um requerimento escrito para o comitê central. Escrevi que faria qualquer coisa para que eu e meu marido ficássemos juntos de novo. E dei a carta para o piloto, escondida do nosso comandante. Logo soube as notícias: pelo serviço de comunicação, informaram que, de-

* Sigla para Comitê Central do Partido Comunista da Bielorrússia.

pois do cumprimento da missão, estavam esperando nosso grupo em Moscou. Todo nosso grupo. Nos mandariam para outro lugar… Todos deviam pegar o avião, e Fedossenko principalmente.

Esperávamos o avião, era de noite, estava escuro como breu. E um avião voava em círculos, depois começou a nos bombardear. Era um Messerschmitt, os alemães localizaram nosso acampamento; ele deu mais uma volta. Nessa hora, o nosso avião, um U-2, desceu bem debaixo de um pinheiro, ao meu lado. O piloto mal aterrissou e já ia subir mais uma vez porque viu que o alemão estava fazendo a volta e atiraria de novo. Eu me agarrei na asa e gritei: 'Vou para Moscou! Tenho permissão!'. Ele até soltou uns palavrões: 'Suba!'. E assim voamos os dois. Nem feridos havia… Ninguém.

No mês de maio, em Moscou, eu andava de botas de feltro. Ia ao teatro usando botas de feltro. E era maravilhoso. Escrevia ao meu marido: quando nos encontramos? Por enquanto estou na reserva… Mas me prometem… Eu pedia por todos os lados: mandem-me para onde está meu marido, deem-me nem que seja dois dias, quero só olhar para ele uma vez, depois volto e vocês me mandam para onde quiserem. Todos davam de ombros. Mas mesmo assim eu sabia, pelo número do correio, onde meu marido estava combatendo, e viajei para encontrá-lo. Primeiro fui para o Comitê Regional do Partido, mostrei o endereço do meu marido e os documentos para provar que éramos casados e disse que queria me encontrar com ele. Me responderam que isso era impossível, ele estava bem na linha de frente, me mandaram voltar, e eu estava tão abatida, tão faminta, como ia voltar? Fui falar com o comandante do centro de alistamento. Ele olhou para mim e ordenou que me dessem alguma coisa para vestir. Deram-me uma *guimnastiorka* e um cinto. Ele começou a me dissuadir:

'Está louca? O lugar onde está seu marido é muito perigoso…'

Fiquei sentada, chorando, e então ele se compadeceu e me deu uma autorização.

'Vá para a estrada', disse, 'lá há um controlador de tráfego; ele vai lhe mostrar como ir.'

Encontrei aquela estrada, aquele controlador de tráfego, ele me pôs num carro e eu fui. Cheguei na unidade, lá todos se surpreenderam, todos à minha volta eram militares. 'Quem é você?', perguntaram. Eu não podia dizer 'esposa'. Bem, como ia falar assim quando havia tanta bomba explodindo ao meu redor? Respondi que era irmã dele. Nem sei por que disse isso: irmã. 'Espere', me disseram, 'você ainda precisa andar seis quilômetros para chegar lá.' Como eu ia esperar, se já chegara tão longe? Justo de lá chegou um carro para pegar o almoço, e nele estava um subtenente assim arruivado, sardento. Ele disse:

'Ah, eu conheço Fedossenko. Mas ele está bem na trincheira.'

Eu o convenci. Me mandaram para lá; quando estava indo, não se via nada nem ninguém... Floresta... Uma estrada pela floresta... Para mim, era uma novidade: estava na linha de frente, e lá não havia ninguém. De vez em quando alguém atirava em algum lugar. Chegamos. O subtenente perguntou:

'Onde está Fedossenko?'

Responderam:

'Ontem eles saíram para um reconhecimento, acabou amanhecendo e eles tiveram que esperar lá.'

Mas tinham como se comunicar. Avisaram a ele que sua irmã viera. Que irmã? Disseram: 'A ruiva'. Mas a irmã dele era morena. Bem, se é ruiva, na hora ele adivinhou que irmã era. Não sei como ele escapou, mas Fedossenko logo apareceu, e então nos reencontramos. Foi uma felicidade...

Fiquei com ele um dia, outro, e decidi:

'Vá para o estado-maior e informe a eles: vou ficar aqui com você.'

Ele foi até a chefia, e eu nem respirava: e se dissessem que eu tinha que dar o fora em 24 horas? Estávamos no front, eu entendia. De repente, vi que a chefia estava vindo para o abrigo de terra: o major, o coronel. Cumprimentei todos. Depois, claro, nos sentamos no abrigo, bebemos, e cada um deu sua declaração: que a esposa encontrou seu marido na trincheira, que é esposa legítima, tem documentos. E que mulher! Queremos ver que mulher é essa! Eles falaram isso, todos choraram. Vou me lembrar daquela noite pelo resto da vida... O que me restou?

Me alistaram como auxiliar de enfermagem. Eu ia com ele nas missões de reconhecimento. Um morteiro atirava, eu via que ele tinha caído. Pensava: está morto ou ferido? Corria para lá, o morteiro atirava e o comandante gritava:

'Para onde está indo, mulher dos demônios?' Eu me arrastava até ele: estava vivo... Vivo!

Perto do rio Dniepr, em uma noite de lua, me entregaram a Ordem do Estandarte Vermelho. No dia seguinte meu marido foi ferido gravemente. Corríamos juntos, andávamos juntos pelo pântano, nos arrastávamos juntos. As metralhadoras atiravam, atiravam, e nós nos arrastávamos, nos arrastávamos, e ele foi ferido no quadril. Ferido por uma bala explosiva; vá tentar fazer um curativo aí, era bem na nádega. Estava tudo estourado, entrava sujeira, terra, tudo. Estávamos saindo do cerco. Não havia para onde levar os feridos, eu também não tinha remédios. A única esperança era que rompêssemos o cerco. Quando conseguimos, acompanhei meu marido até o hospital. Enquanto eu o levava, começou uma septicemia. Era noite de Ano-Novo... Estávamos entrando em 1944... Ele estava morrendo. Eu entendia que ele estava morrendo... Ele foi condecorado várias vezes, eu reuni todas as ordens e pus ao seu lado. Vieram vê-lo, ele estava dormindo. O médico se aproximou:

'Você precisa ir embora daqui. Ele já está morto.'

Respondi:

'Quieto, ele ainda está vivo.'

Meu marido abriu os olhos e disse:

'O teto ficou azul.'

Olhei:

'Não, ele não está azul. O teto é branco, Vássia.' Mas ele achava que estava azul.

O vizinho de cama disse:

'Fedossenko, se você sobreviver, deve carregar sua mulher nos braços.'

'Vou carregar', concordou.

Não sei, talvez ele sentisse que estava morrendo, porque pegou minha mão, se inclinou e beijou. Como se beija pela última vez:

'Liúbotchka, que pena, estão todos comemorando o Ano-Novo, e nós aqui... Não fique triste, ainda vamos ter de tudo...'

E quando restavam algumas horas de vida... Aconteceu uma infelicidade com ele, e precisamos trocar a roupa de cama... Eu estendi um lençol novo, refiz os curativos da perna, tinha que puxá-lo para o travesseiro, mas era um homem pesado, eu puxava, me inclinava profundamente, e sentia que já tinha acabado, que a qualquer minuto ele já não estaria entre nós... Era de noite. Dez horas e quinze minutos... Me lembro até os minutos... Eu queria morrer... Mas sob o coração carregava nosso filho, e só isso me fez aguentar, sobreviver àqueles dias. Enterrei-o no dia 1º de janeiro, e 38 dias depois nasceu meu filho: ele é de 1944, já tem filhos também. Meu marido se chamava Vassíli, meu filho é Vassíli Vassílievitch, e meu neto é Vássia... Vassiliok..."

Liubov Fomínitchna Fedossenko, soldado,
auxiliar de enfermagem

* * *

"Eu via... Todo dia... Mas não conseguia me conformar. Um homem bonito, jovem, morrendo... Queria ter tempo, bem... dar um beijo nele. Fazer algo feminino por ele, se não pudesse ajudar como médica. Nem que fosse dar um sorriso. Afagar. Pegar a mão...

Muitos anos depois da guerra, um homem me confessou que se lembrava do meu sorriso quando jovem. Para mim era um ferido comum, eu nem lembrava dele. Disse que esse sorriso o trouxe de volta à vida, do outro mundo, como dizem... Um sorriso de mulher..."

Vera Vladímirovna Chevάldicheva, primeiro-tenente, cirurgiã

"Chegamos na Primeira Frente Bielorrussa... Vinte e sete garotas. Os homens nos olhavam com admiração: 'Nem lavadeiras, nem telefonistas, são francoatiradoras. É a primeira vez que vemos moças assim. Que garotas!'. O subtenente escreveu versos em nossa homenagem. O sentido geral era que as meninas fossem comoventes como rosas de maio, que a guerra não mutilasse suas almas.

Ao ir para o front, cada uma de nós fez um juramento: não teríamos nenhum romance. Se nos mantivéssemos sãs e salvas, tudo aconteceria depois da guerra. E antes não tínhamos tido tempo nem de dar um beijo. Encarávamos essas coisas com mais severidade do que os jovens de hoje. Beijar alguém, para nós, era se apaixonar por toda a vida. O amor no front era proibido; se os comandantes ficassem sabendo, via de regra, um dos apaixonados era transferido para outra unidade, simplesmente separavam os dois. Nós o protegíamos, guardávamos. Não mantivemos nossos juramentos infantis... Nos apaixonávamos...

Acho que se eu não tivesse me apaixonado na guerra, não teria sobrevivido. O amor me salvou. Ele me salvou…”

Sófia Kríguel, primeiro-sargento, francoatiradora

“Você me pergunta sobre o amor? Não tenho medo de dizer a verdade… Eu era ECC, decifrando, ‘esposa de campo e campanha’. Esposa de guerra. A segunda. Ilegítima.

Era o primeiro comandante do batalhão…

Eu não o amava. Era uma boa pessoa, mas eu não o amava. Fui para o abrigo de terra com ele uns meses depois. Onde ia me meter? Só havia homens à minha volta, melhor viver com um do que ter medo de todos. Nas batalhas não era tão terrível quanto depois, principalmente nos momentos de descanso, quando recuávamos para a reorganização. Quando estavam atirando, fogo aberto, eles te chamavam: ‘Irmãzinha! Irmãzinha!’, mas depois da batalha todos ficavam espreitando… À noite, não tinha como sair do abrigo… Outras meninas falaram disso, ou não admitiram? Acho que ficaram com vergonha… Ficaram caladas… Que orgulhosas! Tinha de tudo, porque a gente não queria morrer. É uma pena morrer quando você é jovem… E para os homens é difícil passar quatro anos sem uma mulher… No nosso Exército não havia bordéis e também não davam pílulas. Talvez em outros lugares cuidassem disso. Conosco, não. Quatro anos… Só os comandantes podiam se permitir algo, mas um soldado simples, não. Disciplina. Mas não se fala disso… Não é bem-aceito. Não… Eu, por exemplo, era a única mulher do batalhão, vivia no abrigo de terra comum. Junto com os homens. Separaram um lugar para mim, mas que separação podia ter? O abrigo todo tinha seis metros. De noite, acordava agitando os braços, batia na cara de um, nos braços de outro. Me feriram, fui para o hospital e lá ficava agitando as mãos. A enfermeira me despertava de noite: ‘O que você tem?’. Para quem eu ia contar?

O primeiro comandante foi morto por estilhaços de mina.

O segundo comandante do batalhão...

Eu o amava. Ia com ele para a batalha, queria estar por perto. Eu o amava, mas ele tinha uma mulher que amava, dois filhos. Me mostrava fotos deles. E eu sabia que, depois da guerra, se ele saísse vivo, voltaria para eles. Para Kaluga. Mas, e daí? Tivemos momentos tão felizes! Vivemos tanta felicidade! Tínhamos voltado... Uma batalha terrível... E estávamos vivos. Ele não vai viver isso de novo com mais ninguém. Não vai conseguir! Eu sabia... Eu sabia que ele não seria feliz sem mim. Não ia conseguir ser feliz como fomos na guerra com mais ninguém. Não vai conseguir... Nunca!

No fim da guerra eu engravidei. Queria tanto... Mas criei nossa filha sozinha, ele não ajudou. Não mexeu um dedo. Nem um presente, uma carta... um postalzinho. Acabou a guerra, acabou o amor. Como uma canção... Ele foi para a esposa legítima, para os filhos. Deixou uma foto de lembrança. E eu não queria que a guerra acabasse... Dá medo dizer isso... Abrir meu coração... Eu era louca. Estava apaixonada! Sabia que o amor acabaria junto com a guerra. O amor dele... Mas mesmo assim sou agradecida por esse sentimento que ele me deu, que conheci com ele. Eu o amei por toda a vida, carreguei esse sentimento por anos. Não tenho para que mentir. Já estou velha. Sim, por toda a vida! E não me arrependo.

Minha filha me repreendia: 'Mamãe, por que você o ama?'. Mas eu amo... Há pouco tempo soube que ele morreu. Chorei muito. Eu e minha filha até brigamos por isso: 'Por que está chorando? Ele já morreu há muito tempo para você'. Até agora eu o amo. Lembro da guerra como a melhor época da minha vida, eu era feliz...

Só lhe peço que não ponha meu sobrenome. Por minha filha..."

Sófia K-vitch, enfermeira-instrutora

* * *

"Na época da guerra...

Me levaram para a unidade... Para a linha de frente. O comandante me recebeu com estas palavras: 'Tire o gorro, por favor'. Fiquei surpresa... Tirei... No centro de alistamento tinham cortado o nosso cabelo como de menino, mas enquanto estávamos nos campos militares, antes de chegarmos ao front, o cabelo tinha crescido um pouco. Começava a formar cachos, meu cabelo é encaracolado. Parecia um carneirinho miúdo... Agora você não imaginaria isso... Fiquei velha... E ele ali, me olhava, me olhava: 'Estou há dois anos sem ver uma mulher. Queria olhar'.

Depois da guerra...

Eu morava em uma *kommunalka*. Todas as minhas companheiras de apartamento tinham marido, me ofendiam. Humilhavam: 'Ha-ha-a... Conte como você f... com os homens lá'. Jogavam vinagre na minha panela de batata. Botavam uma colher de sal... Ha-ha-a...

Meu comandante deu baixa. Ele veio me encontrar e nos casamos. Registramos no cartório e pronto. Sem casamento. Um ano depois ele foi embora com outra mulher, a chefe do refeitório da nossa fábrica: 'Ela cheira a perfume, você fede a botas e trapos'.

Agora, vivo sozinha. Não tenho ninguém em todo o mundo. Obrigada por ter vindo..."

Ekaterina Nikítitchna Sánnikova, sargento, fuzileira

"O meu marido... Ainda bem que não está aqui, está no trabalho. Ele me proibiu expressamente... Sabe que eu adoro contar do nosso amor... Falar de como costurei meu vestido de noiva a partir de ataduras, em uma noite. Eu mesma. Eu e as meninas passamos um mês juntando ataduras. Eram troféus... Eu tive um verdadeiro vestido de noiva! Guardei uma fotografia: eu, usando aquele vestido e botas; não dá para ver as botas, mas disso eu me lembro, estava de botas. Improvisei um cinto com uma boina velha... Ficou um ótimo cinto. Mas por que é que estou... Falando do meu... Meu marido mandou não dizer uma palavra sobre amor, nadinha, é para falar de guerra. Ele é rígido comigo. Me ensinou no mapa... Passou dois dias me ensinando onde estava cada front... Onde estava nossa unidade... Vou pegar, anotei o que ele disse. Vou ler...

Por que você está rindo? Ah, que risada boa. Eu também ria... Que bela historiadora me saí! Melhor eu pegar a foto em que estou com o vestido de ataduras, vou lhe mostrar.

Gosto tanto de como estou nela... De vestido branco..."

Anastassia Leonídovna Jardétskaia, cabo,
enfermeira-instrutora

SOBRE UM SILÊNCIO ESTRANHO DIANTE DO CÉU E UM ANELZINHO PERDIDO

"Quando fui embora de Kazan para o front, era uma menina de dezenove anos...

Seis meses depois, escrevi para minha mãe que me davam 25, 27 anos. Passava cada dia com medo, apavorada. Voava um estilhaço, parecia que ia tirar sua pele fora. E as pessoas morriam. Morriam todo dia, toda hora, tinha a sensação de que a cada minuto. Não havia lençóis suficientes para cobrir. Deixávamos os corpos em roupas de baixo. Um silêncio estranho pairava nas enfermarias. Não me lembro de um silêncio desses em nenhum outro lugar. Quando uma pessoa morre, ela sempre olha para cima, nunca para o lado ou para você, quando você está por perto. Só para cima... Para o teto... Parece que está olhando para o céu...

Eu dizia para mim que não conseguiria escutar uma só palavra sobre amor naquele inferno. Não conseguiria acreditar. Dos anos da guerra, não consigo me lembrar nem das canções. Nem da famosa 'Zemlianka'* eu me lembro. De uma sequer... Lembro apenas que, quando saí de casa rumo ao front, as cerejeiras do nosso jardim estavam florescendo. Ia andando e olhando ao meu redor... Depois, certamente vi jardins nas estradas, eles também floresciam na guerra. Mas eu não me lembro... Na escola eu era tão risonha, e ali eu não sorria nunca. Se via que alguma das meninas estava fazendo a sobrancelha ou pintando os lábios, ficava desconcertada. Isso eu repudiava categoricamente: como era possível, como ela queria agradar a alguém em tempos como esses?

Rodeada de feridos, rodeada de gemidos... Os mortos têm uma cor amarelo-esverdeada no rosto. Como alguém pode pensar em alegria? Na própria felicidade? Eu não queria juntar amor com aquilo. Com aquilo... Me parecia que ali, naquelas circunstâncias, o amor morreria em um instante. Sem triunfo, sem beleza, como pode haver amor? Quando a guerra acabasse, a vida seria bela. E o amor também. Mas ali... Ali, não. E se eu de repente morro, aquele que me ama vai sofrer. E me dava tanta pena. Era essa minha sensação.

Meu marido, ele flertava comigo lá, nos conhecemos no front. Eu não queria nem escutar: 'Não, não, quando a guerra acabar, só então podemos falar disso'. Nunca vou esquecer como ele voltou de uma batalha uma vez e pediu: 'Você não tem um casaquinho? Vista, por favor. Quero ver como você fica de casaco'. Mas eu não tinha nada além da *guimnastiorka*.

Eu até falei para uma amiga, ela se casou no front: 'Ele não lhe deu flores. Não flertou com você. E, de repente, vocês se ca-

* Canção soviética composta por Aleksei Surkóv e Konstantin Listov durante a Segunda Guerra.

sam. Por acaso isso é amor?'. Eu não compartilhava os sentimentos dela.

A guerra acabou... Olhávamos um para o outro e não acreditávamos que a guerra tinha acabado e nós estávamos vivos. E agora iríamos viver... Iríamos amar... E nós já tínhamos esquecido tudo isso, não sabíamos como fazer. Cheguei em casa, fui com minha mãe encomendar um vestido para mim. Meu primeiro vestido depois da guerra.

Chegou minha vez, e me perguntaram:

'Que corte quer?'

'Não sei.'

'Como a senhora vem a um ateliê e não sabe que vestido quer?'

'Não sei...'

Havia cinco anos eu não via um vestido sequer. Até tinha esquecido como se costurava um vestido. Que precisava de alguns ajustes, de alguns cortes... Cintura baixa, cintura alta... Era incompreensível para mim. Comprei sapatos de salto, andei pelo quarto e tirei. Deixei-os no canto e pensei: 'Nunca vou aprender a andar nisso...'."

Maria Seliviôrstovna Bojok, enfermeira

"Quero me lembrar... Quero falar que trouxe um sentimento extraordinariamente belo da guerra. Ah, mas não tem palavras para descrever com que êxtase e admiração os homens se relacionavam conosco. Eu vivia com eles no mesmo abrigo de terra, dormia nas mesmas tábuas, ia para as mesmas missões, e, quando eu estava congelando, quando sentia meu baço congelando, a língua congelando na boca, a ponto de perder a consciência, pedia: 'Micha, desabotoe seu casaco de peles, me aqueça'. Ele me aquecia: 'E então, está melhor?'. 'Estou.'

Nunca mais encontrei isso na vida. Mas era proibido pensar em algo pessoal quando a pátria corria perigo."

"Mas o amor acontecia?"

"Sim, acontecia. Eu via… E você me desculpe, pode ser que eu esteja errada e isso não seja muito natural, mas no fundo eu julgava aquelas pessoas. Considerava que não era hora de fazer amor. Estávamos cercados pelo mal. Pelo ódio. Acho que muitos pensavam assim…"

"E como você era antes da guerra?"

"Eu gostava de cantar. Gostava de rir. Queria ser piloto. E eu lá ia pensar em amor? Isso não era importante na minha vida. O mais importante era a pátria. Agora acho que éramos ingênuos…"

Elena Víktorovna Klenóvskaia, partisan

"No hospital… Estavam todos felizes. Estavam felizes porque, no fim, estavam vivos. Tinha um tenente de vinte anos preocupado por ter perdido uma perna. Mas na época, em meio àquela dor generalizada, isso parecia uma sorte: ele estava vivo, e daí que não tinha uma perna? O mais importante é que estava vivo. Teria amor, se casaria, tudo. Agora, perder uma perna é um horror, mas na época todos pulavam com uma perna só, fumavam, riam. Eram heróis, afinal! Como não?"

"Você se apaixonou lá?"

"Claro, éramos tão jovens. Era só os feridos chegarem que nos apaixonávamos por alguém, sem falta. Uma amiga minha se apaixonou por um tenente, ele estava todo coberto de feridas. Ela me mostrou: é ele. Mas eu, claro, decidi me apaixonar por ele também. Quando o levaram, ele me pediu uma foto. Eu tinha uma, tinham me fotografado em alguma estação de trem. Peguei-a, mas depois pensei: vou dar minha foto de presente para ele? E se isso não for amor? Ele já estava sendo levado, meu braço estava estendido para ele, a foto na minha mão, mas eu não me atrevi a soltá-la. E foi assim que terminou esse amor...

Depois teve Pávlik, também tenente. Ele sentia muita dor, por isso pus um chocolate embaixo do seu travesseiro. E quando nos encontramos, isso já depois da guerra, vinte anos mais tarde, ele começou a agradecer à minha amiga Lília Drozdova pelo chocolate. Ela disse: 'Que chocolate?'. Então confessei que tinha sido eu... E ele me deu um beijo... Vinte anos depois, me deu um beijo..."

Svetlana Nikoláievna Liúbitch, enfermeira paramilitar

"Uma vez, depois de um concerto... Em um grande hospital da evacuação... O médico-chefe se aproximou de mim e pediu: 'Temos aqui, numa enfermaria individual, um tanquista gravemente ferido. Ele não reage a quase nada, mas talvez sua canção o ajude'. Fui até a enfermaria. Por toda a minha vida, nunca vou esquecer aquele homem que, por um milagre, conseguiu sair de um tanque em chamas e teve queimaduras da cabeça aos pés. Estava imóvel, estendido na cama, com o rosto negro, sem olhos. Senti um nó na garganta e levei alguns minutos para retomar o controle. Depois, comecei a cantar baixinho... Vi que o rosto do ferido se mexeu um pouco. Sussurrou algo. Eu me inclinei e escutei: 'Cante mais...'. Cantei mais e mais, apresentei todo o meu repertório, até que o médico-chefe disse: 'Acho que ele dormiu...'"

Lília Aleksándrovskaia, artista

"O nosso comandante de batalhão e uma enfermeira, Liuba Sílina... Eles se amavam! Todos viam isso... Ele ia para uma batalha, e ela... Dizia que não se perdoaria se ele morresse longe dos olhos dela, se ela não o visse em seu último minuto. 'Que nos matem juntos', dizia ela 'que nos acertem com o mesmo projétil.' Estavam se preparando para morrer juntos ou viver juntos. Nosso amor não se dividia entre hoje e amanhã, era só hoje. Todos sabiam que você amava agora, mas um minuto depois ou você ou a outra pessoa podiam já não estar entre nós. Na guerra, tudo acontecia mais rápido: tanto a vida quanto a morte. Em alguns anos lá, vivemos uma vida inteira. Nunca consegui explicar isso para ninguém. Era um outro tempo.

Em uma batalha, o comandante do batalhão foi gravemente ferido, e Liuba teve um ferimento leve, um arranhão no ombro. Ele foi mandado para a retaguarda, ela ficou. Já estava grávida, ele deu uma carta a ela: 'Vá para a casa dos meus pais. Aconteça o que acontecer comigo, você é minha esposa. Teremos nosso filho ou filha'.

Depois, Liuba me escreveu: os pais dele não a aceitaram e não reconheceram a criança. O comandante morreu.

Passei muitos anos pensando que... Queria fazer uma visita a ela, mas não deu. Éramos amigas tão próximas. Mas ela estava longe, em Altai. Há pouco tempo me chegou uma carta dizendo que ela morreu. Agora, o filho dela está me chamando para ir visitar o túmulo...

Quero ir..."

Nina Leonídovna Mikhai, primeiro-sargento, enfermeira

"O Dia da Vitória...

Estávamos nos aprontando para ir ao nosso tradicional encontro. Saí do hotel e as meninas me disseram:

'Onde você estava, Lília? Choramos até dizer chega.'

Soube que um homem tinha se aproximado delas, um cazaque, e perguntado:

'Meninas, de onde vocês eram? De que hospital?'

'Quem você está procurando?'

'Todo ano venho aqui e procuro uma enfermeira. Ela salvou minha vida. Eu me apaixonei por ela. Quero encontrá-la.'

Minhas amigas riram:

'Mas que enfermeirinha você está procurando? Já vai ser uma avó.'

'Não...'

'Você tem esposa? Filhos?'

'Tenho netos, tenho filhos, tenho esposa. Mas perdi minha alma... Não tenho alma...'

As meninas me contaram isso, e juntas lembramos: não seria o meu cazaque?

... Trouxeram um rapaz cazaque. Um rapazinho de tudo. Fizemos a operação nele. Tinha sete ou oito rupturas no intestino, foi considerado sem esperanças. Estava deitado, tão apático que reparei nele imediatamente. Sempre que tinha um minuto sobrando, corria até ele: 'E aí, está tudo bem?'. Eu mesma dava a injeção, media a temperatura, e com dificuldade ele foi melhorando. Entrou em recuperação. Nós não ficávamos com os doentes por muito tempo, estávamos na linha mais avançada. Prestávamos o socorro mais urgente, arrancávamos da morte e mandávamos adiante. E precisaram levá-lo no grupo seguinte.

Ele estava na maca, me disseram que estava me chamando.

'Irmãzinha, chegue mais perto.'

'O que foi? O que quer? Está tudo bem com você. Vão mandá-lo para a retaguarda. Vai ficar tudo certo. Pense que você vai viver.'

Ele pediu:

'Eu peço encarecidamente, sou filho único. Você me salvou.' E me deu um presente: um anelzinho, um anel pequenininho.

Eu não usava anel, por algum motivo não gostava. E recusei:

'Não posso. Não posso.'

Ele pedia. Os outros feridos o ajudavam.

'Pegue, ele está dando de coração.'

'É o meu dever, entendem?'

Me convenceram. Na verdade, perdi esse anel depois. Ficava grande em mim, e uma vez adormeci, o carro deu um solavanco e ele caiu. Lamentei muito."

"Vocês encontraram esse homem?"

"Não encontramos. Não sei, era ele? Eu e as meninas passamos o dia inteiro procurando por ele.

... Em 1946, voltei para casa. Me perguntaram: 'Você vai de farda militar ou roupa civil?'. Claro, farda militar. Nem pensava em tirar. À noite, fomos para um baile da Casa dos Oficiais. E você vai ver como eles tratavam as garotas militares.

Eu estava de sapatos e vestido, deixei o capote e as botas na chapelaria.

Um militar se aproximou de mim e me tirou para dançar.

'Você não é daqui, com certeza', disse. 'É muito intelectual.'

E passou a noite toda comigo. Não me deixou sair de perto. Depois das danças, ele me disse:

'Me dê sua ficha da chapelaria.'

E foi na frente. Na chapelaria, deram a ele as botas e o capote.

'Esse não é meu...'

Eu me aproximei:

'Não, é meu.'

'Mas você não me disse que esteve no front.'

'E você perguntou?'

Ele ficou envergonhado. Não conseguia me encarar. E ele mesmo tinha voltado da guerra...

'Por que está tão surpreso?'

'Nunca teria imaginado que você esteve no Exército. Uma garota do front, entende...'

'Quer dizer que está surpreso porque estou só? Sem marido nem grávida? Não uso casaco acolchoado, não dou baforadas no cigarro Kazbek e não falo palavrões?'

Não deixei que ele me acompanhasse.

Sempre tive orgulho de ter estado no front. Defendi a pátria..."

Lília Mikháilovna Butkó, enfermeira cirúrgica

"Meu primeiro beijo...

O segundo-subtenente Nikolai Belokhvóstik... Ah, veja só, fiquei toda vermelha, e olha que já sou avó. Eram os anos de juventude. De mocidade. Eu achava... Tinha certeza... Que... Não admiti para ninguém, nem para minha amiga, que estava apaixonada. Perdidamente. Meu primeiro amor... Talvez o único? Quem sabe... Eu achava: ninguém na companhia suspeita. Nunca tinha gostado tanto de alguém! Quando gostava, não era muito. Mas ele... Eu pensava nele o tempo todo, a cada minuto. Que... Era um amor verdadeiro. Eu sentia. Todos os sinais... Ai, veja, fiquei corada...

Fizemos o enterro... Ele estava sobre um pedaço de lona, tinha acabado de ser assassinado. Os alemães estavam atirando. Era preciso enterrar rápido... Naquela hora... Encontramos umas bétulas antigas, escolhemos aquela que estava depois de um velho carvalho. A mais alta. Ao lado dela... Tentei gravar na memória para voltar depois e encontrar aquele lugar. Aqui termina a vila, aqui há uma bifurcação... Mas como ia gravar? Como ia gravar se uma das bétulas já estava queimando diante dos nossos olhos? Como? Começamos a nos despedir dele... Me disseram: 'Você é a primeira!'. Meu coração saltou, eu entendi... Que... Todos, via-se, sabiam do meu amor. Todos sabiam... Me veio uma ideia: talvez ele soubesse? Ali... Deitado... Já iam baixá-lo para a terra... Enterrar. Cobrir com areia... Mas eu fiquei morrendo de felicidade com essa ideia, de que talvez ele também soubesse. E se ele gostasse de mim? Como se ele estivesse vivo e fosse responder naquela hora... Lembrei que, no Ano-Novo, ele me deu um chocolate alemão. Levei um mês para comer, guardava no bolso.

Vou me lembrar disso por toda a vida... Desse momento... Voavam bombas... Ele... Estava deitado na lona... Aquele momento... E eu estava feliz... Ali, rindo para mim mesma. Uma louca. Estava feliz porque ele talvez soubesse do meu amor...

Me aproximei e dei um beijo nele... Antes disso, nunca tinha beijado um homem... Foi o primeiro..."

Liubov Mikháilovna Grozd, enfermeira-instrutora

SOBRE A SOLIDÃO DE UMA BALA E DE UMA PESSOA

"Minha história é particular... As orações me consolam. Rezo por minha filha...

Lembro de um provérbio da minha mãe. Mamãe costumava dizer: 'A bala é dura, o destino é cruel'. Ela usava esse provérbio para qualquer desgraça. A bala é uma só, o ser humano é um só, a bala voa para onde quiser, o destino manipula uma pessoa como quiser. Para lá e para cá, para lá e para cá. Uma pessoa é uma pluma, uma pluma de pardal. Nunca saberá o seu futuro. Não nos é dado... Não nos é permitido penetrar no mistério. Uma cigana previu meu futuro quando estávamos vindo da guerra. Se aproximou na estação de trem, me chamou para um lado... Prometeu um grande amor... Eu tinha um relógio alemão, tirei e dei a ela por esse grande amor. Acreditei.

Agora não consigo parar de chorar por esse amor...

Eu me aprontei para ir à guerra alegremente. Como uma integrante do Komsomol. Junto com todos. Viajávamos em vagões de mercadorias; neles havia uma inscrição com mazute negro: 'Quarenta pessoas — oito cavalos'. Éramos umas cem pessoas.

Me tornei francoatiradora. Podia ficar nas comunicações, era uma profissão útil, tanto na guerra quanto em tempos de paz. Uma profissão feminina. Mas disseram que era preciso atirar, eu atirava. Atirava bem. Recebi duas Ordens da Glória, quatro medalhas. Por três anos de guerra.

Gritaram para nós: Vitória! Anunciaram: Vitória! Lembro do meu primeiro sentimento, alegria. E na mesma hora, no mesmo minuto, medo! Pânico! Como ia continuar a vida? Papai tinha morrido perto de Stalingrado. Meus dois irmãos mais velhos foram dados como desaparecidos no começo da guerra. Sobramos mamãe e eu. Duas mulheres. Como íamos viver? Todas nós, meninas, ficávamos pensando nisso... Nos reunimos à noite no abrigo de terra... Em nossas conversas, dizíamos que a vida estava só começando. Alegria e medo. Antes tínhamos medo da morte, agora, da vida... Era igualmente assustador. Verdade! Falávamos, falávamos, depois ficávamos sentadas em silêncio.

Casaríamos ou não casaríamos? Por amor ou sem amor? Adivinhávamos nas margaridas... Jogávamos guirlandas no rio, queimávamos velas... Lembro que em uma aldeia nos mostraram um lugar onde morava uma feiticeira. Todos correram para lá, até alguns oficiais. As meninas, todas. Ela previa o futuro na água. Lia a mão. Outra vez, um tocador de realejo estendeu uns papeizinhos para nós. Uns bilhetinhos. Acabei pegando papeizinhos felizes... E onde está ela, minha felicidade?

Como a pátria nos recebeu? Não consigo contar sem soluços... Quarenta anos se passaram, e até hoje meu rosto queima. Os homens se calavam, mas as mulheres... Elas gritavam para nós: 'Sabemos o que vocês faziam lá! Com as b... jovens seduziam nossos homens. P... do front. Cadelas militares...'. Nos ofendiam de várias maneiras... O vocabulário russo é rico...

Às vezes, um rapaz me acompanhava do baile para casa e, de repente, eu me sentia mal, mal, o coração palpitava. Andava, andava e sentava em um monte de neve. 'O que você tem?' 'Nada. Dancei demais.' Mas eram minhas duas feridas. Era a guerra... E precisava aprender a ser carinhosa. Ser fraca e frágil, e os meus pés se alargaram de tanto usar botas — calçava quarenta. Não tinha o costume de ser abraçada. Estava acostumada a responder por mim mesma. Esperava por palavras ternas, mas não as entendia. Para mim, pareciam infantis. No front, entre os homens, falávamos palavrões pesados. Estava acostumada. Uma amiga me sugeriu, ela trabalhava na biblioteca: 'Leia poemas. Leia Iessiênin'.

Me casei rapidamente. Um ano depois. Com um engenheiro da nossa fábrica. Eu sonhava com o amor. Queria uma casa e uma família. Que a casa cheirasse a crianças pequenas. As primeiras fraldas eu cheirei, cheirei, não me cansava nunca. Cheiro de felicidade. Felicidade de mulher. Na guerra, não há cheiros femininos, são todos masculinos. A guerra tem cheiro de homem.

Tenho dois filhos... Um menino e uma menina. O primeiro foi o menino. É um rapaz bom, inteligente. Se formou na universidade. É arquiteto. Mas a menina... Minha menina... Ela começou a andar com cinco anos, falou a primeira palavra, 'mamãe', com sete. Até hoje não sai 'mamãe', mas 'muma', nem 'papai', mas 'pupa'. Ela... Agora acho que não é verdade. É um engano. Ela vive em um manicômio... Está lá há quarenta anos. Desde que me aposentei, vou vê-la todo dia. Meu pecado...

Já há muitos anos, a cada 1º de setembro compro uma nova cartilha para ela. Lemos juntas por dias inteiros. Às vezes volto da visita achando que desaprendi a ler e escrever. A falar. E não preciso de nada disso. Para quê?

Fui punida... Por quê? Talvez por ter matado? Às vezes penso isso também... Na velhice, tenho muito tempo... Penso e penso... De manhã fico de joelhos, olho pela janela. Peço a Deus... Rezo por todos... Não guardo mágoas do meu marido, há muito tempo o perdoei. Dei à luz minha filha... Ele olhou para nós... Ficou um pouco e foi embora. Saiu dando bronca: 'E uma mulher normal vai para a guerra, por acaso? Aprende a atirar? Por isso você não é capaz de ter um filho normal'. Rezo por ele...

Será que ele está certo? Às vezes penso isso também… Meu pecado…

Eu amava a pátria mais do que tudo no mundo. Amava… A quem posso contar agora? Para minha filha… Só para ela… Eu me lembro da guerra, e ela pensa que estou contando contos de fadas. Historinhas de criança. Contos terríveis para criança…

Não escreva meu sobrenome. Melhor não…”

Klávdia S-va, francoatiradora

“Sobre a batata miudinha...”

Teve ainda uma outra guerra...

Nessa guerra, ninguém ressaltava no mapa onde passava a faixa neutra e onde começava a linha de frente. Ninguém conseguia calcular todos os soldados que havia ali. As unidades armadas. Atiravam com equipamento antiaéreo, metralhadoras, armas de caça. Com velhas espingardas Berdan. Não havia pausa para respirar nem ataques generalizados, muitos lutavam a sós. Morriam a sós. Quem combatia não era um exército — divisões, batalhões, companhias —, mas *partisans* e grupos clandestinos: homens, velhos, mulheres, crianças. Tolstói chamava esse impulso multifacetado de “sarrafo da guerra popular” e “calor latente do patriotismo”; e Hitler, depois de Napoleão, reclamava com seus generais que “a Rússia não segue as regras de combate”.

Morrer nessa guerra não era o que dava mais medo. Havia outra coisa mais assustadora. Imaginemos um soldado no front, cercado por sua família: filhos, mulher, pais idosos. A cada minuto era preciso estar pronto para sacrificá-los também. Entregá-los para a imolação. A coragem, assim como a traição, geralmente não tinha testemunhas.

Nas nossas aldeias, no Dia da Vitória, as pessoas não ficam felizes, mas choram. Choram muito. Têm saudades. "Foi tão terrível... Enterrei todos os meus parentes, enterrei minha alma na guerra" (V. G. Andróssik, membro da resistência).

Começam a contar baixinho, mas, no fim, quase todos estão gritando.

"Sou testemunha...

Vou contar do comandante do nosso destacamento de resistência... Melhor não dizer o sobrenome dele, porque os parentes ainda estão vivos. Seria doloroso para eles ler isso.

Os mensageiros comunicaram no destacamento: a Gestapo tinha levado a família do comandante: a mulher, as duas filhas pequenas e a mãe idosa. Penduraram anúncios por todos os lados, distribuíram folhetos na feira: se o comandante não se entregasse, enforcariam a família. O prazo para pensar era de dois dias. Os *politsai* andavam pela aldeia agitando as pessoas: os comissários vermelhos não tinham pena nem dos filhos. São monstros. Não existe nada sagrado para eles. De um avião, jogavam folhinhas sobre a floresta... O comandante queria se entregar, queria se matar com um tiro. Não o deixamos sozinho por todo esse tempo. Ficávamos de olho nele. Podia se matar...

Entramos em contato com Moscou. Informamos a situação. Recebemos a instrução... Naquele dia mesmo, fizemos uma reunião do Partido no destacamento. Nela, foi tomada a decisão: não ceder à provocação alemã. Como um bom comunista, ele se submeteu à disciplina do Partido...

Dois dias depois, mandamos batedores para a cidade. Eles trouxeram a notícia terrível: toda a família tinha sido enforcada. Na primeira batalha, o comandante morreu... Uma morte meio incompreensível. Casual. Acho que ele queria morrer...

Tenho lágrimas em vez de palavras... Como vou me convencer de que é preciso falar disso? Como vou acreditar... As pessoas querem levar uma vida tranquila, agradável, e não me escutar e sofrer..."

V. Korotáieva, partisan

Eu também vou me convencendo de que é preciso ir em frente...

SOBRE UMA CESTA COM UMA MINA E UM BRINQUEDO DE PELÚCIA

"Cumpri uma missão... E aí, já não podia ficar no povoado, fui para as brigadas. Uns dias depois, a Gestapo prendeu a minha mãe. Meu irmão conseguiu fugir, mas levaram minha mãe. Foi torturada e interrogada: onde está sua filha? Ficou dois anos lá. Por dois anos, os fascistas mandavam minha mãe e outras mulheres na frente quando saíam para as operações... Tinham medo das minas dos *partisans* e sempre mandavam os habitantes locais na frente: se houvesse minas, essas pessoas explodiriam e os soldados alemães ficariam inteiros. Eram escudos humanos... Com minha mãe também fizeram isso por dois anos.

Aconteceu mais de uma vez: estávamos esperando em uma emboscada e de repente víamos umas mulheres andando e, atrás delas, os alemães. Você chegava perto e via que sua mãe estava ali. O mais assustador era esperar o momento em que o comandante dava a ordem de atirar. Todos esperavam essa ordem com medo, porque um sussurrava: 'Lá vai minha mãe', o outro: 'Lá vai minha irmãzinha', alguém via o filho... Minha mãe sempre usava um lencinho branco. Ela era alta, era sempre a primeira que distinguiam. Eu mesma não conseguia notar, e me repassavam: 'Sua mãe está ali'... Davam o comando de atirar, a gente atirava. E você mesma não sabia para onde estava atirando, só tinha uma coisa na cabeça: não perder de vista o lencinho branco — ela estava viva ou tinha caído? O lencinho branco... Todos saíam correndo, caíam, e você não sabia se sua mãe tinha sido assassinada ou não. Depois, durante dois dias ou mais eu sentia que não era eu mesma, até que os mensageiros voltassem do povoado e dissessem que ela estava viva. Aí eu conseguia viver de novo. E assim ia, até a próxima vez. Acho que agora eu não aguentaria. Mas eu os odiava... O ódio me ajudava... Até hoje tenho nos ouvidos o grito de uma criança quando foi atirada dentro de um poço. Já escutou esse grito alguma vez? A criança cai e grita, grita como se viesse de algum lugar debaixo da terra, do outro mundo. Não era um grito infantil, nem humano... Ver um rapaz jovem ser esquartejado com uma serra... Um *partisan* dos nossos... Depois disso, quando você sai para uma missão, o coração só pede uma coisa: matá-los, matar o maior número possível, exterminar do jeito mais cruel. Quando eu via os fascistas prisioneiros, tinha vontade de pegar qualquer um. Estrangular. Estrangular com as mãos, morder com os dentes. Eu não mataria, seria uma morte leve demais para eles. Não com uma arma, com um fuzil...

Antes de bater em retirada, isso já em 1943, os fascistas fuzilaram minha mãe... Minha mãe era assim, ela mesma nos deu a bênção:

'Vão, meus filhos, vocês precisam viver. Em vez de morrer por nada, é melhor morrer, mas não por nada.'

Mamãe não usava palavras grandes, ela encontrava essas palavras simples de mulher. Queria que a gente vivesse e estudasse, em particular que estudasse.

As mulheres que estiveram na cela com ela contavam que, cada vez que era levada, ela pedia:

'Ah, amigas, só choro por uma coisa: se eu morrer, ajudem meus filhos!'

Depois da guerra, uma dessas mulheres me adotou, apesar de ter dois filhos pequenos. Os fascistas queimaram nossa casa, meu irmão mais novo morreu na resistência, fuzilaram mamãe, meu pai estava no front. Voltou do front ferido, doente. Viveu mais um pouco, depois morreu. E aí de toda a família só fiquei eu. Essa mulher era pobre, tinha seus dois filhos, decidi partir, ir embora para algum lugar. Ela chorava e não queria me deixar ir.

Quando fiquei sabendo que fuzilaram minha mãe, perdi a razão. Não encontrava meu lugar, não tinha paz. Precisava... Precisava achá-la... Depois do fuzilamento, tinham aplainado a terra com umas máquinas pesadas... Estavam em uma grande vala antitanque... Me mostraram mais ou menos onde ela estava, e eu corri, cavei ali, revolvi os cadáveres com as mãos. Reconheci minha mãe por um anel... Quando vi esse anel, soltei um grito e já não me lembro de mais nada. Não me lembro de nada... Algumas mulheres a levaram, lavaram com uma lata de conserva e enterraram. Até hoje guardo essa latinha.

À noite, eu às vezes fico deitada, pensando: minha mãe morreu por minha culpa... Se eu tivesse tido medo pelas pessoas próximas a mim, não teria ido lutar; mas também se uma terceira, uma quarta pessoa tivessem feito isso não existiria o que há agora. Mas dizer para mim mesma... Esquecer... Quando minha mãe passava... O comando soava... E eu atirava para o lado de onde ela estava vindo... O lencinho branco... Você nunca vai saber como é difícil viver com isso. Quanto mais longe chego, mais difícil é. Às vezes, à noite, de repente escuto um riso ou uma voz jovem vir pela janela e tremo, de repente parece que é um choro de criança, um grito de criança. E acordo de repente, sinto que não consigo respirar. Estou sufocando com o cheiro de queimado... Você não sabe como é o cheiro de um corpo humano queimado, especialmente no verão. Algo inquietante e doce. Agora trabalho no Comitê Executivo Regional e, se acontece um incêndio em algum lugar, tenho que ir para lá, fazer um documento. Mas se me dizem que um sítio queimou em algum lugar, que morreram animais, eu nunca vou, não sou capaz... Me faz lembrar disso... Desse cheiro... Quando as pessoas ardiam... E à noite eu acordo, corro para pegar um perfume e parece que o perfume também tem esse cheiro... Está em todo lugar.

Por muito tempo tive medo de me casar. Tinha medo de ter filhos. De repente podia começar uma guerra e eu iria para o front. Como ficariam as crianças? Agora estou adorando ler livros sobre a vida após a morte. O que tem lá? Com quem vou me encontrar? Tenho vontade e medo de encontrar mamãe. Quando era jovem não tinha, mas agora que fiquei velha..."

Antonina Aliekséievna Kondrachova, batedora
da brigada de partisans *Bitóchskaia*

"Minha primeira impressão... Quando avistei um alemão... Era como se tivessem batido em mim, todo meu corpo doía, cada célula — como é que eles estão aqui? O ódio, ele era mais forte do que o medo pelas pessoas próximas, amadas, do que o medo da própria morte. Claro, pensávamos em nossos parentes, mas não tínhamos escolha. O inimigo chegou com raiva na nossa terra... A ferro e fogo...

Por exemplo, quando soube que deviam me prender, fugi para a floresta. Para me juntar à resistência. Saí, deixando em casa minha mãe de 75 anos, e ainda por cima sozinha. Combinamos que ela fingiria ser cega e surda, e aí ninguém tocaria nela. Claro, eu dizia isso para me tranquilizar.

No dia seguinte à minha saída, os fascistas entraram na casa. Minha mãe fingiu que era cega, que não escutava bem, como combinamos. Eles lhe deram uma surra terrível, torturaram, queriam saber onde estava a filha. Minha mãe passou muito tempo com dor..."

Iadviga Mikháilovna Savítskaia, membro da resistência

"Vou continuar a mesma até o fim... Do mesmo jeito que éramos naquela época. Sim, ingênua, sim, romântica. Até ficar com os cabelos brancos... Mas sou eu!

Minha amiga Kátia Simakova era mensageira dos *partisans*. Tinha duas filhas. As duas pequenas, quantos anos elas tinham? Uns seis, sete anos. Ela pegava essas meninas pela mão e andava pela cidade gravando na memória onde ficava cada equipamento que os alemães usavam e quais eram. Se um guarda gritava, ela abria a boca e fingia ser boba. Foi assim por alguns anos... A mãe sacrificava as filhas...

Tinha também a Zajárskaia, ela tinha uma filha: Valéria. Uma menina de uns sete anos. Era preciso explodir um restaurante. Decidimos colocar a mina em um fogão, mas ela tinha que levar. A mãe disse que a filha levaria a mina. Pôs dentro de uma cesta, e por cima umas duas roupinhas de criança, um boneco de pelúcia, duas dezenas de ovos e óleo. E assim a menina levou a mina para dentro do restaurante. Dizem que o instinto materno é mais forte do que tudo. Não, uma ideia é mais forte! E a fé também é mais forte! Eu acho... Até estou convencida de que, se não existisse essa mãe, essa menina, e se elas não tivessem levado essa mina, não teríamos vencido. Sim, a vida é uma coisa boa. Maravilhosa! Mas há coisas mais preciosas..."

Aleksandra Ivánovna Khrámova, secretária do Comitê do Partido Regional Clandestino Antopolski

"No nosso destacamento tinha os irmãos Tchimuk... Eles caíram numa emboscada na sua aldeia, trocaram tiros até chegar a um galpão que logo foi incendiado. Enquanto não acabaram os cartuchos, eles ficaram atirando... Depois saíram chamuscados... Foram levados em uma telega, e os alemães iam mostrando para ver se alguém reconhecia. Se alguém os entregava...

Toda a aldeia estava ali. O pai e a mãe deles também, mas ninguém proferiu um som. Que coração essa mãe precisou ter para não gritar. Não demonstrar. Mas ela sabia que, se chorasse, queimariam toda a aldeia. Não matariam somente ela... Ela sabia... De todas as medalhas, nenhuma é suficiente, e até a mais alta Estrela do Herói é pouco para essa mãe... Pelo silêncio..."

Polina Kasperóvitch, partisan

"Fomos as duas para os *partisans*, eu e minha mãe... Ela lavava a roupa de todos, cozinhava. Se fosse preciso, montava guarda também. Uma vez, saí para uma missão e informaram a ela que eu tinha sido enforcada. Quando voltei, alguns dias depois, minha mãe me viu e ficou paralisada, perdeu a fala por algumas horas. Tínhamos que sobreviver a tudo isso...

Recolhemos uma mulher na estrada, estava sem consciência. Ela não conseguia andar, se arrastava e achava que já estava morta. Sentia o sangue escorrendo, mas tinha decidido que estava sentindo isso no outro mundo, e não neste. Quando a sacudimos, recobrou um pouco da consciência e escutamos... Ela contou como eles tinham sido fuzilados, como conduziram para o fuzilamento ela e os cinco filhos. Enquanto eram levados para um galpão, mataram as crianças. Atiravam e achavam divertido... Sobrou o último, um bebê de peito. O fascista sinalizava: jogue para cima, vou atirar. A mãe jogou a criança de forma que ela mesma a matasse... Seu filho... Para que o alemão não tivesse tempo de atirar... Ela dizia que não queria viver, não podia viver nesse mundo depois disso, só no outro mundo... Não queria...

Eu não queria matar, não nasci para matar. Queria ser professora de escola. Mas vi como queimavam a vila... Não podia gritar, não podia chorar alto: tínhamos sido mandados para o reconhecimento e passamos perto justo daquela aldeia. A única coisa que eu podia fazer era morder minha mão, tenho cicatrizes ainda hoje, mordi até sair sangue. Até a carne. Lembro como as pessoas gritavam... As vacas gritavam... As galinhas gritavam... Eu achava que todos gritavam com voz de gente. Tudo o que era vivo. Queimava e gritava.

Não sou eu que falo isso, é a minha dor que está falando..."

Valentina Mikháilovna Ilkévitch, mensageira partisan

"Nós sabíamos... Todos sabíamos que precisávamos vencer...

Depois as pessoas ficaram achando que tínhamos deixado meu pai, que ele tinha uma missão do Comitê Regional do Partido. Ninguém o deixou, e ele também não tinha nenhuma missão. Nós mesmos resolvemos ir lutar. Não lembro de ter tido pânico na nossa família. Houve muita dor, isso sim, mas pânico não, todos acreditavam que a vitória seria nossa. No primeiro dia em que os alemães entraram na nossa vila, meu pai tocou a *Internacional* no violino. Queria fazer alguma coisa. Algum protesto...

Dois meses se passaram, ou três... E...

Tinha um menino judeu... Um alemão o amarrou na bicicleta, e o menino corria atrás dele, feito um cachorrinho: '*Schnell! Schnell!*'.* Ele andava e ria. Um alemão jovem... Logo cansou, desceu da bicicleta e fez sinais para o menino: de joelhos... De quatro... Se arraste feito um cachorrinho... Pule... '*Hund! Hund!*'**

* "Rápido! Rápido!", em alemão no original.

** "Cachorro! Cachorro!", em alemão no original.

Jogou um pauzinho: traga! O menino levantou, correu e trouxe o pauzinho de volta nas mãos. O alemão ficou irado… Começou a bater nele. Xingar. Mostrava: pule de quatro e traga com os dentes. O menino trouxe entre os dentes…

O alemão passou umas duas horas brincando com aquele menino. Depois, o amarrou mais uma vez na bicicleta, e eles partiram de volta. O menino corria feito um cachorrinho… Para o lado do gueto.

E você pergunta: por que começamos a lutar? Aprendemos a atirar…"

Valentina Pávlovna Kojemiákina, partisan

"Como ia esquecer…? Os feridos se alimentavam de colheradas de sal… Quando estavam em formação, chamavam o sobrenome do soldado, ele dava um passo à frente e caía junto com a metralhadora, de fraqueza. De fome.

O povo nos ajudava. Se não tivesse ajudado, o movimento *partisan* não teria existido. O povo lutava junto conosco. Às vezes entre lágrimas, mas ainda assim nos davam comida.

'Filhinha, vamos sofrer juntos. E esperar pela vitória.'

Despejavam a última batata miudinha, davam pão. Mandavam sacos para nós na floresta. Um dizia: 'Eu dou tanto', o outro: 'E eu, tanto'. 'E você, Ivan?' 'E você, Maria?' 'O mesmo que todos, mas eu tenho filhos.'

O que seria de nós sem a população? Éramos um exército inteiro na floresta, mas sem eles teríamos morrido: eles semeavam, lavravam a terra, cuidavam de nós e dos nossos filhos, vestiam todos. Aravam a terra à noite, quando não havia tiros. Lembro que uma vez chegamos a uma aldeia e estavam enterrando um velho. Tinha sido assassinado à noite. Estava semeando cevada. Estava apertando os grãos nas mãos de uma forma que não conseguiram abrir os dedos. Foi enterrado com a cevada…

Tínhamos armas, podíamos nos defender. Mas, e eles? Dar pão a um *partisan* era punido com o fuzilamento, eu pernoitava e saía, mas, se alguém denunciasse que eu tinha passado a noite naquela casa, fuzilariam a todos. E lá tinha uma mulher sozinha, sem o marido, e com três crianças pequenas. Ela não nos mandava embora quando aparecíamos, acendia o fogão, lavava nossa roupa. Dava o último que tinha: 'Comam, rapazinhos'. A batata na primavera era miudinha, miudinha, feito uma ervilha. Comíamos; e as crianças ficavam sentadas no fogão, chorando. Eram as últimas ervilhas..."

Aleksandra Nikíforovna Zakhárova, comissária partisan
do 225º Regimento da Região de Gômel

"Na minha primeira missão... Me trouxeram uns folhetos. Eu pus dentro do travesseiro e costurei. Minha mãe foi fazer a cama e descobriu. Descosturou o travesseiro e viu os folhetos. Começou a chorar. 'Você vai nos matar.' Mas depois me ajudou.

Os mensageiros dos *partisans* sempre vinham à nossa casa. Desatrelavam o cavalo e entravam. O que você acha, que os vizinhos não viam? Viam e adivinhavam. Eu dizia que era da parte do meu irmão, da aldeia. Mas todos sabiam muito bem que eu não tinha nenhum irmão na aldeia. Sou agradecida a eles, tenho que fazer uma reverência a todos na nossa rua. Bastaria uma palavra e teríamos todos morrido, toda a nossa família. Era só apontar um dedo para o nosso lado. Mas ninguém... Uma pessoa sequer... Na guerra, fiquei tão apaixonada pelas pessoas que nunca vou deixar de amá-las.

Depois da libertação... Estava andando pela rua e olhava ao meu redor: já não conseguia não ter medo, não conseguia andar pela rua tranquilamente. Andava e contava os carros, os trens na estação... Levei muito tempo para desacostumar..."

Vera Grigórievna Sedova, membro da resistência

* * *

"Já estou chorando... Derramando lágrimas...

Entramos em uma casa e não tinha ninguém lá, só dois bancos nus de madeira cortada e uma mesa. Nem canecas parecia haver ali para beber água. As pessoas tinham levado tudo. Só um ícone no canto e uma toalha bordada pendurada nele.

Estavam sentados um velho e a mulher. Um de nossos *partisans* tirou as botas, as *portianki* estavam tão rasgadas que ele já não conseguia enrolar. Chuva, lama, botas rasgadas. E então a velha se aproximou do ícone, pegou a toalha bordada e deu para ele: 'Filho, senão como vai andar?'.

E não tinha mais nada naquela casa."

Vera Safrônovna Davídova, partisan

"Nos primeiros dias... Recolhi dois feridos em uma aldeia... Um tinha um ferimento na cabeça, o outro soldado tinha um estilhaço na perna... Eu mesma tirei esse estilhaço e pus querosene na ferida, não achei mais nada. E eu já sabia... Sobre o querosene, que ele desinfeta...

Cuidei deles, pus os dois de pé. Primeiro um foi embora para a floresta, depois outro. Quando o último foi, se jogou aos meus pés. Queria beijá-los:

'Querida irmãzinha! Você salvou minha vida.'

Não tinha nome, nada. Era só irmã e irmão.

As mulheres se reuniam na minha casa à noite:

'Os alemães estão dizendo que tomaram Moscou.'

'Nunca!'

Com essas mesmas mulheres levantamos o colcoz depois da libertação, me botaram de presidente. Ainda tínhamos quatro velhos e cinco moleques entre dez e treze anos. Eram meus lavradores. Tínhamos vinte cavalos, eles estavam mal, precisávamos curá-los. E era isso, toda a nossa chácara. Não tinha nem roda, nem canga. As mulheres levantavam a terra com a pá, aravam com as vacas e os bois, arrancávamos o rabo dos bois, eles deitavam e não tinha quem levantasse. Os moleques passavam o dia arando; quando desamarravam as trouxas de noite, todos tinham a mesma comida: *prasnaki*. Você nem sabe o que é isso. Com semente de azedinha, *oborôtnitchek*... Não sabe? É uma erva que tem. A gente desfolhava o trevo. Batia tudo isso no pilão. Depois assava esses *prasnaki*. É feito um pão. Amargo, amargo...

No outono, chegou uma ordem: pôr abaixo 580 metros cúbicos de madeira. Com quem? Peguei meu menino de doze anos e minha menina de dez. Outras mulheres também. Entregamos aquela madeira..."

Vera Mitrofánova Tolkatchiova, mensageira partisan

Contam Ióssif Gueórguievitch Iassiukévitch e sua filha Maria; durante a guerra, foram do Destacamento de Mensageiros *Partisans* Petrakov, da Brigada Rokossóvski:

Ióssif Gueórguievitch

"Dei tudo pela Vitória... O que me era mais querido. Meus filhos lutaram no front. Dois sobrinhos foram fuzilados por ter ligação com os partisans. Minha irmã, mãe deles, foi queimada pelos fascistas. Na casa deles... As pessoas relatavam que, enquanto a fumaça não cobriu tudo, ela ficou retinha como uma vela, segurando o ícone. Depois da guerra, o sol se põe e eu sempre acho que tem alguma coisa queimando..."

Maria

"Eu era menina, tinha treze anos. Sabia que meu pai ajudava a resistência. Entendia. Vinham umas pessoas à noite. Deixavam umas coisas, levavam outras. Meu pai sempre me levava com ele, me sentava na carroça: 'Sente aqui e não saia do lugar'. Quando chegávamos aonde precisávamos, ele pegava armas ou panfletos.

Depois, começou a me mandar para a estação de trem. Me ensinou o que tinha que lembrar. Eu me esgueirava em silêncio até os arbustos e ficava ali até a noite, contando quantos trens tinham passado. Lembrava o que estavam levando, dava para ver: armas, tanques ou soldados. Duas ou três vezes por dia os alemães atiravam contra os arbustos."

"E você não ficava com medo?"

"Eu era pequena, sempre escolhia o caminho de um jeito que passasse despercebida. E naquele dia... Eu me lembro bem... Meu pai tentou duas vezes sair do sítio onde a gente morava. Os *partisans* estavam esperando por ele perto da floresta. Duas vezes ele ia saindo e duas vezes a patrulha o fez voltar. Começou a escurecer. Ele me chamou: 'Mariíka...'. E a minha mãe gritou: 'Não vou deixar a menina sair!'. Me puxava para longe do meu pai...

Mas eu atravessei a floresta correndo, como ele mandou. Eu sabia todas as trilhas de cor, apesar de ter medo do escuro. Achei os *partisans*, eles estavam esperando, comuniquei tudo o que meu pai falara. Mas, quando estava voltando, o dia começou a clarear. Como ia evitar a patrulha alemã? Dei voltas pela floresta, várias voltas, e caí no lago, com a jaqueta do meu pai, as botas, afundei com tudo. Consegui sair por um buraco no gelo... Corri pela neve descalça... Fiquei doente, caí de cama de um jeito que não levantei mais. Minhas pernas ficaram paralisadas. Na época não havia médicos nem remédios. Minha mãe me tratava com infusões de ervas. Aplicava argila...

Depois da guerra, me levaram aos médicos. Mas já era tarde. Fiquei deitada... Posso me sentar, mas pouco, fico deitada olhando pela janela... Recordando a guerra..."

Iόssif Gueórguievitch

"Eu a carrego nos braços. Há quarenta anos. Que nem uma criança pequena... Minha mulher morreu há dois anos. Ela me disse que perdoou tudo. Os pecados da juventude... Tudo... Mas o que aconteceu com Mariíka ela não perdoou. Vi nos olhos dela. Tenho medo de morrer, Mariíka vai ficar sozinha. Quem vai carregá-la nos braços? Quem vai abençoá-la à noite? Pedir a Deus..."

SOBRE MAMÃES E PAPAIS

A vila de Ratintsi na região de Volójinski, distrito de Minsk, fica a uma hora de viagem da capital. É uma aldeia bielorrussa comum, com casas de madeira, jardinzinhos floridos, galos e gansos nas ruas. Crianças na areia. Mulheres velhas nos bancos. Vim ver uma delas, mas se juntou toda a rua. Me atordoavam de tanto falar. Lamentam em uma só voz.

Cada uma fala de si, e juntas falam da mesma coisa. Contam como lavravam a terra, semeavam, assavam pães para os *partisans*, como cuidavam das crianças, como iam para adivinhas e ciganas, interpretavam sonhos e pediam a Deus que intercedesse. Esperavam os maridos voltarem da guerra.

Anotei os primeiros três sobrenomes: Elena Adámovna Velítchko, Iustina Lukiánovna Grigoróvitch, Maria Fiódorovna Mazuro. O resto já não consegui entender por causa do choro...

* * *

"Ah, minha filha! Querida, não gosto do Dia da Vitória. Choro! Ai, choro! Fico pensativa, volta tudo. A felicidade fica para lá da montanha, a desgraça fica aqui com a gente... Os alemães nos queimaram, levaram tudo. Ficamos só nós com umas pedras cinzentas. Voltamos da floresta, não tinha ninguém. Só sobraram os gatos. O que a gente comia? No verão eu ia colher frutas silvestres, cogumelos. Tinha a casa cheia de filhos.

A guerra acabou, fomos para o colcoz. Lá eu ceifava, colhia, debulhava. Em vez de cavalos, nós mesmas arrastávamos o arado. Não havia cavalos, tinham sido mortos. Atiraram nos cachorros. Minha mãe falava assim: quando eu morrer, não sei o que vai ser da minha alma, mas as mãos vão descansar. Minha filha tinha uns dez anos, ela ceifava comigo. O chefe de brigada vinha ver como ela, tão pequena, matava a cota antes do anoitecer. A gente ceifava e ceifava, o sol ia se pondo atrás da floresta, e a gente queria que ele subisse mais. O dia era pouco para nós. Tínhamos uma cota dupla. Pagar, não pagavam nada, só marcavam com um visto o dia de trabalho. No verão você ia para o campo, no outono não recebia um saco de farinha. Criávamos os filhos com uma batatinha..."

"Aí a guerra acabou. E eu fiquei sozinha. Eu era a vaca, o boi, a mulher, o mujique. Ai ai ai."

"A guerra é uma desgraça... Na minha casa só tinha criança. Nem um banco, uma arca. Deixaram a casa nua. A gente comia bolotas, ervas da primavera... Minha menina foi para a escola, só aí comprei o primeiro par de botas para ela. Ia dormir com elas, não queria tirar. Era assim que a gente vivia! A vida termina e não há o que recordar. Só a guerra..."

"Circulou um boato de que tinham levado nossos prisioneiros a um vilarejo, quem reconhecesse os seus podia levar. Nós, mulheres, nos levantamos e fomos. À noite, umas trouxeram os seus, outras trouxeram desconhecidos, e contavam coisas que não dava para acreditar: que as pessoas estavam apodrecendo em vida, morrendo de fome, tinham comido todas as folhas das árvores... Comiam capim... Cavavam raízes da terra... Corri para lá no dia seguinte, não encontrei nenhum dos meus, pensei que podia salvar o filho de alguém. Simpatizei com um rapaz moreno, chamava Sachkó, como meu neto agora. Tinha dezoito anos... Dei um pouco de banha para o alemão, ovos, jurei: 'É meu irmão'. Fiz o sinal da cruz. Fomos para minha casa, ele não comeu nem um ovo, tão fraco que estava. Não passou um mês conosco, e apareceu um canalha. Vivia como todos, era casado, tinha dois filhos... Ele foi para a sede da guarnição e declarou que estávamos abrigando forasteiros. No dia seguinte chegaram os alemães em motos. Pedimos de joelhos, mas eles nos enganaram, dizendo que levariam essas pessoas para mais perto de casa. Eu dei o sobretudo do meu avô para Sachkó... Achava que ele ia viver...

Mas os levaram para fora da aldeia... E os apagaram com o fuzil... Todos... Até o último... Eram tão jovenzinhos, tão bonitos! E nós, que os tínhamos abrigado em casa — ao todo nove pessoas —, decidimos enterrá-los. Cinco os tiravam das valas, e as outras quatro olhavam em volta para evitar um ataque dos alemães. Não podíamos tirar com as mãos, estava um calor terrível, então eles ficaram ali mais quatro dias... Tínhamos medo de cortar com as pás... Colocávamos em cima do cavalete e puxávamos. Trazíamos água, tampávamos o nariz. De modo que nós mesmas não caíssemos... Cavamos um túmulo na floresta e os colocamos ali, enfileirados... Cobrimos as cabeças com lençóis... Os pés...

Durante um ano não sossegamos, choramos por eles. E cada uma pensava: onde está meu marido ou meu filho? Estarão vivos? Porque da guerra você deixa de esperar, da terra, nunca... Ai ai ai..."

"Meu marido foi enterrado, era um bom homem. Eu e ele só conseguimos viver juntos por um ano e meio. Quando ele foi embora, nossa filha já estava na barriga. Mas ele não esperou pela filhinha, eu dei à luz sem ele. Foi embora no verão, ela nasceu no outono.

Ela ainda mamava no peito, não tinha nem um ano. Eu estava sentada na cama, dando de mamar... Ouvi uma batida na janela: 'Lena, trouxeram um papelzinho... Sobre o seu marido...'. (Não deixaram o carteiro entregar, vieram elas mesmas contar.) Eu estava de pé, segurando a menina, e daquele jeito o leite começou a escorrer direto para o chão... A menina começou a gritar, se assustou. Não pegou mais meu peito. Me disseram isso no sábado, um dia antes do Domingo de Ramos. Em abril... Já brilhava um solzinho... Li no papelzinho que meu Ivan tinha morrido na Polônia. O túmulo está perto da cidade de Gdansk. Morreu em 17 de março de 1945... Um papelzinho tão pequeno, fininho... Já estávamos esperando pela Vitória, já, já apareceriam nossos maridos. Os jardins estavam florescendo...

Depois do susto, minha filha passou muito tempo doente, até ir para a escola. Se alguém batia forte na porta ou gritava, ela ficava doente. Passava noites chorando. Penei com ela muito tempo, acho que passei sete anos sem ver o sol, para mim ele não brilhava. Eu via tudo preto.

Falaram: Vitória! Os mujiques começaram a voltar para suas casas. Mas voltaram em menor número do que tínhamos mandado. Menos da metade. Meu irmão Iuzik foi o primeiro a chegar. Só que voltou mutilado. Ele tinha uma menina como a minha. Quatro aninhos, depois cinco... Minha menina ia brincar com ela, e uma vez voltou correndo e chorando: 'Não vou mais na casa deles'. 'Por que está chorando?' 'O papai da Ólienka (a menina deles se chamava Ólienka) põe ela no colo, mima. E eu não tenho papai. Tenho só mamãe.' Nos abraçamos...

E foi assim por dois, três anos. Vinha correndo da rua e me dizia: 'Posso brincar em casa? Senão o papai vai chegar, eu vou estar com outras crianças na rua e ele não vai me reconhecer. É que ele nunca me viu'. Não conseguia mandar a menina para fora da casa, para brincar com as crianças na rua. Ficava em casa dias inteiros. Esperando o papai. E nosso papai não voltou..."

"O meu, quando saiu para a guerra, chorava tanto por deixar os filhos pequenos. Se lamentava. E as crianças eram tão pequenas que ainda não entendiam que tinham pai. E o principal: eram todos meninos. O menorzinho ainda era criança de colo. Ele o segurava de um jeito, apertava assim. Fui correndo atrás dele, já estavam gritando. 'Todos para a coluna!' Ele não conseguia soltar o menino, entrava na coluna com ele... O militar gritava para cima dele, e o homem dando um banho de lágrimas no nosso filho. A fraldinha ficou toda molhada. Eu e as crianças corremos atrás dele até fora da vila, corremos ainda uns cinco quilômetros. Tinha outras mulheres com a gente. Meus filhos já estavam caindo, e eu quase não conseguia carregar o pequeno. E Volódia, é o meu mujique, virava a cabeça para olhar, e eu correndo, correndo. Fui a última que ficou... Larguei as crianças no meio da estrada. Fui tentando alcançar só com o pequenininho.

Um ano depois chegou um papelzinho: seu marido Vladímir Grigoróvitch morreu na Alemanha, já bem perto de Berlim. Não vi o túmulo dele. Um vizinho voltou, com a saúde perfeita, outro voltou sem uma perna. Me deu uma tristeza: queria que o meu tivesse voltado, mesmo que fosse sem as duas pernas, mas vivo. Eu o carregaria nos braços..."

"Fiquei com três filhinhos... Carregava os feixes eu mesma, trazia lenha da floresta, cuidava da batatinha e do feno. Tudo sozinha... Atrelava o arado em mim, no meu lombo, arava também. Fazer o quê?! A cada uma ou duas casas, era uma viúva, outra mulher de soldado. Ficamos sem os mujiques. Sem cavalos. Também tinham levado os cavalos na guerra. E eu... Eu ainda era trabalhadora exemplar. Ganhei dois diplomas de honra, e uma vez me deram dez metros de chita. Que alegria foi aquilo! Costurei camisas para os meus meninos, para todos os três."

"Depois da guerra... Os filhos dos que morreram mal tinham acabado de crescer. De ficar grandes. Uns moleques de treze, catorze anos, e já achavam que eram adultos. Queriam casar. Não tinha mais homem, e as mulheres eram todas jovens...

Mas olhe, se dissessem: entregue sua vaquinha e não vai ter guerra. Eu daria! Para que meus filhos não soubessem o que aconteceu comigo. Dia e noite escuto minha desgraça..."

"Olho para a janela, e parece que ele está sentado ali... Às vezes, algo surge no começo da noite... Eu já sou velha, mas sempre o vejo jovem. Do jeito que era quando o mandei. Quando sonho com ele, também está jovem. Assim como eu, nos sonhos...

Mandaram notificações de óbito para todas as mulheres, mas no meu papelzinho veio 'desaparecido em combate'. Está escrito com tinta azul. Nos primeiros dez anos eu esperava todo dia. Até hoje espero. Enquanto a gente vive, sempre pode ter esperança..."

"Como uma mulher vai viver sozinha? As pessoas vêm, umas me ajudam, outras não. É a mesma desgraça. Cada um joga uma palavra... As pessoas falaram até cansar, os cachorros latiram até cansar... Mas queria que meu Ivan pudesse ver os cinco netos. Às vezes fico ao lado do retrato dele e mostro as fotos dos meninos. Falo com ele..."

"Ai ai ai... Meu nosso Senhor... Misericordioso..."

"Logo depois da guerra eu tive um sonho: estava saindo para o pátio, e meu marido estava andando ali... De farda militar... E me chamava tanto, não parava. Saltei de debaixo do cobertor, abri a janela... Fazia um silêncio danado. Nem os pássaros eu escutava. Estavam dormindo. O vento passava pelas folhas... Assobiava...

De manhã peguei uma dezena de ovos e fui na cigana. 'Ele já se foi', ela pôs as cartas. 'Não fique esperando à toa. É a alma dele que está andando perto da casa.' Eu e ele nos juntamos por amor. Por um grande amor..."

"Uma vez, uma cigana me ensinou: 'Depois que todos dormirem, vista um lenço preto e se sente na frente de um grande espelho. É de lá que ele vai aparecer. Não pode tocá-lo, nem ele nem a roupa. Só converse com ele...'. Passei a noite inteira sentada... Um pouco antes de amanhecer ele veio... Não dizia nada, ficava em silêncio, as lágrimas caindo. Apareceu assim umas três vezes. Eu chamava, ele vinha. Chorava. E eu parei de chamar. Tinha pena..."

"Estou esperando pelo encontro com o meu... Vou falar com ele dia e noite. Não preciso de nada dele, só quero que me escute. Ele também já deve ter envelhecido por lá. Que nem eu."

"Minha terrinha... Vou cavando batata, beterraba... Ele está em algum lugar por lá, eu logo vou me encontrar com ele... Minha irmã disse: 'Não olhe para a terra, olhe para o céu. Para cima. É lá que eles estão'. Veja minha casinha... É perto... Fique conosco. Se passar a noite, vai saber mais. O sangue não é água, dá pena derramar, mas eles derramam... Vejo na televisão... Todo dia...

Também pode não escrever sobre nós... É melhor lembrar... Veja, eu e você conversamos. Choramos. Quando for se despedir de nós, vire e olhe para nós e para nossas casas. Não vire só uma vez, como uma estranha, mas duas. Como uma de nós. E não precisa de mais nada. Só vire..."

SOBRE UMA VIDA PEQUENA E UMA GRANDE IDEIA

"Sempre acreditei... Sempre acreditei em Stálin... Acreditei nos comunistas... Eu mesma era comunista. Acreditava no comunismo... Vivia por ele, tinha sobrevivido por ele. Depois do discurso de Khruschóv no XX Congresso, em que ele contou os erros de Stálin, adoeci, caí de cama. Não conseguia acreditar que era verdade. Na guerra eu também gritava: 'Pela pátria! Por Stálin!'. Ninguém me obrigava... Eu acreditava... Era minha vida.

Esta é minha vida...

Lutei dois anos na resistência... Na última batalha fui ferida na perna, perdi a consciência, fazia um frio horroroso; quando acordei, senti que minhas mãos tinham congelado. Agora estão vivas, são boas mãos, mas na época ficaram pretas... E as pernas também estavam congeladas, claro. Se não fosse pelo frio, talvez tivesse conseguido salvar as pernas, mas elas estavam perdendo sangue, passei muito tempo deitada lá. Quando me encontraram, me puseram junto com os outros feridos, nos levaram para um lugar, muitos de nós, e ali os alemães nos cercaram de novo. O destacamento estava saindo... Estava conseguindo abrir caminho... Nos jogaram em um trenó, como se fôssemos lenha. Não havia tempo de olhar, reclamar, tinham que levar todos para o fundo da floresta. Esconder-nos. Nos levaram, levaram, só depois comunicaram a Moscou que eu estava ferida. E eu era deputada do Soviete Supremo. Era uma pessoa importante, tinham orgulho de mim. Vim lá de baixo, era uma camponesa simples. De família camponesa. Entrei cedo no Partido...

Perdi as pernas. Cortaram minhas pernas. Fui salva ali mesmo, na floresta... A operação foi feita nas condições mais primitivas. Me puseram na mesa de operações e não tinha nem iodo, serraram minhas pernas com uma serra simples, as duas pernas... Me puseram na mesa, não tinha iodo. Foram buscar iodo em outro destacamento, a seis quilômetros, e eu fiquei deitada na mesa. Sem anestesia. Sem... Em vez de anestesia, me deram uma garrafa de *samogón*. Não tinha nada, só uma serra comum... De marceneiro...

Fizeram contato com Moscou e pediram para mandar um avião. O avião tentou pousar três vezes, deu voltas e voltas, mas não conseguia descer. Estavam atirando em torno. Pousou na quarta vez, mas minhas duas pernas já tinham sido amputadas. Depois, em Ivánov, em Tachkent, fizeram mais quatro amputações, e quatro vezes a gangrena começou de novo. Cada vez cortavam mais um pedaço, e acabou ficando uma amputação muito alta. Na primeira vez eu chorei. Solucei… Imaginava que ia me arrastar pelo chão, não ia andar, ia me arrastar. Eu mesma não sei o que me ajudou, o que me impediu… Como convenci a mim mesma… Claro, encontrei pessoas bondosas. Muitas pessoas boas. Tínhamos um cirurgião, ele mesmo sem as pernas, que falava de mim, outros médicos me contaram: 'Eu tiro o chapéu para ela. De todos os homens que operei, nunca vi algo assim. Não dá um grito'. Eu me segurava… Estava acostumada a ser forte na frente das pessoas…

Depois voltei para Disna. Minha cidadezinha. Voltei com muletas.

Agora ando mal porque estou velha, mas houve uma época em que eu corria pela cidade e ia para todo lado a pé. Corria com próteses. Até aos colcozes eu ia. Fui nomeada para o cargo de vice-presidente do Comitê Executivo Regional. Era um trabalho importante. Eu não ficava no gabinete. Ia para todas as aldeias, para os campos. Até me ofendia se sentia alguma condescendência. Tinha poucos presidentes de colcozes competentes na época; se havia alguma campanha decisiva, mandavam um representante da região para o lugar. E então toda segunda nos chamavam para o Comitê Regional e distribuíam tarefas, quem ia para onde. Uma manhã, estava sentada, olhando pela janela: estavam todos indo para o Comitê Regional, e ninguém me chamou. Foi tão dolorido, me deu vontade de ser como todos.

E por fim veio a ligação, o primeiro secretário me chamou: 'Fiokla Fiódorovna, passe aqui'. Como fiquei feliz, mesmo quando era muito, muito difícil viajar pelas aldeias; me mandavam andar vinte, trinta quilômetros, tinha lugar que você chegava de carro, em outros tinha que ir a pé. Ia andando por algum lugar na floresta, caía e não conseguia me levantar. Colocava a bolsa de lado, me apoiava ou me enganchava em uma árvore, levantava e seguia em frente. Recebia minha pensão, podia viver para mim, só para mim. Mas eu queria viver para os outros. Sou comunista...

Não tenho nada meu. Só minhas ordens, medalhas e diplomas de honra ao mérito. O governo construiu minha casa. É uma casa grande, porque não há crianças ali, por isso ela parece tão grande... E os tetos são tão altos... Morávamos ali as duas, eu e minha irmã. Ela é minha irmã, minha mãe e minha babá. Agora estou velha... Não consigo levantar sozinha de manhã.

Vivemos as duas, vivemos do passado. Temos um belo passado. Foi uma vida dura, mas bonita e honesta; não guardo mágoa por mim. Por minha vida... Vivi uma vida honesta..."

Fiokla Fiódorovna Strui, partisan

"O tempo nos tornou o que somos. Nos revelamos. Não vai haver outro tempo como esse. Isso não vai se repetir. Na época, nossas ideias eram jovens, e nós também éramos jovens. Lênin tinha morrido havia pouco tempo. Stálin estava vivo... Com que orgulho eu usava o lenço de pioneira. A marca do Komsomol...

E então veio a guerra. E nós éramos assim... Claro, em Jitomir, onde morávamos, logo apareceu um movimento de resistência. Entrei para ele imediatamente, nem discuti se devia participar ou não, se tinha medo ou não. Não tinha discussão...

Alguns meses depois, conseguiram uma pista para o nosso grupo clandestino. Alguém nos traiu. A Gestapo me pegou... Claro, estava com medo... Para mim isso dava até mais medo do que morrer. Tinha medo das torturas. As torturas me davam medo... E se eu não aguentar? Cada um de nós pensava nisso... A sós... Eu, por exemplo, desde a infância tinha dificuldade de aguentar qualquer dor. Mas ainda não nos conhecíamos, não sabíamos como éramos fortes...

No último interrogatório, depois de ser incluída na lista de fuzilamento pela terceira vez, veio o terceiro investigador, que, dizia, era historiador por formação... Aquele fascista queria entender por que éramos daquele jeito, por que nossas ideias eram tão importantes para nós. 'A vida está acima das ideias', dizia ele. Eu, claro, não concordava, e ele gritava, batia em mim. 'O quê? O que obriga vocês a serem assim? A aceitar a morte tranquilamente? Por que os comunistas acham que o comunismo deve vencer em todo o mundo?', perguntava. Ele falava um russo excelente. E eu decidi falar tudo para ele, já sabia que iam me matar mesmo, pois que não fosse em vão, que ele soubesse que somos fortes. Ao longo de quatro horas ele perguntava, e eu respondia como sabia, o que tinha estudado até então de marxismo-leninismo na escola e na universidade. Ah, o que aconteceu com ele! Segurava a cabeça, corria pelo quarto, parava de repente, e olhava, olhava para mim, mas pela primeira vez parou de bater...

Eu ficava de pé diante dele... Metade do meu cabelo tinha sido arrancado, e antes disso eu usava duas tranças grossas. Passava fome... No começo sonhava: queria um pedacinho pequenininho de pão, em seguida uma casquinha que fosse, depois ao menos umas migalhas... Estava assim diante dele... Meus olhos queimando... Ele passou muito tempo me escutando. Escutava e não batia... Não, ainda não estava com medo, era só 1943. Mas já sentia algo... algum perigo. Queria saber, qual? Eu respondi para ele. Mas quando saí, me pôs da lista de fuzilamento.

Na noite anterior ao fuzilamento, fiquei lembrando da minha vida, da minha curta vida...

O dia mais feliz da minha vida foi quando meu pai e minha mãe, depois de percorrer algumas dezenas de quilômetros sob bombardeio para se afastar de casa, resolveram voltar. Não ir embora. Ficar em casa. Eu sabia que íamos combater. Achávamos que a vitória chegaria logo. Sem dúvida! A primeira coisa que fizemos foi encontrar e salvar feridos. Tinha feridos no campo, na grama, nas valas, alguns tinham se arrastado para o estábulo. Uma vez, saí de manhã para colher batatas e achei um na nossa horta. Ele estava morrendo... Era um jovem oficial, não teve forças nem para me dizer seu nome. Sussurrou algumas palavras... Não entendi... Lembro do meu desespero. Mas me parecia que eu nunca tinha sido tão feliz como naqueles dias... Encontrei meus pais pela segunda vez. Antes disso eu achava que meu pai não se interessava por política, ele era um bolchevique sem partido. Minha mãe era uma camponesa com pouco estudo, ela acreditava em Deus. Passou toda a guerra rezando. Mas sabe como? Ficava de joelhos na frente do ícone: 'Salve o nosso povo! Salve Stálin! Salve o Partido Comunista desse carrasco que é Hitler'. Nos interrogatórios da Gestapo, todo dia eu esperava que a porta se abrisse e entrassem meus parentes. Mamãe e papai... Eu sabia onde tinha ido parar, e estava feliz porque não traíra ninguém. Mais do que morrer, tínhamos medo de trair. Quando me prenderam, entendi que começava ali o tormento. Sabia que meu espírito era forte, mas e meu corpo?

Não me lembro do primeiro interrogatório... Não perdi a consciência... Só perdi a consciência uma vez, quando torceram meu braço com um tipo de roda. Acho que não gritei, ainda que antes tivessem me mostrado como os outros gritavam. Nos interrogatórios seguintes eu já tinha perdido a sensação de dor, meu corpo endurecia. Parecia um corpo de madeira. Só tinha um pensamento: não! Na frente deles eu não morro. Não! Só quando tudo acabava e me arrastavam para a cela é que eu começava a sentir dor, e aparecia a ferida. Eu virava uma grande ferida. O corpo inteiro... Mas tinha que aguentar. Aguentar! Para que minha mãe soubesse que eu estava morrendo como um ser humano, que não tinha traído ninguém. Mamãe!

Batiam em mim, me penduravam. Sempre completamente nua. Tiravam fotos. Eu só conseguia esconder os seios com as mãos... Via as pessoas enlouquecendo... Vi o pequeno Kólienka, que tinha menos de um ano — nós o estávamos ensinando a falar 'mamãe' —, como ele, quando o tiraram da mãe, entendeu de alguma forma sobrenatural que a estava perdendo para sempre e gritou pela primeira vez na vida: 'Mamãe!'. Não era uma palavra, ou não só uma palavra... Eu queria contar para você... Contar tudo... Ah, que pessoas encontrei ali! Elas estavam morrendo nos porões da Gestapo, e só as paredes sabiam da coragem que tinham. Mesmo agora, passados quarenta anos, eu me ajoelho diante delas em pensamento. 'Morrer é o mais fácil', elas diziam. Mas, e viver... Como queríamos viver! Acreditávamos que a Vitória chegaria, só tínhamos uma dúvida: sobreviveríamos para ver esse grande dia?

Na nossa cela havia uma janelinha com grades; era necessário ter a ajuda de alguém para subir, e aí você podia olhar por ela: não se via nem um pedaço de céu, mas um pedaço de telhado. Estávamos tão fracos que não conseguíamos nos ajudar. Estava conosco uma paraquedista, a Ánia. Ela foi presa quando saltou do avião na retaguarda, e seu grupo caiu em uma emboscada. Uma vez estava ali, toda ensanguentada, espancada, e de repente pediu: 'Me empurrem, vou olhar o mundo livre. Quero subir ali!'.

Quero e pronto. Juntas a levantamos, e ela soltou um grito: 'Meninas, tem uma florzinha ali!'. E então todas começaram a pedir: 'Eu também quero...', 'Eu também...'. Não sei de onde tiramos forças para nos ajudarmos umas às outras. Era um dente-de-leão; como ele subiu naquele teto, como se segurou ali, não me entra na cabeça. Cada uma fez um pedido para aquela flor. Agora acho que todas pediram para sair vivas daquele inferno.

Eu gostava tanto da primavera... Amava ver as cerejeiras florescendo e os arbustos de lilases começando a exalar seu cheiro... Não se espante com meu estilo, eu escrevia poesia. Agora não gosto da primavera. Essa guerra se interpôs entre nós duas, entre mim e a natureza. Quando as cerejeiras estavam florescendo, vi os fascistas na minha Jitomir natal...

Saí viva por um milagre... Fui salva por pessoas que queriam agradecer ao meu pai. Ele era médico, naquela época isso era importante. Me empurraram para fora da fila, me empurraram para a escuridão quando estávamos sendo levados para o fuzilamento. E eu não me lembro de nada, de tanta dor que sentia, andava como se estivesse em um sonho... Ia para onde me levassem. Depois me pegaram... Me levaram para casa, eu estava toda ferida, logo tive uma infecção nervosa. Não conseguia nem ouvir uma voz humana. Escutava e imediatamente sentia dor. Minha mãe e meu pai falavam sussurrando. Eu gritava o tempo todo, só ficava calada quando entrava na água quente. Não deixava mamãe sair de perto nem por um segundo, ela pedia: 'Filhinha, preciso ir para o fogão. Para a horta...'. E eu a segurava... Assim que eu soltava a mão dela, vinha tudo para cima de mim de novo. Tudo o que tinha acontecido comigo. Para me distrair, me traziam flores. Minhas preferidas, campânulas... Folhas de castanheira... Os cheiros me distraíam... Minha mãe guardou o vestido que usei na Gestapo. E, quando ela morreu, ele estava debaixo do travesseiro dela. Até a última hora...

Me levantei pela primeira vez quando vi nossos soldados. De repente eu, que estava deitada havia mais de um ano, saltei da cama e corri para a rua: 'Meus queridos! Meus amores... Vocês voltaram...'. Os soldados me levaram de volta para a nossa casa nos braços. No entusiasmo, no segundo e no terceiro dia eu corri para o centro de alistamento: 'Me deem algum trabalho!'. Disseram para o meu pai, e ele veio me buscar: 'Menina, como você veio? Quem ajudou você?'. Durou alguns dias... E as dores começaram de novo... Os tormentos... Eu gritava por dias inteiros. As pessoas passavam na frente da nossa casa e pediam: 'Senhor, leve a alma dela ou ajude para que não sofra tanto'.

As lamas medicinais de Tskhaltubo me salvaram. A minha vontade de viver me salvou. Viver, viver e mais nada. Eu vivi mais um pouco. Vivi como todos... Vivi... Passei catorze anos trabalhando numa biblioteca. Foram anos felizes. Os mais felizes. Agora, a vida se transformou em uma luta constante com as doenças. A velhice é uma coisa desagradável, não importa o que digam. E ainda tem a solidão, fiquei totalmente só. Mamãe e papai já se foram há muito tempo. Tenho longas noites sem sono... Já se passaram tantos anos e tenho o pior sonho de todos, acordo suando frio. Não me lembro do sobrenome de Ánia. Não me lembro se ela era de Briansk ou de Smoliénsk. Lembro de como ela não queria morrer! Colocava os braços brancos e gorduchos atrás da cabeça e gritava pela janela, através das grades: 'Quero viver!'.

Não encontrei os parentes dela... Não sei a quem contar isso..."

Sófia Mirônovna Vereschak, membro da resistência

"Depois da guerra, ficamos sabendo de Auschwitz, de Dachau... Como ia dar à luz depois disso? E eu já estava grávida...

Então me mandaram para uma aldeia para tomar empréstimos. O governo precisava de dinheiro, precisava reerguer as fábricas, as indústrias.

Cheguei e não tinha mais aldeia, estava tudo no chão. Viviam em abrigos na terra... Saiu uma mulher, estava com umas roupas, era terrível de olhar. Entrei no abrigo, havia três crianças, todas com fome. Ela estava batendo algo em um pilão para eles, alguma erva.

Ela me perguntou:

'Veio para coletar algo para o empréstimo?'

Eu disse:

'Sim.'

Ela:

'Não tenho dinheiro, mas tenho uma galinha. Vou perguntar para a vizinha, ontem ela me pediu, se ela comprar eu lhe dou.'

Mesmo contando agora ainda me vem um nó na garganta. Que gente era aquela! Que gente! O marido dela fora morto no front, ela ficara com as três crianças; não tinha nada, só essa galinha, e a vendeu para dar dinheiro para mim. Na época estávamos coletando dinheiro em espécie. Ela estava disposta a entregar tudo, só para que houvesse paz, para que seus filhos continuassem vivos. Lembro do rosto dela. E de todos os filhos...

Como eles cresceram? Gostaria de saber... Gostaria de achá-los e ir encontrá-los..."

Klara Vassílievna Gontcharova, operadora de artilharia antiaérea

“Mamãe, o que é papai?”

Não vejo fim para essa estrada. O mal me parece infinito. Já não consigo me relacionar com ele apenas como uma história. Quem me responderia: com o que estou lidando, com os tempos ou com o ser humano? Os tempos mudam, mas e o ser humano? Penso na estúpida repetição da vida.

Elas narravam como soldados. Como mulheres. Muitas delas eram mães.

SOBRE O BANHO DA CRIANÇA E A MÃE QUE PARECE UM PAI

“Eu estava correndo… Éramos várias pessoas correndo. Fugindo… Estavam nos perseguindo. Atirando em nós. Minha mãe já estava sob os tiros dos fuzis. Mas ela via como corríamos… Eu também escutava sua voz, ela estava gritando. Depois me contaram como ela gritava. Gritava: ‘Que bom que você está de vestido branco… Filhinha… Já não vai ter ninguém para vestir você…’.

Ela tinha certeza de que me matariam, e se sentia feliz porque eu estava de branco... Antes disso, estávamos nos aprontando para ir visitar a vila vizinha. Era Páscoa... Íamos ver nossos parentes...

Fez-se um silêncio... Pararam de atirar. Só a minha mãe ainda gritava... Ou será que estavam atirando? Eu não escutava...

Na guerra, toda a nossa família morreu. A guerra acabou, e eu não tinha ninguém para esperar..."

Liubov Ígorevna Rudkóvskaia, partisan

"Começaram a bombardear Minsk...

Saí correndo até o jardim de infância para buscar meu filho, minha filha estava nos arredores da cidade. Ela tinha acabado de completar dois aninhos, estava na creche, e eles tinham viajado para fora da cidade. Decidi pegar o meu filho e levar para casa, depois correr para buscá-la. Queria juntar todos o quanto antes.

Estava me aproximando do jardim de infância, e os aviões voavam sobre a cidade, bombardeavam algum lugar. Atrás da cerca, escutei a voz do meu filhinho, ele ainda não tinha chegado aos quatro anos:

'Não tenham medo, mamãe falou que vão acabar com os alemães.'

Dei uma espiada pela cancela: eram muitos, e meu filho estava assim, tranquilizando os outros. Mas quando me viu, começou a tremer, chorar, e percebi que ele estava morrendo de medo.

Levei-o para casa, pedi à minha sogra para cuidar dele e fui buscar minha filha. Correndo! No lugar onde devia estar a creche não achei nada. Umas mulheres da vila contaram que tinham levado as crianças para algum lugar. Para onde? Quem? Para a cidade, talvez, disseram. Havia duas educadoras com elas, em um momento pararam de esperar pelo carro e foram a pé. A cidade ficava a dez quilômetros... Mas eram crianças bem pequenas, de um aninho ou dois. Minha querida, passei duas semanas procurando por eles... Por várias aldeias... Quando entrei em uma casa e me disseram que era justo aquela creche, aquelas crianças, eu não acreditei. Estavam deitadas, desculpe, sobre os excrementos, com febre. Como se estivessem mortas. A diretora da creche era uma mulher muito jovem, tinha ficado com os cabelos brancos. Acabou que ela percorreu todo o caminho até a cidade a pé, tinham se perdido na estrada, algumas crianças morreram.

'Não se desespere, procure. Ela deve estar aqui. Eu me lembro dela.'

Achei minha Éllotchka por causa de uma botinha... Senão, nunca a teria reconhecido...

Depois, nossa casa queimou por completo... Ficamos na rua, com a roupa do corpo. As unidades alemãs já tinham entrado na cidade. Não tínhamos para onde ir, passei alguns dias na rua com as crianças. Encontrei Tamara Serguêievna Sinitsa, antes da guerra nos conhecíamos vagamente. Ela me escutou e disse:

'Venha para minha casa.'

'Meus filhos estão com coqueluche. Como vou para sua casa?'

Ela também tinha filhos pequenos, eles podiam se contagiar. E bem naquela época... Não havia remédios, os hospitais já não estavam funcionando.

'Não importa, vamos.'

Minha querida, como vou me esquecer disso? Eles compartilharam cascas de batata conosco. Peguei minha saia velha e costurei umas calças pequenas para meu filho, para dar algo de aniversário para ele.

Mas sonhávamos com lutar... Nos angustiava não fazer nada... Que felicidade foi quando apareceu a chance de entrar para o trabalho clandestino, em vez de ficar sentada com os braços cruzados. Esperando. Meu filho, ele era maior, era o mais velho, e por via das dúvidas o mandei para ficar com minha sogra. Ela me impôs uma condição: 'Fico com meu neto desde que você não apareça mais na minha casa. Por sua culpa vão matar todos nós'. Passei três anos sem ver meu filho, tinha medo de ir para a casa dela. Minha filha, quando começaram a me seguir, quando acharam meus rastros, eu a peguei e fugi com ela para juntar-me à resistência. Carreguei-a nos braços por cinquenta quilômetros. Cinquenta quilômetros... Passamos duas semanas andando.

Ela passou mais de um ano lá comigo... Sempre penso: como eu e ela sobrevivemos àquilo? Se você me perguntar não sei dizer. Minha querida, é impossível aguentar aquilo. Até hoje meus dentes batem quando escuto as palavras 'cerco *partisan*'.

Em maio de 1943... Me mandaram levar uma máquina de escrever para a zona *partisan* vizinha. Para Boríssovskaia. Eles tinham uma máquina das nossas, com nosso alfabeto, mas precisavam de uma com letras alemãs, e essa só nós tínhamos. Era uma máquina que eu trouxera da ocupação de Minsk numa missão do comitê clandestino. Cheguei lá, no lago Pálik, e alguns dias depois começou o cerco. Veja onde fui parar...

Não fui só, fui com minha filha. Quando saía para uma operação de um dia ou dois, eu a deixava com outras pessoas, mas não havia onde deixá-la por mais tempo. E aí, claro, levei a criança comigo. E assim fomos parar em um cerco, eu e ela... Os alemães cercaram a zona *partisan*... Bombardeavam do céu, atiravam do chão... Enquanto os homens só levavam o fuzil, eu levava o fuzil, a máquina de escrever e Éllotchka. Íamos andando, eu tropeçava, ela passava por mim e caía no pântano. Continuávamos indo, e ela voava novamente... E assim foi por dois meses! Jurei para mim mesma que, se sobrevivesse, nunca mais iria a um pântano, eu já não consigo nem ver.

'Eu sei por que você não se deita quando atiram. Você quer que nos matem juntas.' Minha filha me disse isso, tinha quatro aninhos. Eu não tinha forças para deitar, se eu deitasse não me levantava nunca mais.

Os *partisans* às vezes ficavam com pena:

'Chega. Deixe que levamos sua filha.'

Mas eu não a confiava a ninguém. E se começasse um tiroteio? E se a matassem sem mim, e eu não escutasse? E se ela se perdesse...?

Encontrei o comandante de brigada Lopátin.

'Mas que mulher!', ele ficou estupefato. 'Numa situação dessas, levando uma criança, e não soltou a máquina. Nem todos os homens conseguiriam fazer isso.'

Ele pegou Éllotchka nos braços, abraçou, beijou. Revirou todos os bolsos e conseguiu umas migalhinhas de pão. Ela comeu e tomou água do pântano. Seguindo seu exemplo, outros *partisans* reviraram os bolsos e acharam migalhas para ela.

Quando saímos do cerco, eu estava muito doente. Coberta de furúnculos, a pele caindo. E a criança nos braços... Estávamos esperando um avião vir do continente,* e me disseram que, se ele viesse, mandariam os feridos em estado mais grave e minha Éllotchka podia ir junto. E eu me lembro do exato minuto em que a mandei. Os feridos estendiam os braços para ela: 'Éllotchka, aqui comigo'. 'Venha comigo. Aqui tem lugar...' Todos a conheciam, no hospital ela cantava para eles: 'Ê, como seria bom chegar viva até meu casamento'.

O piloto perguntou:

'Você está aqui com quem, menina?'

'Com mamãe. Ela ficou atrás da cabine...'

'Chame a mamãe para voar com você.'

'Não, mamãe não pode voar. Ela tem que lutar com os fascistas.'

* Nome que os *partisans* usavam para as regiões não ocupadas da União Soviética.

Veja como eram nossas crianças. Eu olhava para o rostinho dela e sentia uns espasmos — será que a veria de novo alguma vez?

Vou contar para você como me encontrei com meu filho... Isso já foi depois da libertação. Estava indo para a casa onde vivia minha sogra, e minhas pernas fraquejavam. As mulheres do destacamento, que eram mais velhas, me avisaram:

'Se encontrar o menino, não chegue logo dizendo que é a mãe dele, de jeito nenhum. Você imagina o que ele sofreu sem você?'

A menina da vizinha veio correndo:

'Ei! Mamãe do Liônia. O Liônia está vivo...'

Minhas pernas não conseguiam seguir em frente. Meu filho estava vivo. Ela contou que minha sogra tinha morrido de tifo, mas a vizinha ficara cuidando dele.

Entrei no pátio. O que estava vestindo? Uma *guimnastiorka* alemã, um casaco acolchoado remendado, calças velhas. A vizinha me reconheceu na hora, mas ficou calada. E meu filho estava sentado, descalço, esfarrapado.

'Como se chama, menino?', perguntei.

'Liônia...'

'Com quem você mora?'

'Antes morava com a vovó. Quando a vovó morreu, eu a enterrei. Todo dia eu ia falar com ela e pedia para ela me levar para o túmulo. Tinha medo de dormir sozinho...'

'E onde estão seu pai e sua mãe?'

'Papai está vivo, está no front. Mas a mamãe, os fascistas mataram. Foi a que vovó disse.'

Tinha dois *partisans* comigo, tinham enterrado seus companheiros. Eles escutavam as respostas do meu filho e choravam.

Então eu não aguentei:

'Por que é que você não reconhece sua mãe?'

Ele se jogou em cima de mim:

'Papai!', eu estava vestindo roupas masculinas, usando um gorro. Depois me abraçou com um grito: 'Mamãe!!!'.

Que grito foi esse. Um ataque histérico... Durante um mês ele não me largava quando eu ia trabalhar. Eu o levava comigo. Não bastava ver que eu estava por perto, ele precisava segurar em mim. Quando nos sentávamos para almoçar, com uma mão ele segurava em mim, com a outra comia. Só me chamava de 'mamãezinha'. Até hoje me chama assim... Mamãezinha... Mãezinha...

Quando eu e meu marido nos encontramos, as semanas não foram suficientes para contarmos tudo. Eu passava dia e noite falando..."

Raíssa Grigórievna Khosseniévitch, partisan

"Na guerra tem enterro o tempo todo... Enterros de *partisans* aconteciam sempre. Ora um grupo caía numa emboscada, ora alguém morria em combate. Vou contar um enterro...

Houve uma batalha muito encarniçada. Perdemos muita gente; eu também fui ferida nessa batalha. Depois do combate, fizeram os enterros. Em geral, diante do túmulo faziam um discurso curto. Primeiro falavam os comandantes, depois os amigos. Entre os mortos havia um rapaz da região, e a mãe dele veio ao enterro. Ela começou a chorar: 'Meu filhinho! E nós que estávamos fazendo uma casinha para você! Me jurou que ia trazer sua noiva! E em vez disso, está se casando com a terra...'.

A fila estava em silêncio, todos calados, ninguém tocava nela. Depois ela levantou a cabeça e viu que não era só o filho dela que tinha morrido, havia muitos jovens ali, e ela começou a chorar pelos filhos dos outros: 'Meus filhinhos queridos! Suas mãezinhas não viram vocês, não sabem que estão debaixo da terra! E a terra é tão fria. É um inverno gelado. Então vou chorar no lugar delas, vou lamentar por todos vocês. Meus queridinhos... Adorados...'.

Foi só ela dizer: 'Vou lamentar por todos vocês' e 'Meus queridinhos' que todos os homens começaram a chorar alto. Ninguém conseguiu se segurar, não tivemos forças. A fila ficou soluçando. Então, o comandante gritou: 'Uma salva!'. E a salva abafou o som de todos.

Isso me deixou estupefata, e até agora penso nisso, na grandeza do coração dessa mãe. Em um momento de dor tão imensa, quando estavam enterrando seu filho, ela ainda teve coração para chorar pelos filhos dos outros... Chorar como se fossem seus..."

Larissa Leôntievna Korótkaia, partisan

"Voltei para minha vila...

Umas crianças estavam brincando ao lado de casa. Eu olhava e pensava: 'Qual é a minha?'. Eram todas iguais. E estavam com os cabelos cortados como antes se tosquiavam as ovelhas — dos lados. Não reconheci minha filha, perguntei qual delas era a Liússia. Vi que um dos meninos com camisa longa saiu correndo e foi para dentro de casa. Era difícil distinguir quem era menina e quem era menino, pelo jeito como estavam vestidos. Perguntei mais uma vez:

'Então, qual de vocês é a Liússia?'

Eles indicaram com o dedo, disseram que era a que tinha saído correndo. E eu entendi que era minha filha.

Um minuto depois minha avó a trouxe pela mão, era a mãe da minha mãe. Ela a trouxe ao meu encontro:

'Vamos, vamos. Agora vamos dar uma lição nessa mãe por ter largado a gente.'

Eu estava vestindo uma roupa militar masculina, estava de barrete, viera a cavalo, e minha filha, claro, imaginava a mãe como sua avó, como as outras mulheres. Tinha chegado ali um soldado. Ela levou muito tempo para vir nos meus braços, tinha medo. Eu podia me ofender, mas não tinha criado a menina, ela tinha crescido com as avós.

De presente eu tinha levado sabão. Naquela época era um presente chique, e, quando fui dar banho, ela mordia o sabão. Queria provar e comer. Era assim que elas viviam. Eu lembrava da minha mãe como uma mulher jovem, e ela veio me receber uma velhinha. Disseram para ela que sua filha tinha chegado, ela deu um salto da horta para a rua. Me viu, esticou os braços e veio correndo. Eu a reconheci e corri para ela. Quando ainda estava a uns passos de mim, caiu sem forças. E eu caí ao lado dela. Beijava minha mãe. Beijava a terra. Tinha tanto amor no coração, e tanto ódio.

Eu me lembro de um alemão ferido que estava deitado e agarrava a terra com a mão, sentia dor; nosso soldado se aproximou dele e disse: 'Não mexa nisso, é a minha terra. A sua ficou lá no lugar de onde você veio...'"

Maria Vassílievna Pávlovets, médica partisan

"Fui para a guerra depois do meu marido...

Deixei minha filha com minha sogra, mas logo ela morreu. Meu marido tinha uma irmã, e ela abrigou a menina. Depois da guerra, quando recebi baixa, ela não queria devolver minha menina. Dizia algo como você não pode ter filhas, já que abandonou essa tão pequena e foi combater. Como uma mãe larga sua filha pequena, e ainda por cima tão desamparada? Voltei da guerra, minha filha já tinha sete anos, eu a deixei quando tinha três. Veio me encontrar uma menina crescida. Quando era pequena não havia o que comer, ela dormia pouco; tinha um hospital por perto, ela ia para lá, se apresentava, dançava e lhe davam pão. Depois ela me contou... No começo, esperava a mamãe e o papai, depois — só a mamãe. Papai morreu... Ela entendia.

Eu sempre me lembrava da minha filha no front, não me esquecia dela por um minuto, sonhava com ela. Sentia muita falta. Chorava por não ler histórias para ela à noite, porque iria dormir e acordar sem mim... Outra pessoa faria as trancinhas dela... Não guardava mágoas da minha cunhada. Eu entendia... Ela amava muito o irmão, ele era forte, bonito, não dava para acreditar que podiam matar alguém assim. E morreu logo, nos primeiros meses da guerra... Os aviões bombardearam eles de manhã, em terra. Nos primeiros meses — e até, talvez, em todo o primeiro ano da guerra — os pilotos alemães eram os senhores dos ares. E ele morreu. Ela não queria entregar o que tinha sobrado dele. A última coisa. E era uma dessas mulheres para quem a família, os filhos, são o que há de mais importante na vida. Bombardeios, fogo inimigo, e ela só pensava em uma coisa: como não deram banho nessa criança hoje? Não posso julgá-la...

Ela dizia que eu era cruel... Que não tinha alma feminina... Mas nós sofríamos muito na guerra. Sem família, sem casa, sem filhos... Muitos deixaram os filhos em casa, não fui só eu. Ficávamos sentados sob um paraquedas, esperando a missão. Os homens fumavam, jogavam dominó, e nós, enquanto não havia mísseis para o voo, ficávamos sentadas, bordando lenços. Continuávamos sendo mulheres. Sabe, minha navegadora. Ela queria mandar uma fotografia para casa, então nós — alguém conseguiu um lenço —, nós amarramos esse lenço nela para que as dragonas não aparecessem e escondemos a *guimnastiorka* com o cobertor. Parecia que ela estava de vestido... Assim tiramos a foto. Era a fotografia preferida dela...

Eu e minha filha fizemos amizade... Ficamos amigas por toda a vida..."

Antonina Grigórievna Bóndarieva, tenente da guarda, piloto

SOBRE A CHAPEUZINHO VERMELHO E A ALEGRIA DE ENCONTRAR UM GATO NA GUERRA

"Levei muito tempo para me acostumar com a guerra...

Saímos para o ataque. E quando vi que de um ferido estava saindo sangue arterial — antes eu nunca tinha visto algo assim, jorrava como uma fonte —, saí correndo para chamar o médico. E o próprio ferido gritou: 'Para onde? Para onde está indo? Amarre com o cinto'. E só então eu me refiz.

O que me dá pena? Um menino... Um garotinho de sete anos que ficou sem mãe. Mataram a mãe dele. O menino estava sentado na estrada ao lado da mãe morta. Ele não entendia que ela não estava mais entre nós, estava esperando ela acordar e pedia para comer...

Nosso comandante não deixou o menino se afastar, levou-o consigo: 'Você não tem mãe, filhinho, mas vai ter muitos pais'. E ele foi crescendo conosco. Como um filho do regimento. Desde os sete anos. Colocava os cartuchos no tambor da metralhadora PPSh.

Quando você for embora, meu marido vai brigar comigo. Ele não gosta dessas conversas. Não gosta da guerra. Mas ele não esteve na guerra, era jovem, é mais jovem do que eu. Não temos filhos. Eu sempre me lembro daquele menino. Podia ser meu filho...

Depois da guerra, eu tinha pena de todos... Das pessoas... Do galo, do cachorro... Até agora não aguento ver a dor dos outros. Eu trabalhava em um hospital, os doentes me adoravam porque era carinhosa. Temos um jardim grande. Nunca vendi uma maçã sequer, uma frutinha silvestre. Sempre distribuía, distribuía entre as pessoas... Fiquei com isso depois da guerra... Com esse coração..."

Liubov Zakhárovna Nóvik, enfermeira

* * *

"Na época eu não chorava...

Eu só tinha medo de uma coisa... Prendiam os camaradas e vinham alguns dias de espera insuportável: aguentariam ou não a tortura? Se não aguentassem, começaria uma nova série de prisões. Depois de um tempo ficávamos sabendo que eles seriam executados. Me davam uma missão: ver quem iriam enforcar naquele dia. Você andava pela rua e via: já estavam aprontando a corda... Não podíamos chorar nem parar por um segundo que fosse, porque tinha agentes secretos por todo lado. E precisava ter muita — não é essa a palavra — hombridade, muita força espiritual para ficar calado. E passar na frente sem chorar.

Na época eu não chorava...

Eu sabia para onde estava indo, mas só entendi, só senti tudo quando me prenderam. Quando me levaram para a prisão. Me chutavam com botas e me açoitavam com chicotes. Aprendi o que era a 'manicure' dos fascistas. Colocavam sua mão sobre uma mesa e uma espécie de máquina espetava agulhas debaixo das suas unhas... Um pouco debaixo de cada unha... É uma dor infernal! Você perde a consciência na hora. Nem me lembro, sei que era uma dor terrível, mas não me lembro. Me esticavam nos troncos. Talvez não seja bem isso, talvez não esteja certo. Mas o que me lembro é: tem um tronco aqui e um tronco aqui, e botam você no meio deles... Então uma máquina começa a funcionar... E você escuta seus ossos estalando e se deslocando... Se durava muito tempo? Também não lembro... Me torturavam na cadeira elétrica... Isso foi quando cuspi na cara de um dos carrascos. Se era jovem, velho, não lembro de nada. Eles tiraram toda a minha roupa e esse pegou no meu peito... Eu só consegui cuspir... Não consegui fazer mais nada. Cuspi no rosto dele. E aí me sentaram na cadeira elétrica.

Até hoje tenho aversão a eletricidade. Me lembro como ela começa a te jogar... Até agora não consigo nem passar roupa... Fiquei com isso para o resto da vida: começo a passar e sinto uma corrente por todo o corpo. Não posso fazer nada que esteja ligado à eletricidade. Talvez devesse ter feito alguma terapia depois da guerra? Não sei. Mas já passei minha vida assim...

Não sei por que hoje estou chorando tanto. Na época eu não chorava...

Fui condenada à pena de morte por enforcamento. Me puseram na câmara dos condenados à morte. Havia outras duas mulheres lá. Sabe, não chorávamos, não entrávamos em pânico: ao entrar para a resistência já sabíamos o que nos aguardava, e por isso mantínhamos a tranquilidade. Falávamos de poesia, lembrávamos das nossas óperas preferidas... Falávamos muito de *Anna Kariênina*... De amor... Nem lembrávamos dos nossos filhos, tínhamos medo de lembrar. Até sorríamos, animávamos umas às outras. E assim passamos dois dias e meio... Na manhã do terceiro dia me chamaram. Nos despedimos e nos beijamos sem lágrimas. Eu não estava com medo: pelo visto, estava tão acostumada com a ideia de morrer que o medo até desapareceu. E as lágrimas também. Era uma espécie de vazio. Já não pensava em nada...

Andamos por muito tempo, nem lembro quanto, eu já tinha me despedido da vida... Mas o veículo parou, e nós — éramos umas vinte pessoas — não conseguimos descer, de tão torturados que estávamos. Nos jogaram no chão como sacos, e o comandante ordenou que nos arrastássemos até os barracões. Nos apressava com o chicote. Ao lado de um dos barracões estava uma mulher dando de mamar a um bebê. E, sabe... Os cachorros, os seguranças, estavam todos estupefatos, de pé, sem tocá-la. O comandante viu essa cena... Deu um salto. Tirou a criança dos braços da mãe... Então, sabe, tinha uma bica, uma bica de água, e ele ficou batendo a criança contra o ferro. O cérebro começou a escorrer...

O leite... E eu vi que a mãe caiu, e entendi, sou médica... Eu entendi que o coração dela se partiu...

... Estavam nos levando para o trabalho. Pela cidade, por ruas conhecidas. Assim que começamos a descer, em um lugar havia uma grande subida, e de repente escutei uma voz: 'Mãe, mamãe!'. Vi minha tia Dacha e da calçada veio correndo minha filhinha. Estavam passando por aquela rua por acaso e me viram. Minha filha veio correndo, e na mesma hora se atirou no meu pescoço. E você imagina, os cachorros estavam ali, eram treinados especialmente para avançar nas pessoas, mas nenhum cachorro se mexeu. Se alguém se aproximasse, eles despedaçavam, eram adestrados para isso, e nenhum se moveu. Minha filha se atirou sobre mim, eu não chorei, só falava: 'Filhinha! Natáchenka, não chore. Logo estarei em casa'. O segurança ficou parado, os cachorros também. Ninguém tocou nela...

E na época eu não chorava...

Aos cinco anos dizia preces, e não versinhos. Tia Dacha a ensinava a rezar. Ela rezava por mamãe e por papai, pedia que saíssemos com vida.

Em 1945, no dia 13 de fevereiro, me mandaram para os trabalhos forçados dos fascistas... Fui parar no campo de concentração Croisette, na margem do canal da Mancha.

Na primavera... No dia da Comuna de Paris, os franceses organizaram nossa fuga. Saí e me juntei aos maquis.

Fui condecorada com a ordem francesa da Cruz de Guerra...

Depois da Vitória, estava voltando para casa... Eu me lembro... A primeira parada na nossa terra... Todos descemos dos vagões, beijamos a terra, abraçamos... Eu me lembro: estava com um avental branco, caí na terra, beijava, botava punhados de terra para dentro da roupa. Pensava: será que algum dia vou me separar dela de novo, da minha terra querida?

Cheguei a Minsk e meu marido não estava em casa. Minha filha estava com a tia Dacha. A NKVD tinha prendido meu marido, estava na prisão... No caminho para lá... O que escuto... Me diziam: 'Seu marido é um traidor'. Eu tinha trabalhado na resistência com meu marido. Nós dois. Era um homem corajoso e honesto. Entendi que tinham feito uma denúncia contra ele... Uma calúnia... 'Não', falei, 'meu marido não pode ser um traidor. Eu acredito nele. É um verdadeiro comunista.' O investigador... Ele começou a berrar comigo: 'Cale a boca, prostituta francesa! Cale a boca!'. As pessoas que viveram a ocupação foram presas, foram levadas para a Alemanha, ficaram em um campo de concentração fascista: todas eram suspeitas. Uma pergunta: como sobreviveu? Por que não morreu? Até os mortos eram vistos como suspeitos... Eles também... Não atentavam para o fato de que lutamos, de que todos nos sacrificamos em nome da Vitória. Vencemos... O povo venceu! E Stálin não confiava no povo de qualquer forma. Foi assim que a pátria nos agradeceu. Por nosso amor, por nosso sangue...

Eu andava... Escrevia para todas as instâncias. Soltaram meu marido seis meses depois. Quebraram uma costela dele, fizeram-no perder um rim... Os fascistas, quando ele foi para a prisão, tinham ferido sua cabeça, tinham quebrado um de seus braços, e lá ele ficou com os cabelos brancos; em 1945, a NKVD fez dele um inválido definitivamente. Cuidei dele por anos, tratava quando estava doente. Mas nunca pude falar contra isso, ele não queria escutar... 'Foi um erro', e só. O principal é que vencemos, era o que ele achava. Pronto, ponto final. E eu acreditava nele.

Eu não chorava. Na época eu não chorava..."

Liudmila Mikháilovna Káchetchkina, membro da resistência

"Como explicar para uma criança? Como explicar a morte para ela? Estava andando com meu filho pela rua e havia mortos no chão — para um lado e para outro. Estava contando Chapeuzinho Vermelho para ele, e à nossa volta havia mortos. Foi quando voltamos do campo de refugiados. Chegamos à casa de minha mãe e ele não estava bem: se metia embaixo da cama e ficava lá por dias inteiros. Tinha cinco anos e não saía na rua...

Passei um ano quebrando a cabeça com ele. Não conseguia entender de jeito nenhum: qual é o problema? Morávamos em um porão e, quando alguém passava na rua, só se viam as botas. Então uma vez ele saiu de debaixo da cama, viu as botas de alguém pela janela e começou a gritar... Depois me lembrei que ele tinha levado um chute de um fascista usando botas...

Bom, de alguma forma isso estava passando. Ele brincava com as crianças no pátio, à noite vinha para casa e perguntava:

'Mamãe, o que é papai?'

Eu explicava para ele:

'Ele é branquinho, bonito, está lutando no Exército.'

Quando estavam libertando Minsk, os primeiros a entrarem na cidade foram os tanques. Meu filho entrou correndo em casa, chorando:

'Meu pai não está lá! São todos negros, não tem ninguém branco...'

Era julho, os tanquistas eram todos jovens, estavam queimados de sol.

Meu marido voltou da guerra inválido. Não voltou jovem, estava envelhecido, e tive um problema: meu filho estava acostumado a pensar que o pai era branquinho, bonito, e veio um homem velho e doente. Ele passou muito tempo sem reconhecê-lo como pai. Não sabia como chamá-lo. Tive que acostumá-los um ao outro.

Meu marido voltava tarde do trabalho, eu o recebia:

'Por que chegou tão tarde? O Dima estava preocupado: "Cadê meu papai?"'.

Ele também, depois de seis anos de guerra (tinha estado antes na Guerra Russo-Japonesa), tinha se desacostumado do filho. De casa.

Quando eu comprava algo, dizia para meu filho:

'Foi o papai que comprou, ele cuida de você...'

Logo eles fizeram amizade..."

Nadiéjda Vikéntievna Khátchenko, membro da resistência

"Minha biografia...

Eu trabalhava desde 1929 nas ferrovias. Era ajudante de maquinista. Naquela época não havia mulheres maquinistas em nenhum lugar na União Soviética. E eu sonhava com isso. O chefe do depósito de trens a vapor não sabia o que fazer: 'Ah, essa menina, tinha que ter uma profissão de homem'. Mas eu consegui. E em 1931 me tornei a primeira... Eu era a primeira mulher maquinista. Você não vai acreditar, mas quando eu conduzia a locomotiva a vapor juntava gente nas estações: 'Tem uma menina conduzindo o trem'.

Nossa locomotiva foi para a limpeza, ou seja, para a reforma. Eu e meu marido nos revezávamos, porque já tínhamos um filho, então organizamos assim: se ele ia, eu ficava com a criança, se eu ia, ele ficava em casa. Exatamente naquele dia meu marido voltou, e eu precisava ir. De manhã acordei e escutei: havia algo estranho na rua, um barulho. Liguei o rádio: 'Guerra!'.

Disse para o meu marido:

'Liônia, levante! A guerra! Levante, começou a guerra!'

'Guerra? Guerra? Você sabe o que é uma guerra?'

Onde ficaríamos? Onde esconderíamos nosso filho?

Na evacuação, eu e meu filho fomos mandados para Uliánovsk, para a retaguarda. Deram-nos um apartamento de dois quartos, um bom apartamento, hoje mesmo não tenho um desses. Arrumamos um jardim de infância para ele. Tudo bem. Todos me adoravam. Mas é claro! Uma mulher maquinista, e ainda a primeira... Você não vai acreditar, morei lá por pouco tempo, menos de seis meses. Não aguentava mais: como assim, todos defendendo a pátria e eu sentada em casa?

Veio meu marido:

'E então, Marússia, vai ficar na retaguarda?'

'Não', falei, 'vamos.'

Naquela época estava sendo organizada uma coluna especial de reserva para servir no front. Eu e meu marido pedimos para ir para lá. Ele era maquinista-chefe, e eu maquinista. Passamos quatro anos viajando em um vagão, e nosso filho vinha conosco. Ele passou a guerra inteira sem ver um gato. Quando pegou um gato perto de Kíev, nosso trem sofreu um bombardeio terrível, um ataque de cinco aviões, e ele o abraçava: 'Gatinho querido, como estou feliz de ter visto você. Não vejo ninguém, fique aqui comigo. Deixe eu te dar um beijo'. Uma criança. Uma criança precisa que tudo seja infantil... Ele dormia com as palavras: 'Mamãezinha, temos um gato. Agora temos uma casa de verdade'. Essas coisas a gente não cria, não inventa... Não deixe isso passar... Escreva sem falta sobre o gato...

Sempre nos bombardeavam, atiravam com metralhadoras. E atiravam na locomotiva, o principal para eles era matar o maquinista, aniquilar a locomotiva. Os aviões desciam bem baixo, atiravam no vagão e na locomotiva, e meu filho estava no vagão. Eu temia mais do que tudo por meu filho. Não sei como descrever... Quando bombardeavam, eu o pegava no vagão e trazia para a locomotiva. Agarrava o menino, apertava contra o coração: 'Que seja o mesmo estilhaço'. Mas por acaso é assim que se mata? Pelo visto, é por isso que ficamos vivos. Anote isso também...

A locomotiva é a minha vida, minha juventude, o que tenho de mais bonito na vida. Mesmo agora eu gostaria de conduzir trens, mas não me deixam: estou velha.

Como é terrível ter só um filho... Que bobagem que é... Agora nós moramos... Eu moro com a família do meu filho. Ele é médico, diretor de uma ala de hospital. Temos um apartamento pequeno. Mas eu nunca tiro férias, nunca faço uma viagenzinha. Não sei descrever... Não quero me separar do meu filho, dos meus netos. Tenho medo de me separar deles por um dia. Meu filho também não sai de perto de mim. Logo vai fazer 25 anos que trabalha e nunca viajou, uma vez sequer. Todos se espantam no trabalho, mas ele não pediu para viajar nenhuma vez. 'Mamãe, prefiro ficar com você', é isso que ele fala. Minha nora também é assim. Não sei descrever... Não temos datcha porque não podemos nos separar nem por alguns dias. Eu não consigo viver nem um minuto sem eles.

Quem esteve na guerra sabe o que é se separar por um dia. Só por um dia..."

Maria Aleksándrovna Árestova, maquinista

SOBRE O SILÊNCIO DAQUELES QUE JÁ PODEM FALAR

"Mesmo agora eu falo sussurrando... Sobre... Isso... Sussurrando. Há quarenta e poucos anos...

Me esqueci da guerra. Porque depois da guerra eu vivia com medo. Vivia no inferno.

Já tinha acontecido a Vitória, já estávamos felizes... Já tínhamos juntado os tijolos, o ferro, começado a limpar a cidade. Trabalhávamos de dia, trabalhávamos de noite, não me lembro quando dormíamos e o que comíamos. Trabalhávamos e trabalhávamos.

Setembro... Fazia calor em setembro, me lembro de muito sol. Lembro das frutas. Muitas frutas. Vendiam maçãs em baldes na feira. E naquele dia... Estava pendurando roupa na varanda...

Ficou tudo na minha memória, até os detalhes, porque a partir daquele dia tudo mudou na minha vida. Tudo ruiu. Virou de cabeça para baixo. Eu estava estendendo a roupa... Roupa de cama branca, as minhas sempre foram brancas. Minha mãe me ensinou como lavar com areia em vez de sabão. Íamos buscar areia no rio, eu sabia de um lugar. E então... A roupa... A vizinha me chamou de baixo, gritava com uma voz estranha: 'Vália! Vália!'. Desci o mais rápido possível, meu primeiro pensamento foi: onde está meu filho? Sabe, na época os meninos corriam no meio das ruínas, brincavam de guerra e encontravam granadas de verdade, minas de verdade. Se explodiam. Ficavam sem braços, sem pernas... Lembro que não os deixávamos sair de perto, mas eram meninos, tinham curiosidade. Você gritava: fique em casa, e cinco minutos depois ele não estava mais lá. Eram atraídos pelas armas... Principalmente depois da guerra. Fui para baixo o mais rápido possível. Desci para o pátio, e lá estava meu marido... Meu Ivan... Meu maridinho amado... Vânietchka! Tinha voltado... Voltado do front! Vivo! Eu o beijava, tocava. Fazia carinho na *guimnastiorka*, em seus braços... Tinha voltado... Minhas pernas fraquejavam... E ele... Estava parado, feito pedra, é, feito cartolina, parado. Não sorria, não me abraçava. Parecia congelado. Me assustei: talvez esteja ferido. Talvez esteja surdo. Mas tudo bem, o principal é que tinha voltado. Iria cuidar dele, tratar. Já tinha cansado de olhar como outras mulheres viviam com maridos assim, e eu as invejava do mesmo jeito. Tudo isso passou pela minha cabeça em um instante, em um segundo. Minhas pernas estavam fraquejando de felicidade. Tremiam. Está vivo! Ah, minha querida, é o nosso fardo feminino.

Os vizinhos se reuniram ali mesmo. Estavam todos felizes, todos se abraçavam. E ele feito pedra. Calado. Todos repararam.

Eu:

'Vânia... Vânienka...'

'Vamos para casa.'

Certo, vamos. Me pendurei no ombro dele... Estava feliz! Era toda alegria e felicidade. Estava orgulhosa! Em casa, ele sentou no banco, calado.

'Vânia... Vânietchka...'

'Você entende...', e não conseguia falar. Começou a chorar.

'Vânia...'

Tivemos uma noite. Só uma noite.

No dia seguinte vieram buscá-lo, bateram na porta de manhã. Estava fumando, esperava, já sabia que eles vinham. Me contou pouco... Não teve tempo... Tinha passado pela Romênia, pela Tchecoslováquia, trazia condecorações, mas estava voltando com medo. Já tinha sido interrogado, já tinha passado por duas verificações do governo. Estava marcado: fora prisioneiro. Nas primeiras semanas da guerra... Foi capturado perto de Smoliénsk, e sua obrigação era ter se matado com um tiro. Ele quis fazer isso, sei que quis... Os cartuchos acabaram rápido, não tinha com o que lutar, com o que se matar. Teve um ferimento na perna, foi capturado ferido. O comissário partiu a própria cabeça com uma pedra diante dos olhos dele... O último cartucho tinha falhado... Diante dos olhos dele... Um oficial soviético capturado não se entregava, não tínhamos prisioneiros, tínhamos traidores. Foi o que disse o camarada Stálin; ele renegou o próprio filho que foi capturado. Meu marido... Meu... Os investigadores gritavam para ele: 'Por que está vivo? Por que ficou vivo?'. Ele tinha fugido... Fugiu para a floresta, para a resistência ucraniana, e, quando libertaram a Ucrânia, pediu para ir para o front. Estava na Tchecoslováquia no Dia da Vitória. Recebeu uma condecoração...

Tivemos uma noite... Se eu soubesse... Eu queria ter mais filhos, queria uma menina...

De manhã o levaram... Tiraram-no da cama... Me sentei à mesa da cozinha, esperando nosso filho acordar. Nosso filho tinha onze anos. Eu sabia que ele ia acordar e perguntar, a primeira coisa que ia perguntar: 'Onde está o papai?'. O que eu ia responder? Como explicar para os vizinhos? Para minha mãe?

Meu marido voltou sete anos depois... Eu e meu filho passamos quatro anos esperando que ele voltasse da guerra, e depois da Vitória mais sete anos que ele voltasse de Kolimá. Do campo de trabalho. Esperamos onze anos. Meu filho cresceu...

Aprendi a me calar... Onde está seu marido? Quem é seu pai? Em todos os formulários aparecia a pergunta: algum parente foi prisioneiro? Não me aceitaram como faxineira numa escola quando escrevi, não confiavam em mim para limpar o chão. Me tornei uma inimiga do povo, mulher de um inimigo do povo. De um traidor. Toda a minha vida para nada... Antes da guerra eu era professora de escola, formada no magistério, e depois da guerra passei a carregar tijolos numa construção. Ah, minha vida... Desculpe, está incoerente, sai tudo atabalhoado. Estou me apressando. Às vezes, à noite... Quantas noites não passei deitada sozinha, contando minha vida para alguém, várias e várias vezes. Mas de dia ficava calada.

Agora podemos falar de tudo. Eu quero... Perguntar: se nos primeiros meses da guerra milhões de soldados e oficiais foram feitos prisioneiros, de quem é a culpa? Eu quero saber... Quem decapitou o Exército antes da guerra, quem fuzilou e caluniou os comandantes vermelhos: espião alemão, espião japonês? Eu quero... Quem confiou na cavalaria de Budiônni enquanto Hitler estava se armando com tanques e aviões? Quem nos garantiu: 'Nossas fronteiras estão trancadas'? E já nos primeiros dias o Exército estava contando cartuchos...

Eu quero... Já posso perguntar... Onde está minha vida? Nossa vida? Mas eu fico calada, meu marido também fica. Até hoje é terrível. Temos medo... E vamos morrer com medo. É amargo e vergonhoso..."

Valentina Ievdokímovna M-va, mensageira partisan

"E ela botava a mão ali, onde fica o coração..."

E por fim — a Vitória.

Se antes a vida para eles era dividida entre guerra e paz, agora era entre guerra e Vitória.

De novo dois mundos diferentes, duas vidas diferentes. Depois de aprender a odiar, era preciso aprender a amar de novo. Lembrar de sentimentos esquecidos. De palavras esquecidas.

Uma pessoa da guerra precisava se transformar em uma pessoa da não guerra...

SOBRE OS ÚLTIMOS DIAS DA GUERRA, QUANDO DAVA ASCO MATAR

"Estávamos felizes...

Tínhamos cruzado a fronteira, a pátria fora libertada. Nossa terra... Eu não reconhecia os soldados, pareciam outras pessoas. Todos sorriam. Usavam camisas limpas. Traziam flores nas mãos, não sei de onde, nunca tinha conhecido uma gente tão feliz. Antes eu não via. Achava que quando entrássemos na Alemanha eu não teria pena deles, não teria piedade de ninguém. Acumulava tanto ódio no peito! Tanta mágoa! Por que eu devia ter pena dos filhos deles? Por que eu devia ter pena da mãe deles? Por que eu não devia destruir suas casas? Eles não tinham tido pena... Eles tinham matado... Queimado... E eu? Eu... eu... eu... Por quê? Por queeê? Tinha vontade de ver as esposas deles, as mães que tinham parido filhos como aqueles. Como eles iam olhar nos nossos olhos? Eu queria olhar nos olhos deles...

Eu pensava: o que vai acontecer comigo? Com nossos soldados? Nós todos nos lembrávamos... Como vamos suportar aquilo? Que forças serão necessárias para suportar aquilo? Chegamos em uma vila, as crianças estavam correndo, famintas, miseráveis. Tinham medo de nós... Se escondiam... Eu, que tinha jurado que iria odiar todos eles... Juntava com os nossos soldados tudo o que eles tinham, o que tinha sobrado da ração, qualquer pedacinho de açúcar, e entregava para as crianças alemãs. É óbvio que eu não tinha esquecido... Eu me lembrava de tudo... Mas não conseguia ver o olhar de fome das crianças tranquilamente. De manhã cedo já havia uma fila de crianças alemãs perto da nossa cozinha, dávamos primeiro e segundo pratos. Cada criança usava uma bolsa no ombro para pôr pão, uma vasilha no cinto para a sopa e para o acompanhamento — mingau, ervilha. Dávamos de comer a eles, curávamos. Até fazíamos carinho... Da primeira vez que fiz carinho em um deles... Me assustei... Eu... Eu! Fazendo carinho numa criança alemã... Fiquei com a boca seca de preocupação. Mas logo me acostumei. Eles também se acostumaram..."

Sófia Adámovna Kuntsiévitch, enfermeira-instrutora

"Fui até a Alemanha... Desde Moscou, andando...

Eu era enfermeira-chefe em um regimento de tanques. Tínhamos os T-34, eles pegavam fogo rápido. Dava muito medo.

Antes da guerra, nunca tinha escutado nem tiros de espingarda. Uma vez, bombardearam algum lugar bem longe, quando estávamos indo para o front, e me pareceu que toda a terra estava tremendo. Eu tinha dezessete anos, acabava de terminar o técnico. E me aconteceu de entrar num combate logo que cheguei.

Desci do tanque… Um incêndio… O céu estava queimando… A terra estava queimando… O ferro estava queimando… Aqui havia mortos, ali gritavam: 'Socorro! Alguém me ajude…'. O terror que me deu! Não sei como não saí correndo. Como não me mandei do campo de batalha? Dava tanto medo que não tenho palavras, só sentimentos. Antes eu não aguentava; agora assisto a filmes de guerra, mas mesmo assim choro.

Cheguei à Alemanha…

A primeira coisa que vi em terras alemãs foi um cartaz caseiro bem do lado da estrada: 'Aí está ela, a maldita Alemanha!'.

Entramos em um povoado… As janelas estavam todas fechadas. Todos correram e fugiram nas bicicletas. Goebbels tinha convencido a todos que, quando os russos chegassem, iriam cortar, trucidar, matar. Você abria a porta de uma casa e não tinha ninguém, ou estavam todos mortos, envenenados. Crianças jaziam mortas. Se matavam com um tiro, tomavam veneno… O que sentíamos? Alegria, porque tínhamos vencido e eles agora estavam sentindo dor, como acontecera conosco. Sentimento de vingança. Mas das crianças nós tínhamos pena…

Encontramos uma velhinha.

Eu disse a ela:

'Nós vencemos.'

Ela começou a chorar:

'Dois filhos meus morreram na Rússia.'

'E de quem é a culpa? Quantos dos nossos morreram?!'

Ela respondeu:

'De Hitler…'

'Hitler não decidia sozinho. Foram seus filhos, maridos...'

Então ela ficou quieta.

Cheguei à Alemanha...

Queria contar para minha mãe... Mas ela morreu de fome na guerra, eles não tinham nem pão, nem sal, não tinham nada. Meu irmão estava no hospital, gravemente ferido. Uma irmã estava me esperando em casa. Ela escreveu que, quando nossas tropas entraram em Oriol, ela pegava todas as moças de capote militar. Tinha certeza de que eu estaria lá. De que eu devia voltar..."

Nina Pietróvna Sákova, tenente, enfermeira

"Os caminhos da Vitória...

Você não imagina os caminhos da Vitória! Andavam os presos recém-libertos, com carretas, trouxas, bandeiras nacionais. Russos, poloneses, franceses, tchecos... Todos se misturavam, cada um ia para o seu lado. Todos nos abraçavam. Beijavam.

Encontramos algumas jovens russas. Comecei a falar com elas e me contaram... Uma delas estava grávida. A mais bonita. Tinha sido estuprada pelo patrão do lugar onde trabalhavam. Obrigou-a a viver com ele. Ela andava e chorava, batia na barriga: 'Não vou levar um *fritz* para casa! Não vou!'. As outras tentavam convencê-la... Mas ela se enforcou... Junto com o pequeno *fritz*...

Precisava ter nos escutado naquela ocasião, escutado e anotado. Pena que na época não passou pela cabeça de ninguém nos escutar, todos repetiam a palavra 'Vitória', e todo o resto parecia sem importância.

Uma vez, eu e uma amiga estávamos andando de bicicleta. Passou uma alemã, acho que tinha três filhos: dois no carrinho e um com ela, segurava na sua saia. Estava tão extenuada. E aí, entende, ela passou na nossa frente, pôs-se de joelhos e se inclinou. Bem assim... Até o chão... Não entendíamos o que ela estava dizendo. E ela botava a mão ali, onde fica o coração, e apontava para as crianças. De um modo geral, entendemos que ela estava chorando, se inclinando e nos agradecendo pelo fato de as crianças estarem vivas...

Era a esposa de alguém. O marido deve ter combatido no front oriental... Na Rússia..."

Anastassia Vassílievna Voropáieva, cabo, operadora de projetor

"Um dos nossos oficiais se apaixonou por uma garota alemã...

A notícia chegou aos superiores... Ele foi degradado e mandado para a retaguarda. Se tivesse estuprado... É... Claro, acontecia... Em nossa terra se escreve pouco sobre isso, mas é a lei da guerra. Os homens ficavam tantos anos sem mulheres e, claro, havia o ódio. Entrávamos em uma cidadezinha ou vila: os primeiros três dias eram saque e... Em segredo, óbvio... Você entende... Mas passados os três dias já era possível ir até para o tribunal. Num acesso de raiva. Mas por três dias bebiam e... Só que naquele caso era amor. O próprio oficial admitiu na seção especial: amor. Claro que isso era traição. Se apaixonar por uma alemã, pela filha ou esposa de um inimigo? Era... E... Bem, resumindo, tomaram as fotografias, o endereço dela. Claro...

Eu me lembro... Claro, lembro de uma alemã estuprada. Ela estava deitada nua, com uma granada enfiada no meio das pernas... Agora dá vergonha, mas na época eu não sentia vergonha. Os sentimentos mudavam, claro. Sentíamos uma coisa nos primeiros dias e outra coisa depois... E alguns meses depois... Para nós no batalhão... Cinco jovens alemãs vieram falar com nosso comandante. Elas choravam. O ginecologista examinou: elas tinham feridas lá. Feridas rasgadas. Todas as calcinhas ensanguentadas… Tinham sido estupradas por toda a noite. Os soldados faziam fila…

Não grave… Desligue o gravador… É verdade! É tudo verdade! Mandaram o batalhão entrar em formação… Disseram para as garotas alemãs: vão lá e procurem, se vocês reconhecerem alguém, fuzilamos na hora. Nem olhamos para a patente. Temos vergonha! Mas elas sentaram e choraram. Não queriam… Não queriam mais sangue. Foi o que disseram… Então deram uma bisnaga de pão para cada uma. Claro, tudo isso é a guerra… Claro…

Você acha que era fácil perdoar? Ver as casinhas com telhado, inteiras… brancas… Com rosas… Eu mesma queria que eles sentissem dor. Claro… Queria ver as lágrimas deles… Não ia ficar boa de uma hora para outra… Correta e boa. Tão boa quanto você agora. Ter pena deles. Para isso, precisei que algumas décadas se passassem…”

A. Rátkina, primeiro-sargento, telefonista

“A nossa terra natal foi libertada… Morrer passou a ser absolutamente insuportável, enterrar passou a ser absolutamente insuportável. Morriam pelas terras dos outros, enterravam nas terras dos outros. Nos explicaram que era preciso terminar de aniquilar o inimigo. Ele ainda era perigoso… Todos entendiam… Mas dava tanta pena de morrer… A essa altura, ninguém queria…

Eu me lembro de muitos cartazes ao longo da estrada, pareciam cruzes: ‘Aí está ela, a maldita Alemanha!’. Se lembram desse cartaz?

E todos esperavam por aquele momento… Agora vamos entender… Vamos ver… De onde eles vêm? Como é a terra deles, como são as casas? Será que são pessoas normais? Eles levavam uma vida normal? No front eu não me imaginava lendo de novo os versos de Heine. Do meu querido Goethe. Eu já não conseguiria escutar Wagner… Antes da guerra — cresci numa família de músicos —, eu amava música alemã: Bach, Beethoven. O grande Bach! Apaguei tudo isso do meu mundo. Depois vimos, nos mostraram os crematórios... O campo de Auschwitz... As montanhas de roupa feminina, de sapatinhos infantis... As cinzas acinzentadas... Levaram-nas para o campo, para servir de adubo para o repolho... Para a alface... Eu não conseguia mais escutar música alemã... Passou muito tempo até que eu voltasse para Bach. Passasse a tocar Mozart.

Enfim estávamos na terra deles... A primeira coisa que nos surpreendeu foram as boas estradas. As casas dos camponeses eram grandes... Vasos com flores, cortinas elegantes nas janelas, até nos galpões. As casas tinham toalhas de mesa brancas. Louça cara. Porcelana. Lá eu vi uma máquina de lavar pela primeira vez... Não conseguíamos entender: para que foram lutar se eles viviam tão bem? Na nossa terra estão se apinhando em abrigos de terra, e eles com toalhas de mesa brancas. Café em xicrinhas... Eu só tinha visto isso no museu. Essas xicrinhas... Esqueci de falar da nossa estupefação, estávamos estupefatos... Fomos para o ataque, e ali estavam as primeiras trincheiras alemãs que tomávamos... Saltamos ali dentro, e ainda havia café quente nas garrafas térmicas. O cheiro de café... Biscoitos. Lençóis brancos. Toalhas limpas. Papel higiênico... Não tínhamos nada disso. Que lençóis? Dormíamos sobre palha, sobre galhos. Às vezes, passávamos dois ou três dias sem comida quente. E nossos soldados fuzilaram aquelas garrafas térmicas... Aquele café...

Nas casas dos alemães vi jogos de café fuzilados. Vasos de flores. Travesseiros... Carrinhos de bebê... Mas mesmo assim não éramos capazes de fazer com eles o que eles fizeram conosco. Fazê-los sofrer como nós sofremos.

Para nós, era difícil entender: de onde vinha o ódio deles? O nosso, entendíamos. Mas e o deles?

Permitiram mandar pacotes para casa. Sabão, açúcar... Teve gente que mandou sapatos, os alemães tinham sapatos resistentes, relógios, coisas de couro. Todos procuravam por relógios. Eu não conseguia, me dava aversão. Eu não queria pegar nada deles, apesar de saber que minha mãe e minha irmã viviam na casa dos outros. Tinham queimado a nossa. Quando voltei para casa, contei para minha mãe, ela me abraçou: 'Eu também não conseguiria pegar nada deles. Eles mataram seu pai'.

Voltei a segurar um livrinho de Heine dezenas de anos depois da guerra. E a ouvir os discos dos compositores alemães que eu amava antes da guerra..."

Aglaia Boríssovna Nesteruk, sargento, comunicações

"Isso já foi em Berlim... Me aconteceu o seguinte caso: estava andando pela rua e, ao meu encontro, veio saltando um menino com um fuzil, um Volkssturm,* já no fim da guerra. Nos últimos dias. Eu estava com um fuzil nas mãos, preparado. Ele olhou para mim, piscou e começou a chorar. Eu também não acreditava em mim mesma: fiquei com os olhos marejados. Tive tanta pena, o guri ali com aquele fuzil idiota. Eu o empurrei na direção de um edifício destruído, para a entrada, e disse: 'Esconda-se'. Mas ele se assustou, achou que eu ia dar um tiro: eu estava com um gorro, não dava para ver se era uma moça ou um rapaz. Segurou minha mão. Estava aos prantos! Fiz um carinho na cabeça dele. O menino emudeceu. Apesar de tudo, era a guerra... Sim, eu mesma fiquei muda! Eu os odiara por toda a guerra! Fosse justo ou injusto, eu tinha asco de matar, especialmente nos últimos dias da guerra..."

Albina Aleksándrovna Gantimurova,
primeiro-sargento, batedora

* Milícia alemã criada em outubro de 1944 para conter o avanço do Exército Vermelho. Recrutava homens entre dezesseis e sessenta anos.

* * *

"Lamento uma coisa... Eu não cumpri um pedido...

Levaram um ferido alemão para o nosso hospital. Acho que era um piloto. Tinha fraturado o quadril e estava começando a gangrenar. Alguma pena tomou conta de mim. Ficava em silêncio.

Eu entendia um pouco de alemão. Perguntei a ele:

'Está com sede?'

'Não.'

Os outros feridos sabiam que havia um alemão ferido na enfermaria. Ele ficava separado. Quando eu passava, eles se indignavam:

'Você está levando água para o inimigo?'

'Ele está morrendo... Tenho que ajudá-lo...'

A perna dele estava toda azul, já não havia o que fazer. A contaminação toma a pessoa num instante, ela morre em um dia.

Dei-lhe água, mas ele ficou me olhando e de repente disse:

'*Hitler kaput!*'

Isso era 1942. Estávamos perto de Khárkov, sob cerco.

Perguntei:

'Por quê?'

'*Hitler kaput!*'

Retruquei:

'Isso você pensa e fala agora, porque está aqui. Mas lá você matava...'

Ele:

'Eu não atirava, eu não matava. Me obrigaram. Mas eu não atirava...'

'Todos se defendem assim quando caem presos.'

De repente ele pediu:

'Peço muito... muito... *frau*...', e me deu um pacote de fotografias. Mostrou, aquela era a mãe dele, ele, os irmãos, as irmãs... Uma fotografia tão bonita. Escreveu o endereço no verso: 'Vocês vão passar por lá. Vão!'. E quem dizia isso era um alemão em 1942, perto de Khárkov. 'Jogue isso na caixa de correio, por favor.'

Ele escreveu o endereço em uma foto, mas havia um envelope cheio delas. Levei-as comigo por muito tempo. Estava preocupada, perdi quando estava sob um bombardeio muito intenso. O envelope caiu quando entramos na Alemanha..."

Lília Mikháilovna Butkó, enfermeira cirúrgica

"Lembro de um combate...

Nesse combate fizemos muitos prisioneiros alemães. Havia feridos entre eles. Enquanto estávamos fazendo curativo eles gemiam, como os nossos rapazes. E o calor... Um calorão! Encontramos uma chaleira, demos água para eles. Estávamos em um lugar aberto. Debaixo de fogo inimigo. Deram uma ordem: cavar uma trincheira com urgência e nos camuflar.

Começamos a cavar as trincheiras. Os alemães olhavam. Explicávamos a eles: dizíamos, ajudem a cavar, vamos, trabalhem. Quando entenderam o que queríamos deles, olharam para todos nós com horror: eles tinham entendido que, depois de cavar as valas, íamos mandá-los para lá e fuzilá-los. Ficaram esperando... Precisava ver com que horror eles cavavam... O rosto deles...

Quando viram que fizemos curativos neles, que demos uma aguinha e mandamos se esconderem na trincheira que tinham cavado, eles não conseguiram se controlar, ficaram aturdidos... Um alemão chorou... Era um homem mais velho, chorava e não escondia as lágrimas de ninguém."

Nina Vassílievna Ilínskaia, enfermeira

SOBRE UMA REDAÇÃO COM ERROS INFANTIS E FILMES DE COMÉDIA

"A guerra estava acabando...

O comissário político me chamou:

'Vera Ióssifovna, a senhora vai ter que trabalhar com os feridos alemães.'

Naquela época eu já tinha perdido dois irmãos.

'Não vou.'

'Precisa ir, entenda.'

'Não sou capaz: perdi dois irmãos, não consigo olhar para eles; estou pronta para cortá-los, mas não para curá-los. O senhor é que vai me entender.'

'É uma ordem.'

'Se é uma ordem, eu acato. Sou militar.'

Tratava aqueles feridos, fazia tudo o que fosse necessário, mas era difícil para mim. Tocar neles, aliviar a dor. Nessa época achei meus primeiros cabelos brancos. Justo nessa época. Eu fazia de tudo para eles: operava, dava comida, anestesiava — tudo como manda o figurino. Só tinha uma coisa que eu não conseguia fazer: a visita da tarde. De manhã trocávamos os curativos do ferido, escutávamos o pulso, em suma, atuávamos como médicos, mas na visita da tarde tínhamos que conversar com os pacientes, perguntar como estavam se sentindo. Isso eu não conseguia. Fazer curativos, operar, eu conseguia, mas falar com eles, não. Tinha avisado o comissário político:

'Não vou fazer a visita da tarde...'"

Vera Ióssifovna Khóreva, cirurgiã militar

"Na Alemanha... Nos nossos hospitais já tinham aparecido muitos feridos alemães...

Lembro do meu primeiro ferido alemão. A perna tinha começado a gangrenar e foi amputada... Ele estava na minha enfermaria...

À tarde, me disseram:

'Kátia, vá lá olhar o seu alemão.'

Eu fui. Podia ter uma hemorragia ou algo assim. Ele estava acordado, deitado. Sem febre, nada.

Ele olhou, olhou, depois puxou uma pistola pequena:

'Tome...'

Ele falava em alemão, não lembro mais, mas entendi pelo que sabia das aulas na escola.

'Tome...', disse, 'queria matar vocês, mas agora me mate você.'

Queria dizer que seria salvo. Ele nos matava, mas nós o salvaríamos. E eu não conseguia dizer a verdade para ele, que estava morrendo...

Saí da enfermaria e inesperadamente notei que tinha lágrimas nos olhos..."

Ekaterina Pietróvna Chalíguina, enfermeira

"Eu podia ter um encontro... Tinha medo desse encontro...

Quando eu estava na escola, estudava em um lugar com uma orientação alemã, e estudantes alemães vinham nos visitar. Vinham para Moscou. Íamos com eles ao teatro, cantávamos juntos. Eu e um menino alemão... Ele cantava tão bem. Nós ficamos amigos, eu até me apaixonei por ele... E por toda a guerra pensei: 'E se eu o encontro e reconheço? Será que ele também está no meio desses?'. Sou muito emotiva, desde criança sou absolutamente impressionável. Absolutamente!

Uma vez estava andando pelo campo de batalha, logo depois de um combate... Tínhamos recolhido nossos mortos, ficaram os alemães... Achei que ele estava ali no chão... Parecia tanto com o rapaz... Na nossa terra... Passei muito tempo olhando para ele..."

Maria Anatólievna Fleróvskaia, trabalhadora política

"Quer saber a verdade? Eu mesma me assusto...

Um dos nossos soldados... Como explicar? Todos na casa dele tinham morrido... Ele... Os nervos... Estava bêbado, talvez? Quanto mais perto a vitória estava, mais bebiam. Nas casas e nos porões sempre se achava vinho. Schnaps. Bebiam e bebiam. Ele pegou o fuzil e correu para uma casa alemã... Descarregou toda a munição... Ninguém teve tempo de ir atrás dele. Corremos... Mas dentro da casa já estavam todos mortos... As crianças... Pegamos o fuzil dele e o amarramos. Ele nos cobria de palavrões: 'Deixem que eu mesmo me dou um tiro'.

Foi preso e julgado: fuzilamento. Eu tinha pena dele, todos tínhamos pena. Ele lutou a guerra inteira. Chegou até Berlim...

Pode escrever sobre isso agora? Antes era proibido..."

A. S-va, operadora de artilharia antiaérea

"A guerra estava esperando por mim...

Quando completei dezoito anos... Trouxeram uma notificação: apresentar-se no Comitê Regional, levar provisões para três dias, duas mudas de roupa de baixo, uma caneca, uma colher. Isso se chamava mobilização para a frente de trabalho.

Levaram-nos para a cidade de Novotróitsk, na província de Orenburg. Começamos a trabalhar numa fábrica. O frio era tanto que o sobretudo congelava no quarto, você segurava e ele estava pesado feito um tronco. Passamos quatro anos trabalhando sem férias, sem fins de semana.

Esperávamos e esperávamos que a guerra chegasse ao fim. Ao ponto final. Às três da manhã houve um barulho no alojamento, vieram o diretor da fábrica e o resto da chefia: 'Vitória!'. Eu não tinha forças para sentar na tarimba, me sentavam e eu caía para trás. Não conseguiram me levantar o dia inteiro. Fiquei paralisada de felicidade, de tão forte que era o sentimento. Só na manhã seguinte me levantei... Saí na rua, queria abraçar e beijar todo mundo..."

Ksênia Klimentiévna Belkó, soldado da frente de trabalho

"Que palavra bonita: vitória...

Eu pichei o Reichstag... Escrevi com um carvão, era o que tinha à mão: 'Uma garota russa de Sarátov venceu vocês'. Todos estavam deixando algo na parede, algumas palavras. Confissões e maldições.

Vitória! Minhas amigas perguntavam: 'O que você vai ser?'. Passamos tanta fome na guerra... Era impossível... Queríamos nos fartar de comer, matar a fome nem que fosse por um dia. Eu tinha um sonho: receber o primeiro pagamento depois da guerra e comprar uma caixa de biscoitos. O que eu ia ser depois da guerra? Claro, cozinheira. Até hoje trabalho em um alojamento.

Segunda pergunta: 'Quando vai se casar?'. O mais rápido possível... Eu sonhava com dar beijos. Queria muito beijar... Queria também cantar. Cantar! É isso..."

Elena Pávlovna Chálova, chefe do Komsomol do batalhão de fuzileiros

"Aprendi a atirar, jogar granadas... Instalar minas. Prestar primeiros socorros...

Mas por quatro anos... Durante a guerra esqueci todas as regras de gramática. Todo o programa escolar. Podia desmontar um fuzil automático com os olhos fechados, mas escrevi minha redação para ingressar na faculdade com vários erros infantis e quase sem vírgulas. O que me salvou foram minhas condecorações militares, e me aceitaram no instituto. Comecei a estudar. Lia os livros e não entendia, lia poemas e não entendia. Tinha esquecido aquelas palavras...

À noite, eu era atormentada por pesadelos: soldados da SS, latidos de cachorros, os últimos gritos... Quando morre, em geral uma pessoa sussurra algo, isso é mais assustador que um grito. Tudo voltava para mim... Uma pessoa levada para o fuzilamento... O medo nos seus olhos... E dá para ver que ela não acredita, até o último minuto ela não acredita. E curiosidade, também tem curiosidade. Ela para diante do fuzil e no último minuto se cobre com as mãos. Cobre o rosto... De manhã, minha cabeça ficava inchada por causa dos gritos...

Na época da guerra eu não refletia muito, mas depois comecei a pensar. Remoer... Tudo se repetia e se repetia... Eu não dormia... Os médicos me proibiram de estudar. Mas as meninas — minhas companheiras de quarto no alojamento estudantil — me disseram para esquecer os médicos e tomaram conta de mim. Toda noite, uma por vez me arrastava para o cinema para ver uma comédia. 'Você precisa aprender a rir. Rir muito.' Querendo ou não, elas me arrastavam. Havia poucas comédias, e eu vi cada uma cem vezes, no mínimo umas cem vezes. No começo eu ria como quem chora.

Mas os pesadelos foram embora. Consegui estudar..."

Tamara Ustínovna Vorobêikova, membro da resistência

SOBRE A PÁTRIA, STÁLIN E A CHITA VERMELHA

"Era primavera...

Rapazes jovens estavam morrendo, estavam morrendo na primavera... Em março, abril... Eu me lembro que na primavera, na época em que os jardins estavam florescendo e todos esperavam pela Vitória, enterrar as pessoas era a coisa mais difícil. Mesmo se já te disseram isso, anote de novo. É uma lembrança forte…

Passei dois anos e meio no front. Minhas mãos fizeram milhares de curativos, milhares de limpezas… Fazia mais e mais curativos… Uma vez, fui trocar o lenço da cabeça, me apoiei na moldura da janela e esqueci de tudo. Depois me recobrei e me senti descansada. Um médico me encontrou e começou a me dar bronca. Eu não estava entendendo nada… Ele saiu, mas antes disso me passou dois plantões extras, e minha colega me explicou o que tinha acontecido: eu passara mais de uma hora perdida em pensamentos. No fim, eu tinha adormecido.

Agora tenho pouca saúde, os nervos estão mal. Quando me perguntam 'Quantas condecorações você tem?', fico com vergonha de admitir que não tenho nenhuma, não conseguiram me condecorar. E talvez não tenham conseguido porque havia muitos de nós na guerra e todos faziam o que podiam… O que estava ao alcance de suas forças… Por acaso tinha como condecorar a todos? Mas temos o maior prêmio de todos: 9 de maio. Dia da Vitória!

Lembro de uma morte incomum… Na época ninguém entendeu, não tínhamos cabeça para isso… Mas eu me lembro… Um dos nossos capitães morreu no primeiro dia em que pisamos em solo alemão. Toda a sua família tinha morrido na ocupação, nós sabíamos. Era um homem corajoso, ele esperou tanto por aquilo… Tinha medo de morrer antes. De não sobreviver até o dia em que veria a terra deles, a infelicidade deles, a dor deles. Como choravam, como sofriam… Ver pedras destruídas no lugar da casa deles… Morreu sem mais nem menos, não estava ferido nem nada. Chegou, olhou e morreu.

Até hoje eu às vezes me lembro: por que ele morreu?"

Tamara Ivánovna Kuráieva, enfermeira

* * *

"Pedi para ir para a linha de frente direto do trem... Na mesma hora... Uma unidade estava saindo, fui com ela. Na época eu achava isso, que se fosse para a linha de frente, nem que fosse por um dia, voltaria para casa mais cedo do que se ficasse na retaguarda. Tinha deixado minha mãe em casa. Nossas meninas se lembram até hoje: 'Ela não queria ficar no batalhão médico'. É verdade, ia para o batalhão médico, me lavava, pegava uma roupa e voltava para a minha trincheira. Para as posições de vanguarda. Não pensava em mim. Me arrastava, corria... Só que aquele cheiro de sangue... Não conseguia me acostumar ao cheiro de sangue...

Depois da guerra, arrumei um emprego de parteira numa ala da maternidade, mas durou pouco. Pouco... Foi curto... Eu tinha alergia ao cheiro de sangue, meu organismo simplesmente não aceitava. Foi tanto desse sangue que vi na guerra, não aguentava mais. Meu organismo não aceitava. Saí da ala da maternidade numa ambulância. Tinha urticária, falta de ar.

Costurei uma blusa com um tecido vermelho, e meus braços ficaram até o outro dia com alguma mancha. Bolhas. Nem chita vermelha, nem flores vermelhas — rosas ou cravos — meu organismo aceitava. Nada vermelho, nada da cor de sangue... Mesmo agora não tenho nada vermelho na minha casa. Você não vai encontrar. O sangue humano tem uma cor muito viva, nunca tinha visto essa cor nem na natureza, nem em quadros. O suco de romã parece um pouco, mas não é exatamente igual. Romã madura..."

Maria Iákovlevna Iejova, tenente da guarda,
comandante de um batalhão médico

"Oh-oh-oh... Ah-ah-ah... Todos diziam 'oh' e ' 'ah', como eu sou colorida. Enfeitada. Mesmo na guerra eu era assim. Não militar. Usava vários penduricalhos... Ainda bem que nosso comandante era, como se diria hoje, um democrata. Não vinha da caserna, mas da universidade. Imagine, um professor. Com boas maneiras. Naquela época... Era uma ave rara... Uma ave rara voou para junto de nós...

Eu adoro anéis, mesmo baratos, mas que sejam muitos, nas duas mãos. Adoro perfumes bons. Da moda. Tudo quanto é bugiganga. Muitas e variadas. Na minha família sempre riam: 'O que vamos dar para a nossa doida da Lenka de aniversário? Claro, um anelzinho'. Depois da guerra, meu irmão fez um anel serrando uma lata de conserva. E de uma garrafa de vidro ele torneou um pingente, um pedaço verde. E fez ainda um outro, castanho-claro.

Sou que nem uma pega, uso de tudo, e sempre brilhante. Ninguém acredita que estive na guerra. Eu mesma já não acredito. Nesse minuto que estamos aqui sentadas, conversando, eu não acredito. Mas tenho no porta-joias uma Ordem da Estrela Vermelha... A ordem mais enfeitada... Não acha bonita? Deram para mim de propósito. Hahaha. Mas sério... É para a história, sim? Esse negócio está gravando, não é?... Então é para a história... Vou dizer o seguinte: sem ser mulher não dá para sobreviver na guerra. Nunca tive inveja dos homens. Nem na infância, nem na juventude. Nem na guerra. Sempre fui feliz por ser mulher. Dizem que as armas — fuzil, revólver — são bonitas, que há muito pensamento humano depositado nelas, muita paixão, mas para mim elas nunca foram bonitas. Eu via com que admiração os homens olhavam para um bom revólver, isso para mim era incompreensível. Eu sou mulher.

Por que fiquei sozinha? Tive namorados. Não me faltava namorado... Mas veja, estou sozinha... Eu mesma me alegro. Todas as minhas amigas são jovens. Amo a juventude. Tenho mais medo da velhice do que da guerra. Você veio tarde... Agora penso na velhice, e não na guerra.

Esse negócio está gravando, não é? É para a história, não é?"

Elena Boríssovna Zviáguintseva, soldado, armeira

* * *

"Eu vim para casa... Estavam todos vivos em casa... Minha mãe salvou a todos: meu avô e minha avó, minha irmãzinha e meu irmão. E eu voltei...

Um ano depois chegou nosso pai. Papai voltou com condecorações importantes, eu trouxe uma ordem e duas medalhas. Mas na nossa família ficou assim: a heroína principal era minha mãe. Ela salvou a todos. Salvou a família, salvou a casa. A guerra dela foi a mais terrível. Meu pai nunca usava nem ordens, nem fitas, ele tinha vergonha de se exibir na frente da minha mãe. Ficava sem jeito. Minha mãe não tinha condecorações.

Nunca na vida amei tanto alguém como amei minha mãe..."

Rita Mikháilovna Okunévskaia, soldado, sapadora-mineira

"Voltei outra pessoa... Por muito tempo tive uma relação anormal com a morte. Estranha, eu diria...

Puseram em funcionamento o primeiro bonde de Minsk, eu estava nesse bonde. E de repente o bonde parou, todos começaram a gritar, as mulheres chorando: 'Uma pessoa morreu! Uma pessoa morreu!'. Fiquei só eu no vagão, não conseguia entender por que estavam todos chorando. Eu não tinha esse sentimento de que era algo terrível. Tinha visto tantos mortos no front... Nem reagia. Estava acostumada a viver entre eles. Sempre tinha mortos por perto... Nós fumávamos ao lado deles, comíamos. Conversávamos. Eles não estavam em algum lugar para lá, debaixo da terra, estavam sempre ali... Conosco.

Depois voltou esse sentimento, de novo passei a achar terrível ver um morto. No caixão. Uns anos depois esse sentimento voltou. Fiquei normal... Igual aos outros..."

Bella Issáakovna Epchtein, sargento, francoatiradora

* * *

"Este caso é de antes da guerra...

Eu estava no teatro. Na hora do intervalo, quando a luz se acendeu, vi... Todos viram... Começou uma salva de palmas. Um estrondo! No camarote do governo estava Stálin. Meu pai estava preso, meu irmão desaparecido nos campos de trabalho, e apesar disso eu senti um entusiasmo tão grande que me jorraram lágrimas dos olhos. Fiquei congelada de felicidade! Toda a sala... Toda a sala se levantou! Aplaudiram de pé por dez minutos.

E fui para a guerra assim. Para lutar. E na guerra escutava as conversas em voz baixa... À noite, os feridos fumavam no corredor. Uns dormiam, outros não dormiam. Falavam de Tukhatchévski, de Iakir...* Milhares desapareceram! Milhões de pessoas! Para onde foram? Os ucranianos contavam... Como foram mandados para o colcoz. Reprimidos... Como Stálin organizou uma onda de fome, eles mesmos chamavam de Holodomor. Mães enlouquecidas comiam os próprios filhos... E a terra ali é tão rica que, se você espeta uma vareta, cresce um salgueiro. Os prisioneiros alemães enchiam um pacote e mandavam para casa. De tão gorda que era essa terra. Um metro de terra vegetal. De camada fértil. As conversas eram em voz baixa... A meia-voz... Nunca em grupo, sempre entre duas pessoas. Três é demais, o terceiro te denuncia...

Vou contar uma piada... Vou contar para não chorar. Então, é assim... De noite. No barracão. Os presos estão deitados, conversando. Perguntam um para o outro: 'Por que você foi preso?'. Um diz: 'Por dizer a verdade', o outro diz: 'Por meu pai'... O terceiro responde: 'Por preguiça'. Como assim? Todos se surpreendem. Ele conta: 'Uma noite estávamos com uns amigos, contando

* Mikhail Tukhatchévski (1893-1937) e Iona Iakir (1896-1937), militares soviéticos presos e executados durante os expurgos de Stálin, acusados de conspiração.

piadas. Voltamos tarde para casa. Minha mulher me perguntou: 'Vamos denunciar agora ou de manhã?'. 'Vamos de manhã. Quero dormir.' De manhã vieram nos prender....

É engraçado. Mas não dá vontade de rir. É de chorar. De chorar.

Depois da guerra... Todos estavam esperando os parentes voltarem da guerra, eu e minha mãe esperávamos os nossos de volta do campo de prisioneiros. Da Sibéria... Como não? Vencemos, provamos nossa lealdade, nosso amor. Agora vão acreditar em nós.

Meu irmão voltou em 1947, meu pai nós não encontramos... Há pouco tempo fui visitar minhas amigas do front na Ucrânia... Moram em uma vila grande perto de Odessa. No meio da vila tem dois obeliscos: metade da vila morreu de fome, e todos os homens faleceram na guerra. Mas como vão calcular isso na Rússia? Ainda tem gente viva, vá e pergunte. Para nossa história, minha menina, precisamos de mais centenas iguais a você. Para descrever nosso sofrimento. Nossas lágrimas incontáveis. Minha menina querida..."

Natália Aleksándrovna Kupriánovna, enfermeira cirúrgica

“De repente me deu uma vontade enorme de viver...”

O telefone toca sem parar. Anoto novos endereços, recebo novas cartas. E fica impossível, porque a cada vez é uma verdade insuportável.

TAMARA STIEPÁNOVNA UMNIÁGUINA,
TERCEIRO-SARGENTO DA GUARDA,
ENFERMEIRA-INSTRUTORA

“Ah, meu bem...

Passei a noite toda recordando, puxando pela memória...

Fui correndo para o centro de alistamento: usava uma sainha de tear e calçava uns chinelinhos emborrachados, pareciam uns sapatinhos com fivela, era o último grito da moda na época. Pois fui lá com essa sainha, esses chinelinhos, pedi para ir para o front, me mandaram. Subi num carro. Chegamos à unidade, era uma divisão de caçadores, estava perto de Minsk, e me disseram: ‘Que serventia você tem aqui?’; disseram: ‘Os homens vão ter vergonha se umas meninas de dezessete anos começarem a combater'. E era nesse espírito: logo íamos derrotar o inimigo, volte para a mamãe, menina. Eu, claro, fiquei frustrada por não me aceitarem na guerra. O que ia fazer? Fui falar com o chefe do estado-maior, com ele estava o coronel que tinha me recusado, e eu disse: 'Camarada chefe mais superior ainda, permita não obedecer ao camarada coronel. De qualquer jeito não vou voltar para casa, vou recuar com vocês. Para onde quer que eu vá agora, vai haver alemães por perto'. Depois disso, todos me chamavam assim: 'Camarada chefe mais superior ainda'. Isso foi no sétimo dia de guerra. Começamos a recuar...

Logo começou o banho de sangue. Tinha muitos feridos, mas eles eram tão quietos, tão pacientes, queriam tanto viver. Todo mundo queria chegar vivo no Dia da Vitória. Estavam esperando: já, já... Lembro que toda a roupa ficava impregnada de sangue — até, até, até... Meus chinelinhos rasgaram, eu já andava descalça. O que vi? Estavam bombardeando uma estação de trem perto de Moguilióv. Lá, tinha um trem cheio de crianças. Começaram a jogar as crianças pelas janelas dos vagões, eram crianças pequenas: três, quatro aninhos. Tinha uma floresta ali perto, e elas iam correndo para a floresta. Aí vieram uns tanques alemães, e os tanques foram passando por cima das crianças. Não sobrou nada das crianças... A gente enlouquece com uma cena dessas hoje em dia. Mas na guerra as pessoas aguentavam, só enlouqueceram depois. Adoeceram depois da guerra. Na guerra, as úlceras de estômago cicatrizavam. Você dormia na neve, com um capotezinho fino, e de manhã não tinha nem um resfriado.

Depois nossa unidade foi cercada. Eu tinha vários feridos, e nenhum carro queria parar. Os alemães já estavam no nosso calcanhar, já, já iam fechar o cerco. Então um tenente ferido me deu o revólver dele: 'Você sabe atirar?'. Como é que eu ia saber atirar? Eu só via os outros atirando. Mas peguei o revólver e fui com ele para a estrada, parar os carros. Foi lá que falei palavrão pela primeira vez. Feito um homem. Uns bons palavrões bem pesados... Todos os carros passavam reto... Da primeira vez atirei para o alto... Sabia que não podia levar os feridos nos braços. Não íamos conseguir carregar. Eles pediam: 'Pessoal, matem-nos de uma vez. Não nos deixem aqui assim'. Dei o segundo tiro. Pegou numa carroceria... 'Idiota! Aprende a atirar antes.' Mas frearam. Me ajudaram a subir os feridos para o carro.

Só que o mais terrível ainda estava por vir, o mais terrível foi Stalingrado. Que campo de guerra era aquele? Era uma cidade: ruas, casas, porões. Tente carregar um ferido para fora! Meu corpo era um grande hematoma. Até minhas calças estavam todas ensanguentadas. Completamente. O subtenente dava bronca na gente: 'Meninas, não tem mais calças, não peçam'. Quando as nossas ficavam secas, endureciam, nem engomada uma calça fica tão dura quanto cheia de sangue, dava para se cortar. Não tinha uma manchinha limpa, na primavera não dava nem para devolver o uniforme. Tudo queimava, no Volga, por exemplo, até a água queimava. Nem no inverno o rio congelava, ele pegava fogo. Tudo queimava... Em Stalingrado não tinha um só grama de terra que não estivesse encharcado de sangue humano. Russo e alemão. E de gasolina... De óleo lubrificante... Ali, todos entendemos que já não tinha para onde recuar, não podíamos recuar: ou morríamos todos — o país, o povo russo — ou vencíamos. Isso ficou claro para todos, teve esse momento. Não falávamos em voz alta, mas todos entendiam. Tanto o general quanto o soldado entendiam...

Chegaram reforços. Eram tão jovens, uns rapazes bonitos. Antes do combate você olhava para eles e já sabia que seriam mortos. Eu tinha medo de gente nova. Tinha medo de lembrar deles, de conversar com eles. Porque chegavam e dali a pouco já não estavam entre nós. Dois, três dias... Eu ficava olhando, olhando para eles antes do combate... Isso foi em 1942: o ano mais pesado, o momento mais difícil… Teve um caso em que, de trezentas pessoas, no fim do dia só sobraram dez. E quando vimos que só nós tínhamos sobrado, quando tudo se acalmou, começamos a nos beijar e chorar porque de repente estávamos vivos. Éramos todos uma família. Viramos parentes.

Uma pessoa está morrendo diante dos seus olhos… E você sabe, vê que não pode ajudar em nada, que ela só tem alguns minutos. Você beija, faz carinho, diz palavras afetuosas. Se despede dela. Bom, não podia ajudar com mais nada… Guardo aqueles rostos até agora na minha memória. Vejo todos, todos os rapazes. Por algum motivo achei que ia esquecer de algum, nem que fosse de um rosto. Pois não esqueci de ninguém, lembro de todos… Vejo todos… Queríamos fazer túmulos para eles com nossas próprias mãos, mas também nem sempre conseguíamos. Íamos embora, e eles ficavam. Acontecia de enfaixar toda a cabeça, e o ferido morria debaixo dos curativos. E era enterrado com a cabeça enfaixada. Outro, se morria no campo de batalha, ao menos olhava para o céu. Ou morria e pedia: 'Feche os meus olhos, irmãzinha, mas com cuidado'. A cidade destruída, as casas, isso é terrível, claro, mas quando as pessoas caíam, homens jovens… Você não conseguia respirar, saía correndo… Se salvava… Parecia que já não tinha forças para mais do que cinco minutos, que elas tinham se esgotado… Mas você corria… Março, a primeira água debaixo dos pés… Não podia usar botas de feltro, mas eu enfiei e saí. Me arrastei com elas o dia inteiro, à noite estavam tão molhadas que não consegui tirar. Tive que cortar. E não fiquei doente… Acredita, meu bem?

Quando acabaram os combates de Stalingrado, recebemos a missão de levar os doentes em estado mais grave em navios a vapor e barcaças até Kazan e Górki. Já era primavera, ali entre março e abril. Mas ainda achávamos um monte de feridos, estavam debaixo da terra: em trincheiras, abrigos de terra, porões… Eram tantos que eu não consigo expressar. Foi um horror! Quando tirávamos um ferido do campo de batalha, sempre achávamos que já não tinha sobrado nenhum, que tínhamos mandado todos embora, que já não havia mais nenhum em Stalingrado, mas quando tudo se acabou sobraram tantos que não dava para acreditar... Não dava para imaginar... No vapor em que eu estava viajando reuniram quem tinha perdido braços, pernas e centenas de pacientes de tuberculose. Devíamos tratar deles, falar baixo, tranquilizar com um sorriso. Quando nos mandaram, prometeram que seria um descanso dos combates, diziam que era quase um ato de gratidão, um incentivo. Mas acabou que foi ainda mais terrível que o inferno de Stalingrado. Lá no campo de batalha você carregava uma pessoa, prestava socorro e entregava com uma certeza: agora está tudo bem, ele já foi levado. Você ia e se arrastava até o próximo. Mas ali eles estavam o tempo todo diante dos seus olhos... No combate, eles queriam viver, ansiavam por viver: 'Mais rápido, irmãzinha! Mais rápido, querida!'. Já ali eles se recusavam a comer, queriam morrer. Se jogavam do barco. Nós os vigiávamos. Protegíamos. Eu ficava até de noite ao lado de um capitão: ele não tinha os dois braços e queria se matar. E uma vez não avisei outra irmãzinha, saí por alguns minutos e ele se jogou....

Nós os levamos até Ussólie, fica perto de Perm. Lá já tinha umas casinhas novas, limpinhas, tudo especialmente para eles. Como um acampamento de pioneiros... Nós os carregávamos nas macas, eles vomitavam com dentes de terra. Eu achava que aceitaria qualquer um como marido. Que o levaria nos braços. Voltávamos no barco a vapor vazio, podíamos descansar, mas não dormíamos. As meninas ficavam deitadas, depois começavam a uivar. Todos os dias sentávamos e escrevíamos cartas para eles. Distribuíamos quem ia escrever para quem. Três, quatro cartas por dia.

E um detalhe. Depois dessa viagem comecei a esconder minhas pernas e meu rosto durante os combates. Eu tinha pernas bonitas, me dava tanto medo de que ficassem desfiguradas. Também tinha medo por meu rosto. Veja esse pormenor...

Depois da guerra passei alguns anos sem conseguir me livrar do cheiro de sangue, ele passou muito tempo me perseguindo. Começava a lavar a roupa e sentia esse cheiro, ia cozinhar o almoço e sentia esse cheiro de novo. Alguém me deu uma blusinha vermelha de presente, e na época isso era uma raridade, faltava tecido, mas não vesti porque era vermelha. Eu já não era mais capaz de assimilar essa cor. Não conseguia ir ao mercado. Na seção de carnes. Especialmente no verão... E ver carne de frango, você entende, é muito parecida... Tão branca quanto a carne humana... Meu marido é que ia... No verão eu não conseguia ficar na cidade de jeito nenhum, tentava sair para algum lugar. Assim que vinha o verão, eu achava que uma guerra ia começar. Quando o sol aquecia tudo — árvores, casas, asfalto —, tudo tinha aquele cheiro, para mim tudo cheirava a sangue. Não importa o que eu comesse ou bebesse, não conseguia me livrar daquele cheiro! Até lençóis limpos, para mim, cheiravam a sangue...

... Nos dias de maio de 1945... Lembro que nos fotografávamos muito. Estávamos muito felizes... No dia 9 de maio, todos gritavam: 'Vitória! Vitória!'. Os soldados rolavam na grama: Vitória! Sapateávamos. Ai, sim, ai, ai.

Atiravam... Quem tinha como, atirava...

'Parem de atirar agora!', ordenava o comandante.

'Mas sobraram uns cartuchos mesmo. Para que vão servir?', nós não entendíamos.

Não importa o que dissessem, eu só escutava uma palavra: Vitória! E de repente me deu uma vontade enorme de viver! Que vida bonita começaria ali! Pus todas as minhas condecorações e pedi que tirassem minha foto. Por algum motivo queria que fosse entre flores. Me fotografaram em algum canteiro.

No dia 7 de junho, tive uma alegria, que foi meu casamento. A unidade preparou uma grande festa para nós. Eu e meu marido nos conhecíamos fazia tempo: ele era capitão, comandava a companhia. Eu e ele juramos que, se saíssemos vivos, nos casaríamos depois da guerra. Nos deram um mês de férias...

Fomos para Kínechma, no distrito de Ivánov, ver os pais dele. Eu estava indo como uma heroína, nunca tinha pensado que podiam receber uma garota do front daquele jeito. Já tínhamos passado por tanto, salvado os filhos para aquelas mães, os maridos para aquelas mulheres. E de repente... Conheci o que são ofensas, escutava injúrias. Até então era só: 'irmãzinha do coração', 'irmãzinha querida', não escutava nada além disso. E eu não era qualquer uma, era bonitinha. Tinha ganhado uma farda nova.

À noite nos sentamos para tomar chá, a mãe levou o filho para a cozinha e chorou: 'Com quem você casou? Uma do front... Você tem duas irmãs mais novas. Quem vai casar com elas?'. Mesmo agora, quando me lembro disso, dá vontade de chorar. Imagine: eu tinha levado um disquinho que adorava. Nele, tinha a seguinte letra: 'e você tem o direito de usar os sapatos na última moda'... Falava de uma garota do front. Eu pus o disco, veio a irmã mais velha e o quebrou na minha frente; disse: 'vocês não têm direito nenhum'. Eles destruíram todas as minhas fotos do front... Ah, meu bem, não há palavras para isso. Eu não tenho palavras...

Na época nos davam comida segundo a letra, tínhamos uns cartõezinhos. Eu e meu marido juntamos os nossos e fomos nos abastecer. Chegamos, era um armazém especial para isso, já tinha fila, ficamos lá esperando. Quando chegou minha vez, de repente o homem que estava atrás do balcão deu um pulo por cima dele e veio para mim, me beijava, abraçava e gritava: 'Rapazes! Rapazes! Achei! Encontrei! Queria tanto me encontrar com ela, queria tanto achá-la. Rapazes, foi ela que me salvou!'. E meu marido ali do lado. Mas esse ferido era um dos que eu tinha tirado do fogo. De debaixo do tiroteio. Ele se lembrava de mim, e eu? Como ia lembrar de todos? Eram muitos. Outra vez um inválido me encontrou numa estação de trem: 'Irmã!', me reconheceu. E disse chorando: 'Achava que quando te encontrasse ficaria de joelhos...'. Mas ele não tinha uma perna...

Nós, as garotas do front, já tínhamos aguentado o suficiente. E depois da guerra ainda levamos, depois da guerra ainda tivemos mais uma guerra. Terrível também. Os homens de alguma forma nos largaram. Não nos protegeram. No front era diferente. Você estava se arrastando, voava um estilhaço ou uma bala... Os rapazes cuidavam de nós: 'Deite, irmãzinha!'. Alguém gritava, e ele mesmo caía em cima de você, te cobria. E a bala o... Ele morria ou ficava ferido. Me salvaram assim três vezes.

De Kínechma voltamos de novo para a unidade. Chegamos e ficamos sabendo que nossa unidade não tinha sido desfeita, íamos desativar minas nos campos. Precisávamos liberar terras para os colcozes. A guerra tinha terminado para todos, mas para os sapadores continuava. E as mães já sabiam da Vitória... A grama estava bem alta, e em volta havia minas, bombas. Mas as pessoas precisavam da terra, e nos apressávamos. Todo dia nossos camaradas morriam. Todo dia depois da guerra era preciso enterrar... Deixamos tanta gente lá, nos campos... Tanta gente... Já tínhamos liberado a terra para o colcoz, passava um trator, tinha uma mina escondida em algum lugar, podia ser uma mina antitanque: o trator explodia, e o tratorista também. Não havia tantos tratores assim. E não havia sobrado tantos homens. Ver aquelas lágrimas na vila já depois da guerra... As mulheres berravam... As crianças berravam... Lembro que tínhamos um soldado... Foi perto de Stáraia Russa, me esqueci qual vila, ele mesmo era de lá, foi no seu colcoz desativar as minas, no seu campo, e morreu. A vila fez o enterro. Ele tinha lutado durante toda a guerra, os quatro anos, e depois da guerra morreu no lugar de origem, na sua terra natal.

Assim que começo a contar vou ficando doente. Conto, mas por dentro pareço uma geleia, tudo treme. Vejo tudo mais uma vez, imagino: os mortos deitados ali, com a boca aberta, alguém que estava gritando e não terminou o grito, as vísceras reviradas. Vi menos madeira do que mortos... Como é terrível! Como é terrível o combate corpo a corpo, em que o soldado vai com uma baioneta... Com a baioneta nua. Você começa a gaguejar, passa alguns dias sem conseguir falar direito. Perde a fala. Será que alguém que não esteve lá consegue entender? E como contar? Com que rosto? Bom, me responda você: com que rosto isso deve ser recordado? Outros conseguem, de algum jeito... São capazes. Mas eu, não. Eu choro. Porém é necessário para que isso fique. Precisamos transmitir. Em algum lugar do mundo nosso grito deve ser guardado. Nosso berro...

Eu sempre espero por nossa festa do Dia da Vitória... Espero por ela e tenho medo dela. Passo algumas semanas juntando roupa especialmente para isso, para ter muita roupa suja no dia, e depois passo o dia inteiro lavando. Preciso ficar ocupada com alguma coisa, me distrair com algo o dia inteiro. Quando nos encontramos, não tem lenço que chegue: são assim nossos encontros do front. Um mar de lágrimas... Eu não gosto de brinquedos de guerra, esses brinquedos de guerra para crianças. Tanques, metralhadoras... Quem inventou isso? Me revira a alma. Nunca comprei nem dei brinquedos de guerra para as crianças. Nem para as minhas, nem para as dos outros. Uma vez, alguém trouxe para minha casa um aviãozinho militar e uma metralhadora de plástico. Joguei no lixo ali mesmo. Na hora! Porque a vida humana é um dom... Um grande dom! O próprio ser humano não é senhor desse dom.

Sabe o que pensávamos na guerra? Sonhávamos: 'Bom, rapazes, se sairmos vivos... Como serão felizes as pessoas depois da guerra! Como será feliz, como será bonita a vida. Essas pessoas que tanto sofreram vão ter pena umas das outras. Vão amar. Serão outras pessoas'. Não tínhamos dúvida. Nem um tiquinho.

Meu bem... As pessoas se odeiam tanto quanto antes. Matam de novo. Isso para mim é o mais incompreensível... E quem são? Nós... Somos nós...

Em Stalingrado... Estava arrastando dois feridos. Levava um, deixava, depois o outro. E assim puxava um de cada vez, porque eram feridos muito graves, não podia largá-los, e os dois, como simplificar isso, estavam com as pernas destruídas desde o alto, estavam se esvaindo em sangue. Ali cada minuto era valioso, cada minuto. E de repente, quando me afastei mais do combate, havia menos fumaça, de repente descobri que estava arrastando um dos nossos tanquistas e um alemão... Fiquei horrorizada: os nossos estavam morrendo ali, e eu salvando um alemão. Entrei em pânico. Lá, na fumaça, não diferenciei... Vi que o homem estava morrendo, gritava... Aaa... Os dois estavam queimados, pretos. Iguais. E ali eu vi bem: um medalhão estrangeiro, relógio estrangeiro, tudo estrangeiro. Aquela maldita farda. Mas e agora? Fui puxando o nosso e pensando: 'Volto para pegar o alemão ou não?'. Eu entendia que, se o deixasse, ele morreria logo. Pela perda de sangue... E eu me arrastei até ele. Continuei arrastando os dois...

Isso foi em Stalingrado... Os combates mais terríveis. Mais terríveis de todos. Meu bem... Não pode existir um coração para odiar e outro para amar. O ser humano só tem um, e eu sempre pensava em como salvar meu coração.

Depois da guerra, passei muito tempo com medo do céu, até de levantar a cabeça para o céu. Tinha medo de ver terra arada. E as gralhas já estavam passando por ela tranquilamente. Os pássaros logo se esqueceram da guerra..."

1978-2004

1ª EDIÇÃO [2016] 21 reimpressões

ESTA OBRA FOI COMPOSTA EM MINION PELO ACQUA ESTÚDIO
E IMPRESSA PELA GEOGRÁFICA EM OFSETE SOBRE PAPEL PÓLEN NATURAL
DA SUZANO S.A. PARA A EDITORA SCHWARCZ EM FEVEREIRO DE 2024

A marca FSC® é a garantia de que a madeira utilizada na fabricação do papel deste livro provém de florestas que foram gerenciadas de maneira ambientalmente correta, socialmente justa e economicamente viável, além de outras fontes de origem controlada.